새 교육과정 중등 영역별 STEAM 과학

안쌤의

최상위 줄기과학

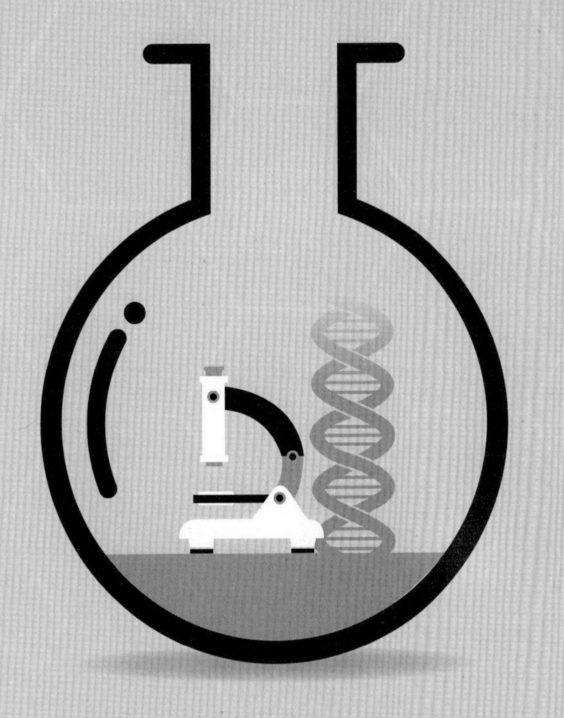

중등

생명과학

최상위권 브랜드 마테시스

구성과 특징

개념

교과서 핵심 내용을 간결하면서도 이해하기 쉽게 설명했습니다. 또한, 풍부한 시각 자료가 있어 개념이 확실히 잡히도록 구성하였습니다.

플러스 노트

교과서 개념을 이해하는 데 도움이 되는 설명들로 구성하였습니다.

더 알아보기

학교 시험에 나올 수 있는 문제를 대비하여 교과서 개념을 응용하거나 적용된 실생활 내용으로 구성하였습니다.

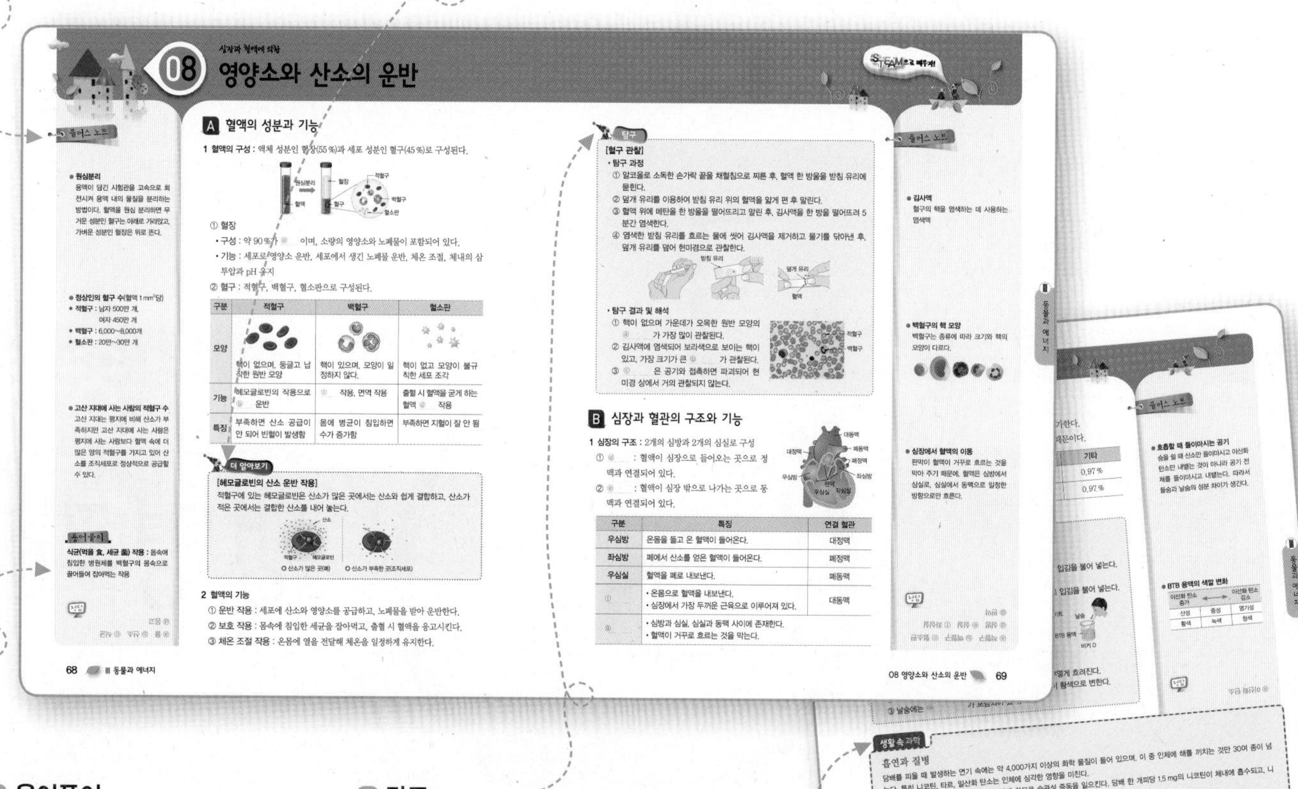

용어풀이

한자의 뜻을 알면 용어의 뜻을 잘 이해할 수 있어 과학 용어를 잘 기억할 수 있습니다.

탐구

단원의 중요 탐구를 제시하여 중요 내신형 탐구 문제를 쉽게 해결할 수 있도록 구성하였습니다.

생활 속 과학

새 교육과정의 융합과학(STEAM)에서 강조하고 있는 생활 속 과학을 교과서 개념이 적용된 내용으로 구성하였습니다.

문제 구성

교과서 핵심 내용을 확실히 파악했는지 확인하기 위한 객관식 문제 유형과 서술형 문제 유형을 구성하였습니다. 또한 새 교육과정에서 강조하는 융합인재교육(STEAM)을 위한 창의사고력 문제 유형과 STEAM 실험실로 탐구력 향상 문제 유형을 구성하였습니다.

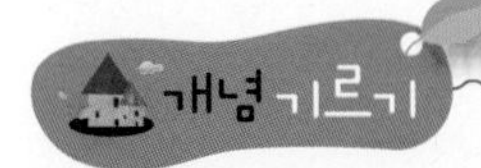

개념을 확실히 파악했는지 확인하고, 학교 시험에 잘 나올만한 문제를 통해 기초를 튼튼히 다질 수 있도록 구성하였습니다.

서술형으로 다지기

학교 시험에서 마지막에 등장하는 서술형 문제를 집중적으로 연습할 수 있도록 구성하였습니다.

융합사고력 키우기

창의 서술형 평가로 새롭게 등장한 융합형(STEAM) 문제를 대비할 수 있도록, NIE(신문기사), 실생활 속 제품, 과학사 등의 지문을 이용하여 서술형 문제와 논술형 문제로 구성하였습니다.

탐구력 키우기

새 교육과정으로 등장한 단원별 마무리 STEAM 활동처럼 단원을 STEAM 탐구로 마무리할 수 있도록 구성하였습니다.

문제 구성 속 아이콘

개념 속 빈칸 ⓑ

눈으로만 보는 개념보다 빈칸을 채워가며 완성하는 개념이 학습에 도움이 됩니다. 이를 위해 핵심 개념에 빈칸을 넣어 구성했습니다.

개념 속 빈칸 정답 정답

빈칸을 채워가며 개념을 완성하는데 정답 확인이 번거롭지 않도록 개념 페이지 하단에 정답을 넣었습니다. 바로바로 확인하면서 개념 페이지를 완성할 수 있습니다.

출제 빈도가 높은 문제에는 중요 아이콘으로 표시했습니다. 이 문제는 확실히 이해하고 넘어가면 좋습니다.

최근 창의 서술형 평가로 새롭게 등장한 논술형 문제를 대비할 수 있도록 구성하였습니다.

차례

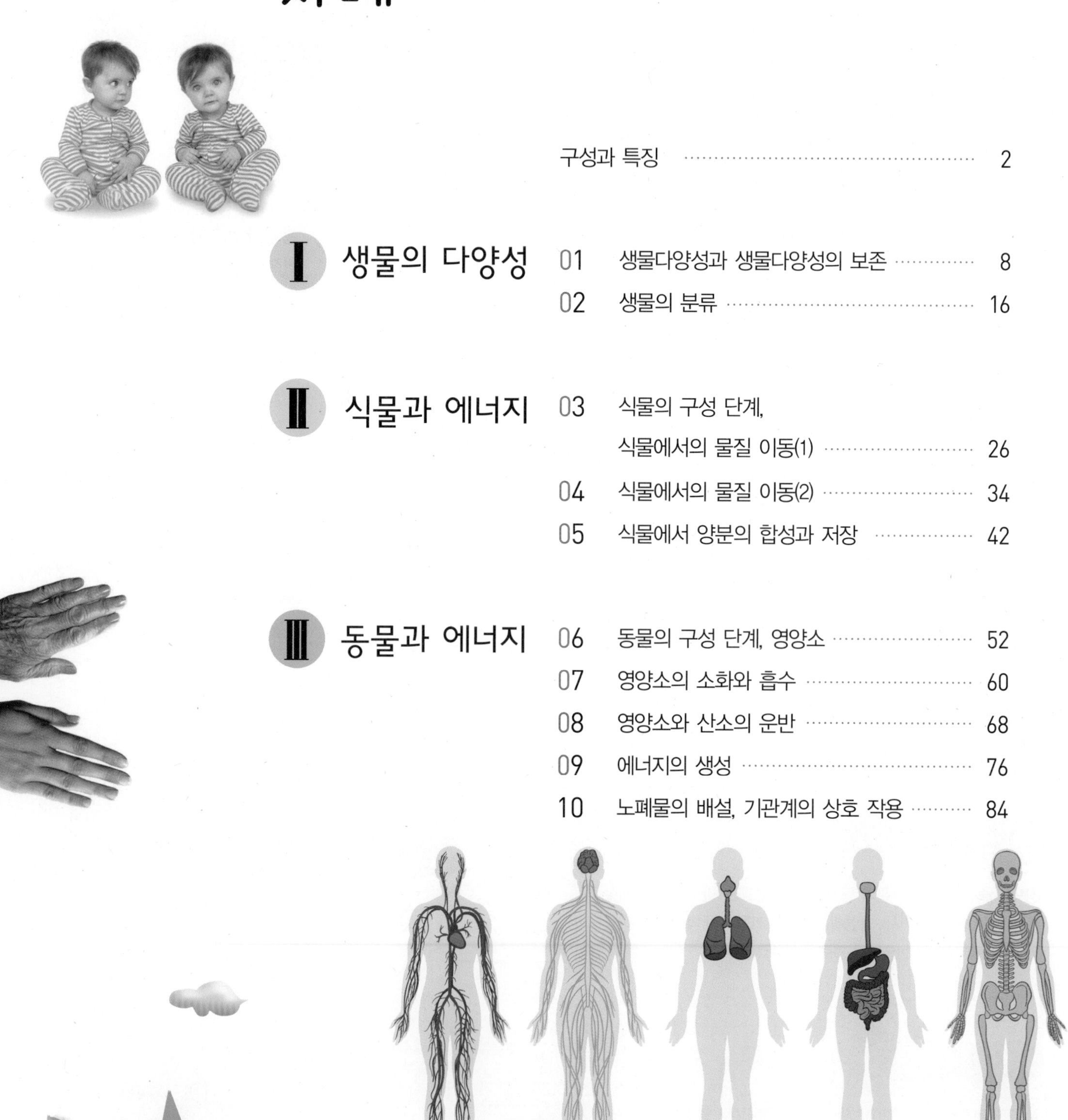

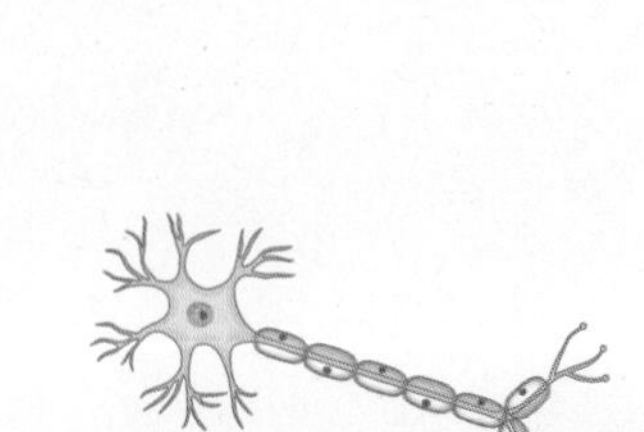

Ⅳ 자극과 반응

Ⅴ 생식과 유전

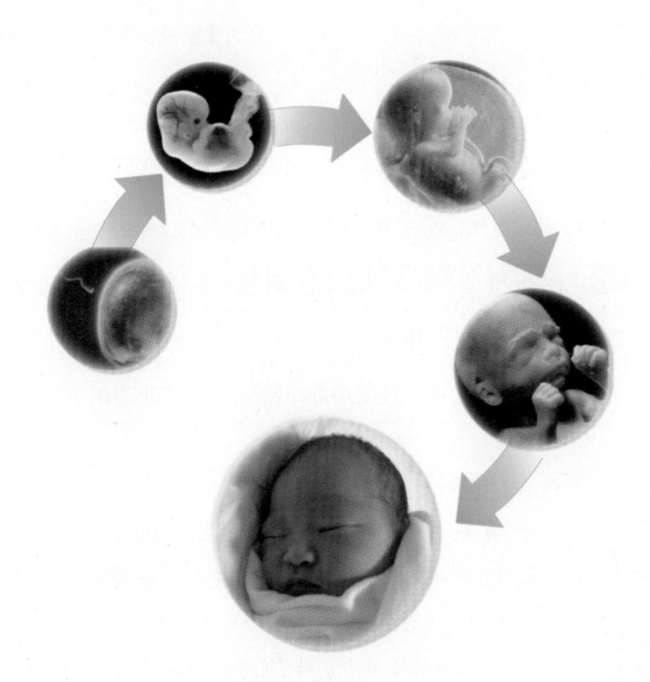

융합인재교육 STEAM 이란?

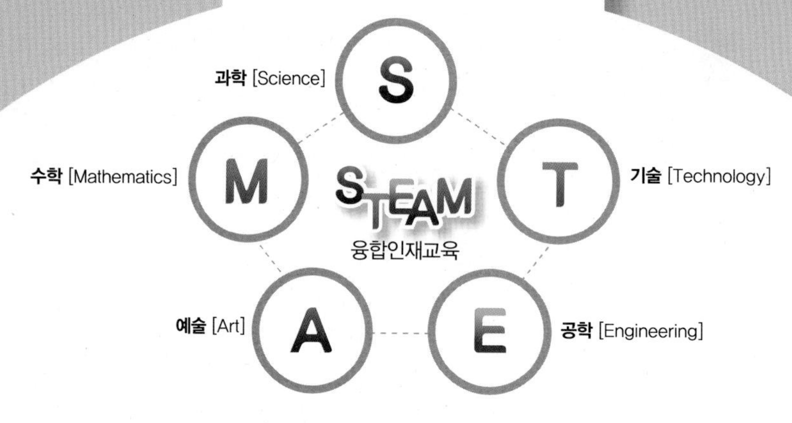

⊙ 수학, 과학, 기술, 공학 간 상호 연계성 고려, 학문 간 공통 핵심 요소 중심으로 교육

⊙ 예술적 소양을 함양하고 타 학문에 대한 이해가 깊은 미래형 인재 양성으로 교육

[자료 출처 : 한국과학창의재단]

융합인재교육은 과학기술공학과 관련된 다양한 분야의 융합적 지식, 과정, 본성에 대한 흥미와 이해를 높여 창의적이고 종합적으로 문제를 해결할 수 있는 융합적 소양(STEAM Literacy)을 갖춘 인재를 양성하는 교육이라고 정의하고 있다. 학습자가 실제 문제 상황을 다양하게 설계하고 해결하는 과정을 통해 새로운 개념을 생성하고, 창의적으로 설계하며, 더불어 사는 인성, 즉 사회적 감성을 발달하도록 하는 것이다.

이러한 **융합인재교육(STEAM)**의 목적은 다음과 같이 정리할 수 있다.

⊙ 빠르게 변화하는 사회 변화의 적응력을 높이는 것이다.

⊙ 개인의 창의인성, 지성과 감성의 균형 있는 발달을 돕는 것이다.

⊙ 타인을 배려하고 협력하며, 소통하는 능력을 함양하는 것이다.

⊙ 과학 효능감과 자신감, 과학에 대한 흥미 등을 증진시킴으로써 과학 학습에 대한 동기 유발을 높이는 것이다.

⊙ 융합적 지식 및 과정의 중요성을 인식시키는 것이다.

⊙ 학습자 중심의 수평적 융합적 교육으로 전환하는 것이다.

⊙ 합리적이고 다양성을 인정하는 문화 형성에 기여하는 것이다.

⊙ 대중의 과학화를 기반으로 한 합리적인 사회를 구성하는 데 기여하는 것이다.

⊙ 창조적 협력 인재를 양성하는 것이다.

I 생물의 다양성

2015 개정 교육과정 교과서

중학교 1~3학년 군 : 1학년 3단원 생물의 다양성

다른 학년과의 연계

5~6학년 군 : 생물과 환경
통합 과학 : 생물다양성과 유지
생명과학 Ⅱ : 생물의 진화와 다양성

생태계 다양성, 종 다양성, 유전적 다양성을 포함하는

01 생물다양성과 생물다양성의 보존

플러스 노트

● **종**
자연 상태에서 짝짓기를 하여 생식 능력이 있는 자손을 낳을 수 있는 생물 개체들의 무리

● **생태계**
생물이 일정한 장소에서 빛, 물, 온도 등과 같은 환경이나 다른 생물과 영향을 주고받으며 살아가는 체계
예 열대 우림, 초원, 사막, 강, 연못, 호수, 갯벌, 바다, 농경지 등

● **생물다양성**

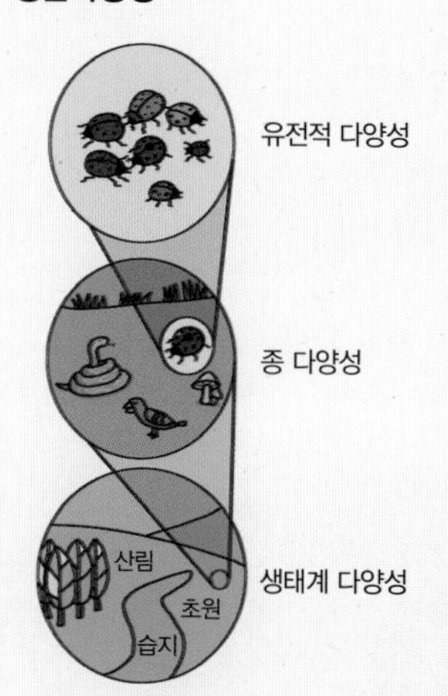

용어풀이

유전(남길 遺, 전할 傳): 어버이의 성격, 체질, 형상 등의 형질이 자손에게 전해짐

ⓐ 다양성 ⓑ 생태계 ⓒ 종
ⓓ 유전자 ⓔ 생태계 ⓕ 종류
ⓖ 유전자

A 생물다양성

1 생물 ⓐ______ : 어떤 지역에 살고 있는 생물의 다양한 정도

ⓑ______ 다양성	생물이 살아가는 다양한 생태계가 있어야 한다.
ⓒ______ 다양성	한 생태계에 많은 종류의 생물이 살고 있어야 한다.
ⓓ______ 다양성	같은 종류의 생물이라도 유전적인 차이에 의해 다양한 특징을 가지고 있어야 한다.

2 생물다양성이 높아지는 조건

① ⓔ______ 가 다양할수록 생물다양성이 높다.
- 생태계의 종류에 따라 살고 있는 생물의 종류가 다르므로, 생태계가 다양할수록 생물다양성이 높다.

② 생물의 ⓕ______ 가 많을수록 생물다양성이 높다.
- 한 지역에 사는 생물 종류가 많고, 여러 종류의 생물이 고르게 분포할수록 생물다양성이 높다.
- 종 다양성이 높으면 먹이 사슬이 복잡해지므로 생태계 평형이 잘 유지된다.

③ 같은 종류의 생물이라도 ⓖ______ 차이에 의해 생김새와 특성이 다양할수록 생물다양성이 높다.
- 급격한 환경 변화나 전염병이 발생했을 때 살아남는 개체가 있어 종이 유지될 가능성이 높다.

탐구

[생물다양성 비교하기]

- **탐구 과정**
다음은 (가)와 (나) 두 지역에 분포하는 나무의 종류와 개체 수를 나타낸 것이다.

- **탐구 결과 및 해석**
① (가)와 (나) 지역 모두 10그루의 나무가 있다.
② (가)에는 5종류의 나무가 살고 있고, (나)에는 4종류의 나무가 살고 있다.
③ (가)에는 여러 종류의 나무가 고르게 분포하지만, (나)에는 한 종류의 나무가 개체 수의 대부분을 차지한다.
④ 나무의 종류가 많고 여러 종류의 나무가 고르게 분포하는 (가)가 (나)보다 생물다양성이 높다.

B 환경과 생물다양성

1 변이 : 같은 종류의 생물 사이에서 나타나는 생김새나 특성의 차이

① 변이가 나타나는 원인

ⓐ ______ 의 차이	생활하는 환경에 따라 다른 특징을 가질 수 있다.
ⓑ ______ 의 차이	부모로부터 물려받은 유전자가 다르면 다른 특징을 가질 수 있다.

② **변이와 진화 :** 변이는 생물이 각각 다른 환경에 적응하는 과정에서 서로 다른 특징을 갖는 새로운 종류의 생물(진화)이 나타나는 원인이 된다.

2 생물의 종류가 다양해지는 과정

① 한 종류의 생물 무리에 조금씩 다른 ⓒ ______ 가 있었다.

② 무리 중 ⓓ ______ 에 알맞은 변이를 지닌 개체가 더 많이 살아남아 자손을 남겼다.

③ 서로 교류하지 않은 채 오랜 시간이 지나면 같은 종류의 생물들 사이에 차이가 커져 서로 다른 생김새와 특징을 가진 무리로 나누어질 수 있다.

3 환경에 따라 다양한 생물의 모습

ⓔ ______	• 북극여우는 몸집이 크고 귀가 작아 외부로 열을 덜 빼앗겨 체온 유지에 유리하고, 털이 흰색이므로 눈이 많은 곳에서 몸을 숨기기 유리하다. • 사막여우는 몸집이 작고 귀가 커서 외부로 열을 방출하기에 적절하고, 털이 모래색이므로 모래가 많은 곳에서 몸을 숨기기 유리하다.
ⓕ ______	사막에 사는 선인장은 잎이 가시 모양이므로 수분 손실을 줄일 수 있다.
바람	바람이 세게 부는 높은 산에서 자라는 눈잣나무는 땅에 붙어서 옆으로 누워 자라고, 바람이 약하게 부는 평지에서는 위로 곧게 자란다.

북극여우

사막여우

선인장

눈잣나무 – 높은 산

눈잣나무 – 평지

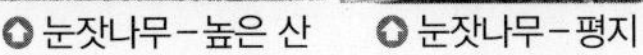

플러스 노트

● 변이의 예

* 사람은 저마다 생김새가 다르다.
* 바지락 껍데기 무늬는 서로 조금씩 다르다.
* 무당벌레의 겉날개 색깔과 무늬가 서로 조금씩 다르다.
* 얼룩말은 줄무늬의 색과 간격이 서로 조금씩 다르다.

● 갈라파고스 제도의 핀치

갈라파고스 제도는 남아메리카 대륙에서 1000 km 정도 떨어진 남태평양에 있다. 남아메리카 대륙에 살던 한 종류의 핀치가 갈라파고스 제도의 여러 섬에 나뉘어 살면서 먹이와 환경에 적응하여 부리 모양이 다양한 핀치가 되었다. 곤충을 잡아먹기에 알맞은 부리, 끝이 휘어져 꽃의 꿀을 빨아먹기에 좋은 부리, 뭉툭하여 나무 열매를 쪼아먹기에 알맞은 부리, 끝이 끌처럼 생겨 나무에 구멍을 뚫고 그 속의 곤충을 잡아먹기에 알맞은 부리 등 여러 종류가 있다.

곤충 꽃 나무 열매

용어풀이

변이(변할 變, 다를 異) : 같은 종에서 모양과 성질이 다른 개체가 존재하는 현상

진화(나아갈 進, 될 化) : 생물이 생명의 기원 이후부터 점진적으로 변해 가는 현상

정답

ⓐ 환경 ⓑ 유전자 ⓒ 변이
ⓓ 환경 ⓔ 온도 ⓕ 물

플러스 노트

C 생물다양성의 중요성

1 생태계 평형 유지

① 생태계 ⓐ ______ : 생태계를 구성하는 생물의 종류와 개체 수가 크게 변하지 않고 안정된 상태를 유지하는 것

② 생태계 평형 유지

- 생태계를 구성하는 생물의 종류가 다양하여 ⓑ ______ 이 복잡하게 얽혀 있을 때 생태계 평형이 잘 유지된다.
- 생물다양성이 높은 생태계는 한 종이 사라져도 이를 대체할 수 있는 다른 생물이 있어 연속적인 멸종이 일어날 가능성이 낮다.

생물다양성이 낮은 생태계	생물다양성이 높은 생태계
뱀 ↑ 개구리 ↑ 메뚜기 ↑ 풀 개구리가 멸종되면 뱀도 멸종될 가능성이 높다.	호랑이, 매, 올빼미, 뱀, 사슴, 개구리, 토끼, 들쥐, 메뚜기, 풀 개구리가 멸종되어도 뱀은 토끼나 들쥐를 잡아먹을 수 있으므로 멸종될 가능성이 낮다.

2 생물 자원으로서의 활용

의식주에 필요한 자원 제공	• 식량 : 벼, 보리, 밀, 옥수수 등을 식량으로 이용한다. • 의복 : 목화, 마, 누에고치, 양 등을 이용하여 섬유를 만든다. • 주택 : 목재를 이용하여 가구와 집을 만든다.
의약품의 원료 제공	현재 사용하는 의약품의 원료는 대부분 생물로부터 얻고 있다. 예 아스피린(버드나무 껍질), 페니실린(푸른곰팡이), 항암제 택솔(주목) 등
관광 자원 제공	휴식과 안정을 제공하는 관광 자원으로 이용된다. 예 휴양림, 제주도 올레길, 순천만 자연 생태 공원, 수목원 등
유전자원 제공	새로운 형질을 갖는 생물을 만드는 데 필요한 유전자원을 제공한다. 예 세균의 해충 저항성 유전자, 해파리 형광 단백질 유전자 등
산업용 재료나 아이디어 제공	생물의 생김새나 생활 모습을 보고 아이디어를 얻어 유용한 도구를 만든다. 예 방탄복(인공 거미줄), 방수 스마트폰(연잎 효과) 등

3 지구 환경의 유지 및 보전

① 숲은 이산화 탄소를 흡수하고 생물이 살아가는 데 필요한 ⓒ ______ 를 공급하며, 동물에게 서식지를 제공한다.

② 버섯, 곰팡이, 세균 등은 동식물의 사체나 배설물을 ⓓ ______ 하여 토양을 비옥하게 만든다.

● **생물 자원**
인간의 생활과 생산 활동에 이용되는 모든 생물을 의미한다.

● **연잎 효과**
연잎에 물이 떨어지면 잎이 젖지 않고 물방울이 구슬처럼 굴러다니다가 먼지, 세균 등과 함께 떨어져 스스로 깨끗함을 유지하는 효과이다. 연잎에 있는 미세한 돌기가 물이 잎에 흡수되지 않고 뭉쳐 있게 한다.

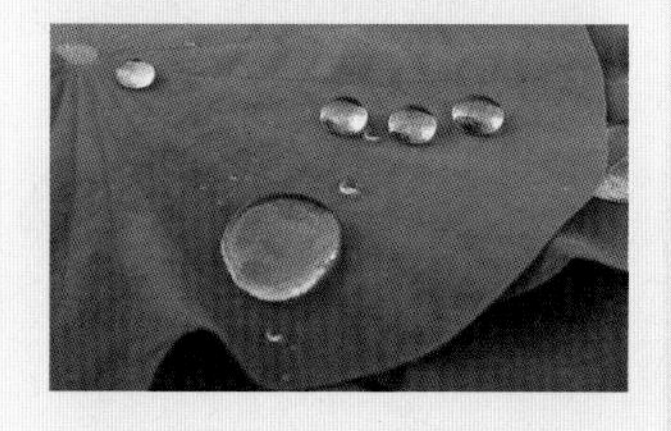

용어풀이

멸종(없어질 滅, 종류 種) : 생물의 한 종류가 아주 없어짐

ⓐ 평형 ⓑ 먹이 사슬 ⓒ 산소 ⓓ 분해

D 생물다양성의 보전

1 생물다양성 보전의 필요성 : 생물다양성이 감소하면 생태계 평형이 깨질 뿐만 아니라 생물다양성으로부터 다양한 자원을 얻어 살아가는 인간도 생존을 위협받게 된다.

2 생물다양성의 감소 원인

서식지 파괴와 ⓐ ______	• 서식지 파괴 : 생물다양성 감소의 가장 큰 원인으로, 서식지가 파괴되면 그곳에서 살아가는 생물종 수가 급격히 감소한다. • 서식지 단편화 : 서식지가 소규모로 나누어지면 생물 집단의 크기가 감소하고 멸종될 수 있다.
불법 포획과 ⓑ ______	특정 생물종의 개체 수가 급격하게 감소하여 멸종될 수 있다.
ⓒ ______ 의 유입	외래종이 대량으로 번식하면 자생종의 생존을 위협하고 먹이 사슬에 변화를 일으켜 생태계 평형이 파괴된다.
환경 오염과 기후 변화	환경 오염과 기후 변화로 서식지의 환경이 변해 서식지 면적이 감소하고 동물의 번식 시기 등이 변한다.

3 생물다양성 보전을 위한 활동

개인적 활동	• 환경 정화 활동하기 • 쓰레기 줄이기, 분리수거 하기 • 친환경 농산물 이용하기 • 모피로 만든 제품 사지 않기 • 희귀한 동물을 애완으로 기르지 않기 • 옥상 정원과 같은 생물의 서식지 만들기	사회적 활동	• 우리 밀 살리기 • 비오톱 설치하기 • ⓓ ______ 통로 설치하기 • 외래종 제거하기 • 토종 얼룩소 키우기
국가적 활동	• ⓔ ______ 은행 설립 • 국립 공원 지정 및 보호 • 환경 영향 평가 제도 시행 • 멸종 위기종 지정 및 복원 활동 • 불법 포획 및 남획 금지 법률 마련 • 야생 동물 보호 및 관리에 관한 법률 제정 • 환경 정화 시설 설치, 배출된 오염 물질 정화 • 외래종의 무분별한 유입 방지 및 유입된 외래종 감지	국제적 활동	• 생물다양성 보전을 위한 국가 간의 합의 • 생물다양성 관련 국제 협약 채택 예 생물다양성 협약, 사막화 방지 협약, 기후 변화 협약

옥상 정원 비오톱 육교형 생태 통로 터널형 생태 통로 종자 은행

플러스 노트

● 서식지 단편화의 피해
도로 개발 등으로 서식지가 분리되면 야생 동물이 도로를 건너 이동하다가 차에 치여 죽는 일이 많이 발생한다.

● 외래종과 자생종
* **외래종(외래 생물)** : 원래 살고 있던 지역을 벗어나 새로운 지역으로 들어가 자리를 잡고 사는 생물 예 뉴트리아, 붉은귀거북, 가시박, 큰입배스, 돼지풀 등
* **자생종(토종 생물)** : 어떤 지역에 옛날부터 살고 있던 고유한 생물종

● 비오톱
곤충 및 야생 동물이 서식할 수 있도록 만든 작은 규모의 생태계

● 생태 통로
산을 허물어 도로를 건설할 때 야생 동물이 이동할 수 있도록 만든 통로이다. 도로로 분리된 서식지를 연결해 준다.

● 종자 은행
우리나라 고유의 우수한 종자를 보관하여 멸종을 방지하고, 각 식물의 유전자원을 보전한다.

용어풀이

포획(잡을 捕, 얻을 獲) : 짐승이나 물고기를 잡음

남획(넘칠 濫, 얻을 獲) : 특정 동식물을 과도하게 잡아들이거나 채집함

정답

ⓐ 단편화 ⓑ 남획 ⓒ 외래종
ⓓ 생태 ⓔ 종자

01 다음 중 생물다양성에 포함되는 것을 모두 고른 것은?

보기
ㄱ 생태계의 다양한 정도
ㄴ 생물종의 다양한 정도
ㄷ 생물 개체가 가진 특성의 다양한 정도

① ㄱ
② ㄴ
③ ㄷ
④ ㄱ, ㄴ
⑤ ㄱ, ㄴ, ㄷ

02 다음 중 생물의 다양성과 관련된 설명으로 옳지 않은 것은?

① 어떤 지역에 살고 있는 생물의 다양한 정도이다.
② 생태계가 다양할수록 생물다양성이 높다.
③ 생물의 종류가 많을수록 생물다양성이 높다.
④ 한 생태계에 생김새와 특성이 동일한 생물이 많이 살수록 생물다양성이 높다.
⑤ 같은 종류의 생물이라도 유전적 차이에 의해 생김새와 특성이 다양할수록 생물다양성이 높다.

03 다음 중 생물다양성이 가장 높은 생태계는?

①

②

③

④

⑤

04 다음은 넓이가 같은 두 지역 (가)와 (나)에 살고 있는 생물의 종류와 수를 나타낸 것이다. 이에 대한 설명으로 옳지 않은 것은?

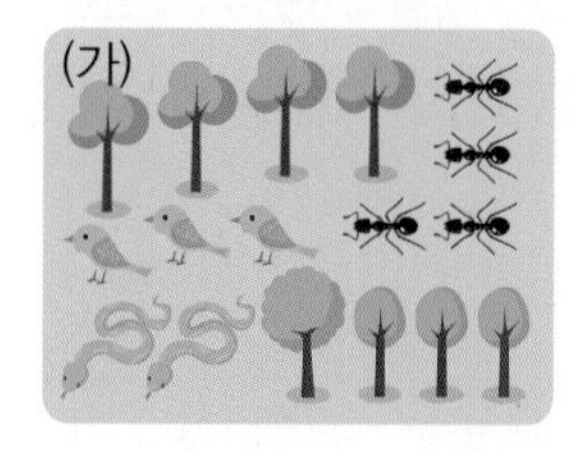

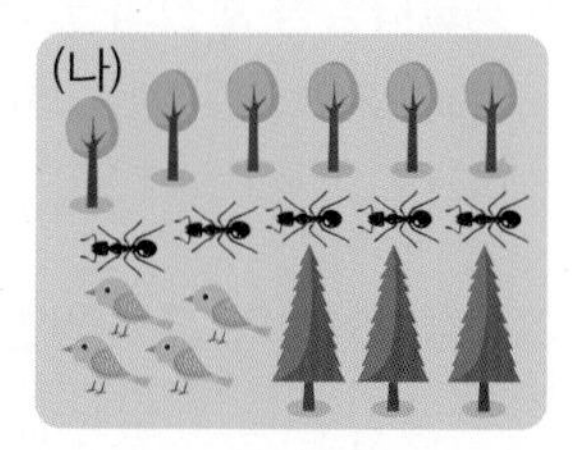

① (가)는 (나)보다 생물의 종류가 많다.
② (나)에 살고 있는 생물의 수는 (가)보다 많다.
③ (가)는 (나)보다 생물다양성이 높다.
④ (가)는 (나)보다 먹이 그물이 단순하다.
⑤ (나)는 (가)보다 생물의 분포가 불균등하다.

05 변이에 대한 설명으로 옳지 않은 것을 모두 고르시오.

① 같은 종류의 생물 사이에서 나타나는 생김새나 특성의 차이이다.
② 변이가 다양한 생물은 멸종될 가능성이 높다.
③ 한 종류의 생물이 변이와 환경에 적응하는 과정을 통해 서로 다른 종류의 생물로 나누어질 수 있다.
④ 같은 부모에서 태어난 자손 사이에는 변이가 일어나지 않는다.
⑤ 얼룩말이 개체마다 줄무늬의 색과 간격이 조금씩 다른 것은 변이가 일어났기 때문이다.

06 생태계 평형에 대한 설명으로 옳지 않은 것은?

① 생물의 종류가 안정된 상태를 유지하는 것이다.
② 생물의 개체 수가 변하지 않고 유지되는 것이다.
③ 먹이 사슬을 기초로 하여 유지된다.
④ 종 다양성이 높을수록 잘 유지된다.
⑤ 먹이 사슬이 복잡할수록 잘 유지된다.

07 북극에 사는 북극여우와 북극토끼에서 나타나는 공통적인 특성으로 옳지 않은 것은?

북극여우

북극토끼

① 눈이 많고 추운 곳에 산다.
② 털색이 주변 환경과 같은 색이다.
③ 외부로 열을 덜 빼앗기기 위해 귀가 작다.
④ 지방층이 두껍게 발달해 있다.
⑤ 더운 지역에 사는 여우나 토끼보다 몸집이 작다.

08 생물의 종류가 다양해지는 과정의 예를 순서대로 나열한 것은?

보기
㉠ 오랜 시간이 지나면서 가늘고 긴 부리를 가진 새로운 종류의 새가 되었다.
㉡ 새의 일부가 선인장이 많은 섬에 살게 되었다.
㉢ 부리의 모양과 크기가 조금씩 다른 변이가 있는 한 종류의 새가 있다.
㉣ 가시를 피해 선인장을 먹을 수 있는 가늘고 긴 부리를 가진 새가 살아남았다.

① ㉠-㉡-㉢-㉣ ② ㉡-㉠-㉢-㉣
③ ㉢-㉣-㉡-㉠ ④ ㉢-㉡-㉣-㉠
⑤ ㉣-㉡-㉠-㉢

중요

09 생물다양성이 잘 보전된 생태계에서 사람이 얻는 혜택으로 옳지 않은 것은?

① 벼, 보리, 밀 등 식량 자원을 얻는다.
② 아스피린, 페니실린 등 의약품 원료를 얻는다.
③ 휴식과 안정을 제공하는 관광 자원을 얻는다.
④ 과거에 없었던 새로운 유전병을 얻는다.
⑤ 생김새나 생활 모습을 보고 아이디어를 얻어 유용한 도구를 얻는다.

10 여러 생물이 서식하던 생태계에 다음과 같이 도로가 건설되었다. 도로가 건설된 이후의 변화에 대한 설명으로 옳지 않은 것은?

① 서식지 단편화가 일어났다.
② 서식지 면적이 감소했다.
③ 도로 건설로 2개의 생태계가 형성되어 생물다양성이 증가한다.
④ 서식지 가장자리에 살던 동물보다 중심부에 살던 동물의 피해가 크다.
⑤ 도로에 의해 이동이 제한되어 동물의 개체 수가 감소한다.

중요

11 생물다양성이 감소하는 원인으로 옳지 않은 것은?

① 경작지 개간
② 과도한 사냥
③ 천적이 없는 외래종 유입
④ 멸종 위기종 지정 및 복원 활동
⑤ 환경오염과 기후 변화

12 생물다양성의 감소 원인에 대한 대책이 바르게 연결된 것은?

① 남획-외래종 감시와 퇴치
② 서식지 단편화-생태 통로 설치
③ 환경 오염-비오톱 설치
④ 기후 변화-멸종 위기종 지정
⑤ 외래종의 유입-기후 변화 협약 체결 및 이행

서술형으로 다지기

정답 ◆ 2p ◆

01 같은 종류에 속하는 소라인데 물살이 센 곳에 사는 소라는 껍데기에 뿔이 발달했고, 물살이 약한 곳에 사는 소라는 껍데기에 뿔이 발달하지 않았다. 같은 종류의 소라인데 모습이 다른 이유를 서술하시오.

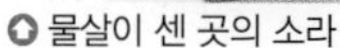

▲ 물살이 센 곳의 소라

▲ 물살이 약한 곳의 소라

02 1800년대 아일랜드인의 주식은 감자였다. 그러나 1845년부터 1852년까지 감자마름병이 유행해 7년 만에 인구의 25 %가 감소하였다. 한 종류의 생물만 재배하는 농경지가 급격한 날씨 변화나 병충해에 의한 피해를 크게 입는 이유를 서술하시오.

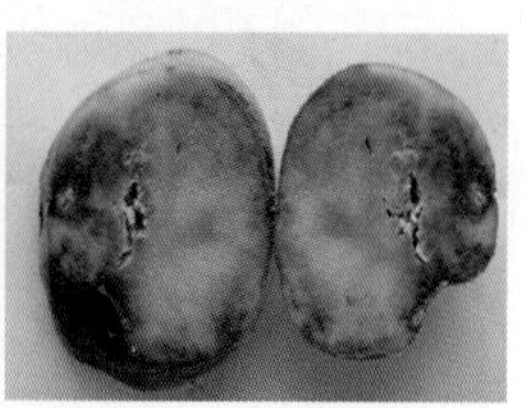

03 종자 은행에 보관된 종자 중에는 현재 식량이나 의약품 원료로 사용되지 않은 종자나 작물로 개량되기 전의 야생종 종자도 많다. 현재 인류에게 유용하게 이용되고 있지 않은 종자도 보전해야 하는 이유를 서술하시오.

논술형

04 어떤 생태계의 먹이 관계가 아래와 같을 때 들쥐가 사라져도 들쥐를 먹이로 하는 뱀과 올빼미가 사라지지 않는 이유를 서술하시오.

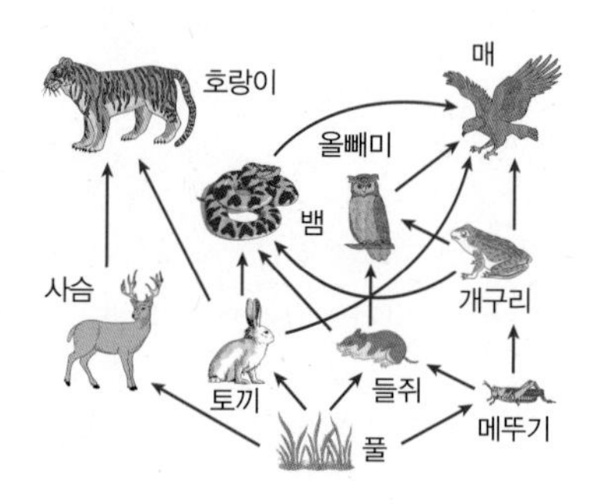

정답 ◆ 3p ◆

STEAM 생태계를 파괴하는 외래종

환경부가 어민들과 함께 남한강과 접한 팔당호에서 생태계 교란의 주범인 외래어종 퇴치 작업을 벌였다. 잡히는 물고기의 90 %가 블루길이고, 5 % 정도가 큰입배스였다.

블루길(blue gill)은 암수 모두 아가미뚜껑 끝부분에 색이 짙은 청색 반점이 있고, 큰입배스는 입이 눈 뒤쪽까지 찢어져 크고 아래턱이 위턱보다 약간 앞으로 나와 있다.

국립생태원 조사 결과 팔당호의 블루길, 큰입배스 상대풍부도(수계 조사 중 포획된 개체에서 해당 종이 차지하는 비율)는 2013년 45.3 %에서 2015년에는 88.9 %로 크게 높아졌다. 불과 2년만에 2배 이상 증가했다.

블루길과 큰입배스는 1970년 내수면 어업 자원 활용과 어민 소득 증대 등을 목적으로 들여왔다. 그러나 식탁에서 외면받고 수익성이 낮아 양식을 중단하면서 강과 호수에 대량 방류되었다. 블루길과 큰입배스는 주로 동물성 플랑크톤, 수서곤충, 새우류 및 수생식물을 먹고 계절에 따라 물고기 알이나 치어를 먹는다. 이들은 강한 육식성을 앞세워 수중 생태계 최상위 포식자가 되었고 수질 환경을 나쁘게 하는 주범이므로 반드시 퇴치해야 할 어종이다.

블루길과 큰입배스는 산란기가 길고 수컷이 산란장에 머물며 알과 부화한 새끼들을 지키는 습성이 있어 생존율이 매우 높고 번식력이 강하다. 환경부와 어민들은 블루길과 큰입배스가 알을 낳을 수 있는 인공산란장을 만들어 한 번에 알을 수거할 수 있도록 하고, 물고기가 지나가다가 그물코에 걸리도록 하는 자망이나 정치망도 설치했다. 블루길과 큰입배스의 산란기인 4월 말부터 7월까지는 집중적으로 포획한다. 블루길과 배스를 퇴치하기 위해 부단히 노력했지만, 워낙 많이 퍼져있어 사실상 퇴치가 불가능한 상황이다.

블루길

큰입배스

01 블루길이나 큰입배스와 같은 외래종이 생태계를 위협하는 생물인 이유를 서술하시오.

논술형

02 생태계를 위협하는 블루길이나 큰입배스를 유용하게 활용할 수 있는 방법을 고안하시오.

생물 사이의 유연관계를 밝히기 위한

02 생물의 분류

플러스 노트

● **유연관계**
생물 사이의 가깝고 먼 정도를 나타낸 것이다. 유연관계가 가깝다는 것은 공통 특징이 많고, 진화적으로 최근에 공통 조상으로부터 분리되었다는 것을 의미한다.
예 상어, 고래, 사람은 모두 척추를 가지고 있지만 고래는 사는 환경이 비슷한 상어보다 호흡 방법이 같은 사람과 더 가까운 관계이다.

● **분류 기준의 조건**
자연 분류에서 분류 기준은 유전적이어야 하고, 계절이나 환경에 따라 쉽게 변하지 않으며, 관찰하기 쉬워야 한다.

● **라이거가 생식 능력이 없는 이유**
생식세포를 만들기 위해 감수 분열할 때 상동 염색체가 2가 염색체를 형성한다. 그러나 다른 종간 교잡에 의해 생긴 생물은 양친으로부터 받은 염색체가 달라 2가 염색체가 형성되지 않고 염색체가 무작위로 분리되어 비정상적인 딸세포가 만들어지므로 생식 능력이 없다.

용어풀이

유연관계(무리 類, 인연 緣, 관계 關, 맺을 係) : 생물의 분류에서, 발생 계통 가운데 어느 정도 가까운가를 나타내는 관계

ⓐ 특징 ⓑ 유연 ⓒ 작은

A 생물 분류

1 생물 분류

① 생물 분류 : 생물을 여러 가지 ⓐ ______ 을 기준으로 무리 지어 나누는 것

② 생물 분류의 기준 : 생물의 생김새, 속 구조, 한살이, 번식 방법, 호흡 방법 등 생물이 가진 고유한 특징

③ 생물 분류의 목적

- 생물 사이의 ⓑ ______ 관계를 알 수 있다.
- 우리가 알고 싶어 하는 생물을 쉽게 찾을 수 있다.
- 새롭게 발견된 생물이 어느 무리에 속하는지 결정하는 데 도움을 준다.
- 생물을 자원으로 이용하는 데 유용하다.

2 생물 분류 방법

① 인위 분류와 자연 분류

인위 분류	자연 분류
생물의 쓰임새, 서식지, 식성 등과 같이 사람들이 임의로 정한 기준에 따라 생물을 분류하는 방법 예 육상 동물과 수생 동물, 초식 동물과 육식 동물 등	생물의 생김새, 속 구조, 발생 과정, 번식 방법 등과 같이 생물의 고유한 특징을 기준으로 분류하는 방법 예 척추동물과 무척추동물, 종자식물과 포자식물 등

② 자연 분류를 하면 생물 사이의 유연관계와 진화해 온 과정을 밝힐 수 있다.

3 생물의 분류 체계

① 종

- 생물을 분류하는 가장 ⓒ ______ 단계이다.
- 자연 상태에서 짝짓기를 하여 생식 능력이 있는 자손을 낳을 수 있는 개체들의 무리이다.

－진돗개와 풍산개 사이에서 태어난 풍진개는 자라서 새끼를 낳을 수 있으므로 진돗개와 풍산개는 같은 종이다.

－암호랑이와 수사자 사이에서 태어난 라이거는 자라서 새끼를 낳을 수 없으므로, 호랑이와 사자는 다른 종이다.

진돗개 풍산개 풍진개

암호랑이 수사자 라이거

② 분류 단계
- 생물을 공통적인 특징으로 묶어 단계적으로 나타낸 것이다.
- ⓐ ____ <속<과<목<강<문<계
- 종에서 계로 갈수록 각 단계에 속하는 생물의 종류가 ⓑ ____ 해진다.
- 하위 분류 단계에 함께 속해 있을수록 생물 사이의 유연관계가 ⓒ ____ 다.

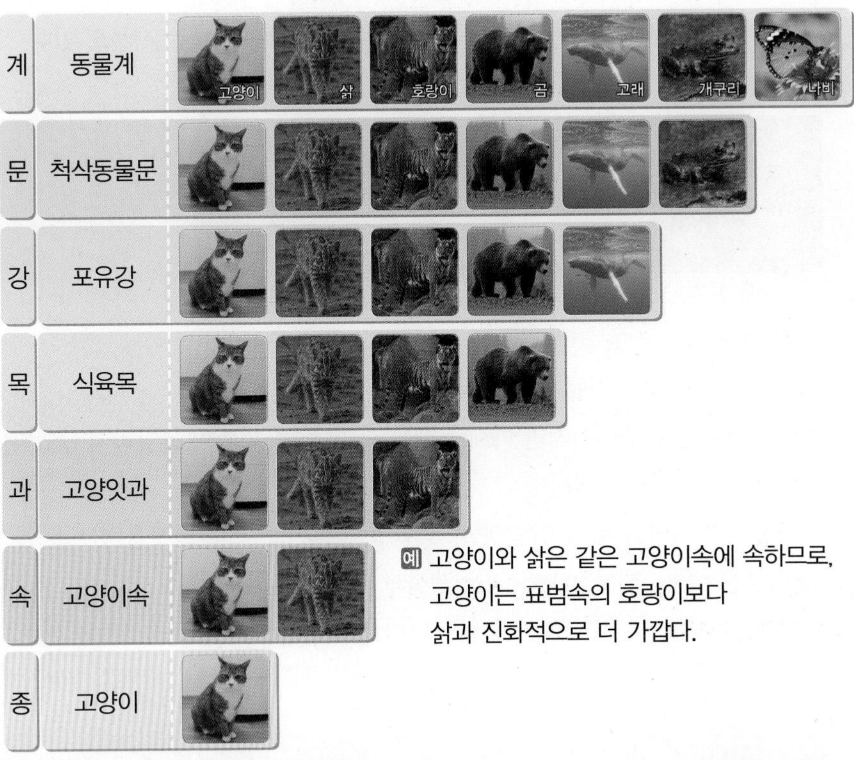

예 고양이와 삵은 같은 고양이속에 속하므로, 고양이는 표범속의 호랑이보다 삵과 진화적으로 더 가깝다.

4 계 수준에서의 생물 분류(5계 분류 체계)

① 분류 기준 : 핵막으로 둘러싸인 뚜렷한 핵의 유무, 세포벽의 유무, 몸을 구성하는 세포의 수, 영양분을 얻는 방법 등

② 생물 5계 : 원핵생물계, 원생생물계, 균계, 식물계, 동물계

더 알아보기

[생물 분류 체계의 변화]

생물 분류 체계는 과학이 발달함에 따라 변화해왔다.

① **2계 분류 체계 :** 생물을 운동성의 유무에 따라 동물계와 식물계로 분류하였다.

② **3계 분류 체계 :** 현미경의 발달로 미생물이 발견되어 동물계, 식물계, 원생생물계로 분류하였다.

③ **5계 분류 체계 :** 핵막이 뚜렷하지 않은 단세포 생물을 원생생물계에서 원핵생물계로 분리하였고, 광합성을 하지 못하는 버섯과 곰팡이를 균계로 분리하였다.

플러스 노트

● 종의 하위 단계

* **아종 :** 같은 종이지만 주로 지리적 분포가 다른 생물 집단 예 코끼리(인도코끼리와 아프리카코끼리)
* **변종 :** 같은 종이지만 돌연변이가 생긴 생물 집단 예 고추(피망과 파프리카)
* **품종 :** 같은 종이지만 인간이 이용하기 위해 재배하고 사육하면서 형질이 개량된 생물 집단 예 사과(부사와 홍옥)

● 생물 분류 체계의 변화

* **2계 분류 체계 :** 린네, 18세기 초반
* **3계 분류 체계 :** 헤켈, 19세기 초반
* **5계 분류 체계 :** 휘태커, 20세기 중반

용어풀이

핵막(씨 核, 얇은 막 膜) : 핵과 세포질의 경계에 있는 이중 구조막

핵(씨 核) : 세포 중심에 있으며, 유전 정보가 들어 있다.

세포벽(가늘 細, 세포 胞, 벽 壁) : 식물세포 가장 바깥쪽에 있는 튼튼한 막

정답 ⓐ 종 ⓑ 다양 ⓒ 가깝

B 생물 5계

1 원핵생물계 : 세균이라고 부르는 생물이 모두 속한다.

① 세포 안에 핵막이 없어 핵이 뚜렷이 구분되지 ⓐ ______ 다.

② 단세포 생물이다. ➡ 여러 개의 세포가 모여 덩어리를 이루어 살아가기도 한다.

③ 세포벽이 있어 세포 내부를 보호한다. ➡ 식물세포의 세포벽과 성분이 다르다.

④ 대부분 광합성을 하지 않는다. ➡ 남세균처럼 광합성을 하는 생물도 있다.

⑤ 주로 분열법으로 번식한다.

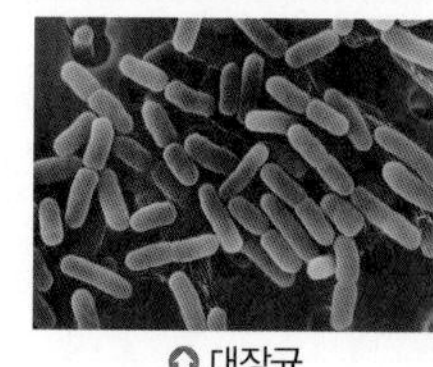
대장균

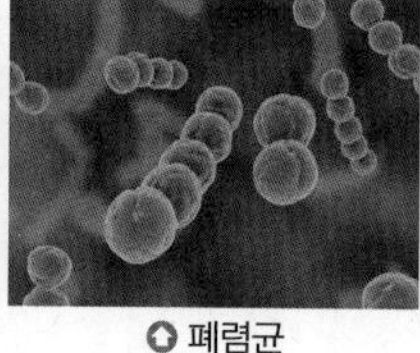
폐렴균

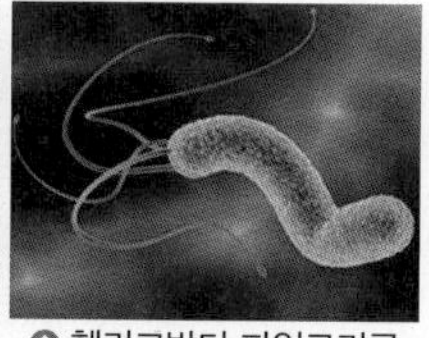
헬리코박터 파일로리균

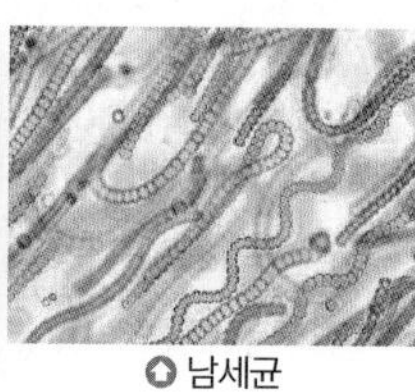
남세균

2 원생생물계

① 세포 안에 핵막으로 둘러싸인 뚜렷한 ⓑ ______ 이 있다.

② 대부분 단세포 생물이지만 다세포 생물도 있다. ➡ 기관이 발달하지 않았다.

③ 대부분 물속에서 생활한다.

④ 운동하여 먹이를 잡아먹는 생물, 광합성을 하여 스스로 양분을 만드는 생물, 죽은 생물을 분해한 양분을 얻는 생물도 있다.

⑤ 단세포 생물은 분열법으로 번식하고, 다세포 생물은 주로 포자로 번식한다.

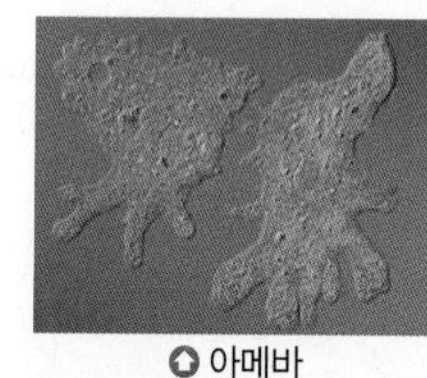
아메바

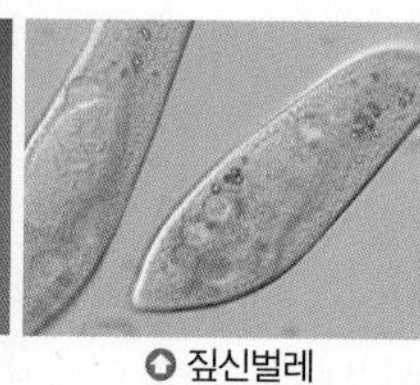
짚신벌레

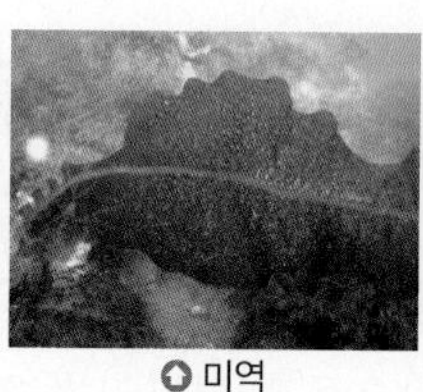
미역

김

3 균계

① 세포 안에 핵막으로 둘러싸인 뚜렷한 핵이 있다.

② 대부분 다세포 생물이며, 세포벽이 있다. ➡ 효모는 단세포 생물이다.

③ 엽록체가 없어서 광합성을 하지 못하고, 대부분 죽은 생물을 분해하여 양분을 얻는다.

④ 몸이 ⓒ ______ 로 이루어져 있다. ➡ 효모는 균사로 이루어져 있지 않다.

⑤ 주로 포자로 번식한다. ➡ 효모는 출아법으로 번식한다.

표고버섯

송이버섯

누룩곰팡이

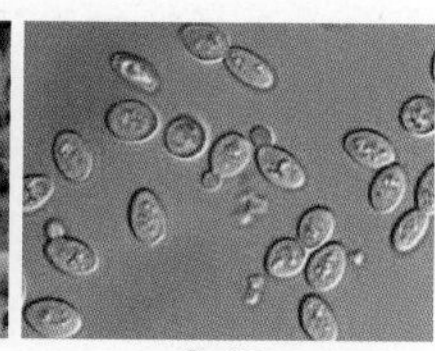
효모

플러스 노트

● **단세포 생물과 다세포 생물**

* **단세포 생물 :** 몸이 한 개의 세포로 이루어져 있는 생물

* **다세포 생물 :** 몸이 여러 개의 세포로 이루어져 있는 생물

● **기관**

일정한 모양과 기능을 나타내는 생물체의 부분이다. 식물의 기관에는 뿌리, 줄기, 잎, 꽃, 열매가 있고 동물의 기관에는 심장, 뇌, 위, 간, 소장 등이 있다.

● **엽록체**

세포 안에 있으며, 빛에너지를 흡수해 광합성이 일어나는 장소이다.

● **균사**

균류의 몸을 이루고 있는 가는 실 모양의 다세포 섬유이다. 균사에서 포자가 만들어진다.

● **균계**

세포벽이 있고 식물과 비슷하게 보여 식물계로 분류하기도 하였다. 그러나 다른 생물체로부터 양분을 얻고, 유전적 특징이 동물과 비슷하여 식물보다 동물과 유연관계가 가까운 것으로 밝혀져 따로 분리되었다.

용어풀이

원핵(근원 原, 씨 核)생물 : 핵이 없는 가장 원시적인 단세포 생물

원생(근원 原, 날 生)생물 : 핵이 있지만 조직이 거의 분화되지 않은 생물

균류(버섯 菌, 경계 界) : 몸이 균사로 되어 있고 광합성을 하지 않는 생물

ⓐ 않는 ⓑ 핵 ⓒ 균사

4 식물계

① 세포 안에 핵막으로 둘러싸인 뚜렷한 핵이 있다.

② 다세포 생물이며, 세포벽이 있다.

③ 대부분 뿌리, 줄기, 잎과 같은 기관이 발달해 있다.

④ 엽록체가 있어서 ⓐ______을 하여 스스로 양분을 만든다.

⑤ 한곳에 뿌리를 내리고 생활하며, 운동성이 없다.

⑥ 포자나 종자로 번식한다.

우산이끼

고사리

해바라기

소나무

5 동물계

① 세포 안에 핵막으로 둘러싸인 뚜렷한 핵이 있다.

② 대부분 다세포 생물이며, 세포벽이 없다.

③ 대부분 다양한 기능을 수행하기 위한 기관이 발달해 있다.

④ 엽록체가 없어 광합성을 하지 못하고, 다른 ⓑ______을 섭취하여 양분을 얻는다.

⑤ 대부분 운동 기관이 발달해 있어 ⓒ______할 수 있다.

⑥ 대부분 암수 개체가 있고, 암수 생식 세포의 수정으로 번식한다.

해파리

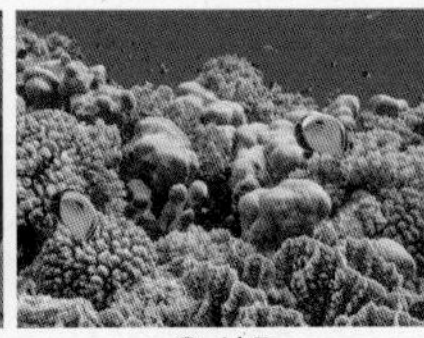
산호

메뚜기

호랑이

6 생물 5계의 특징 비교

구분	핵막으로 둘러싸인 핵	세포벽	단세포, 다세포	광합성	운동성
원핵생물계	X	O	단세포	대부분 못함	△
원생생물계	O	△	단세포, 다세포	△	△
균계	O	O	대부분 다세포	X	X
식물계	O	O	다세포	O	X
동물계	O	X	다세포	X	O

(O : 있다. X : 없다. △ : 있는 생물도 있고 없는 생물도 있다.)

플러스 노트

● **포자와 종자**

* **포자** : 자라서 어린 식물체가 되는 선태식물과 양치식물의 생식 세포이다.
* **종자** : 어린 식물체가 될 세포 덩어리가 양분과 함께 단단한 껍질에 싸여 있는 것으로 씨라고도 한다. 포자에 비해 건조, 고온, 저온 등 좋지 않은 환경을 견뎌내고 적당한 조건이 되면 싹을 틔운다.

● **세포벽**

세포막 바깥에 있는 단단한 구조물로, 세포의 모양을 유지하고 지탱한다.

● **식충식물**

파리지옥은 곤충을 분해하여 영양분을 흡수한다. 그러나 곤충에게서 얻는 영양분에만 의존해서 살아가지 않으며 엽록체가 있어 광합성을 하여 스스로 영양분을 만들므로 식물계에 속한다.

용어풀이

포자(세포 胞, 자식 子) : 다른 세포와 결합하지 않고 발생한다.

종자(씨 種, 자식 子) : 식물에서 나온 씨로, 다른 세포와 결합하여 만들어진다.

ⓐ 광합성 ⓑ 생물 ⓒ 이동

01 다음 중 생물 분류에 대한 설명으로 옳지 않은 것은?

① 여러 가지 특징을 기준으로 무리 지어 나누는 것이다.
② 생물 분류 기준에는 생물의 생김새, 속 구조, 번식 방법 등이 있다.
③ 생물을 인위 분류하면 생물 사이의 유연관계를 알 수 있다.
④ 생물을 인위 분류하면 사람에 따라 분류 결과가 달라질 수 있다.
⑤ 자연 분류는 발생 과정이나 번식 방법 등과 같이 생물의 고유한 특징을 기준으로 분류한다.

02 다음 중 자연 분류에 해당하는 것을 보기에서 모두 고른 것은?

보기
㉠ 고래는 바다에 사는 동물이다.
㉡ 고사리는 포자로 번식하는 식물이다.
㉢ 사과는 열매를 먹을 수 있는 식물이다.
㉣ 강아지는 척추동물이다.

① ㉠, ㉡ ② ㉠, ㉢
③ ㉡, ㉢ ④ ㉡, ㉣
⑤ ㉢, ㉣

03 다음 중 생물을 분류하는 주된 목적으로 알맞은 것은?

① 새로운 생물을 발견하기 위해서
② 생물의 서식 환경을 연구하기 위해서
③ 멸종 위기의 생물을 번식시키기 위해서
④ 생물 사이의 유연관계를 밝히기 위해서
⑤ 인간이 생물을 효과적으로 이용하기 위해서

04 다음 중 종과 관련된 설명으로 옳지 않은 것은?

① 생물을 분류하는 가장 작은 단계이다.
② 같은 종에 속하면 형태적 특징이 비슷하다.
③ 같은 종에 속하면 같은 목에 속한다.
④ 자연 상태에서 짝짓기를 하여 자손을 낳을 수 있으면 같은 종이다.
⑤ 같은 속에 속하는 동물보다 같은 종에 속하는 생물의 유연관계가 더 가깝다.

05 개, 사자, 고양이의 분류 단계 중 일부를 나타낸 것이다. 이에 대한 설명으로 옳지 않은 것은?

목	과	속	종
식육목	갯과	개속	개
식육목	고양잇과	표범속	사자
식육목	고양잇과	고양이속	고양이

① 개와 고양이는 같은 목에 속한다.
② 사자와 고양이는 같은 과에 속한다.
③ 개, 사자, 고양이는 같은 계에 속한다.
④ 개와 고양이보다 사자와 고양이가 더 가까운 관계이다.
⑤ 사자와 고양이는 짝짓기를 하여 생식 능력이 있는 자손을 낳을 수 있다.

06 다음 그림은 생물을 계 수준에서 분류하여 5계 분류 체계로 나타낸 것이다. A~E에 해당하는 계를 옳게 짝지은 것은?

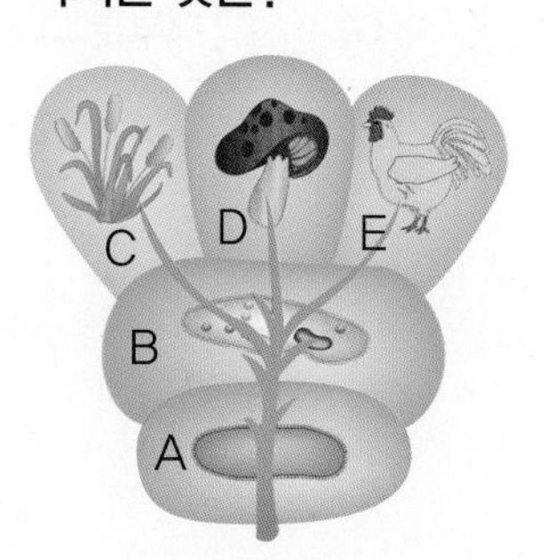

① A−원생생물계
② B−동물계
③ C−원핵생물계
④ D−균계
⑤ E−식물계

07 다음 생물들의 공통적인 특징으로 옳지 않은 것은?

표고버섯

누룩곰팡이

① 포자로 번식한다.
② 다세포 생물이다.
③ 균사로 이루어져 있다.
④ 핵막으로 둘러싸인 뚜렷한 핵이 있다.
⑤ 광합성을 하여 스스로 양분을 만든다.

08 다음 생물들의 공통점으로 옳은 것은?

아메바, 짚신벌레, 미역, 김

① 광합성을 한다.
② 운동성이 있다.
③ 단세포 생물이다.
④ 핵막으로 둘러싸인 뚜렷한 핵이 있다.
⑤ 암수 개체의 생식 세포의 수정으로 번식한다.

09 다음 중 (가)와 (나) 생물의 특징으로 옳은 것은?

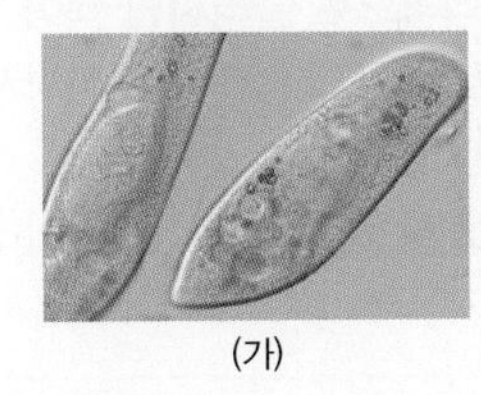
(가)

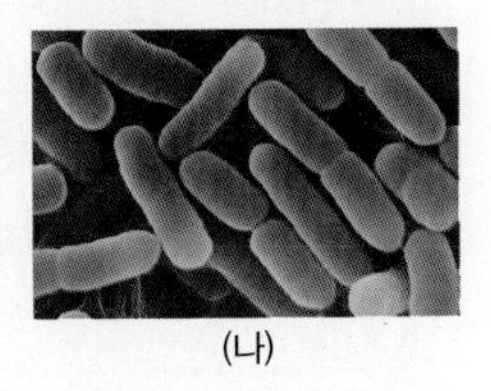
(나)

① (가)와 (나)는 같은 계에 속한다.
② (가)와 (나)는 모두 다세포 생물이다.
③ (가)는 포자로 번식하고, (나)는 분열법으로 번식한다.
④ (가)는 핵막으로 둘러싸인 뚜렷한 핵이 있지만 (나)는 핵막으로 둘러싸인 뚜렷한 핵이 없다.
⑤ (가)는 광합성을 하여 스스로 양분을 만들지만, (나)는 운동을 하여 먹이를 잡아먹는다.

10 다음은 몇 가지 분류 기준에 따라 생물을 계 수준에서 분류하는 과정을 나타낸 것이다. 이에 대한 설명으로 옳은 것을 보기에서 모두 고른 것은?

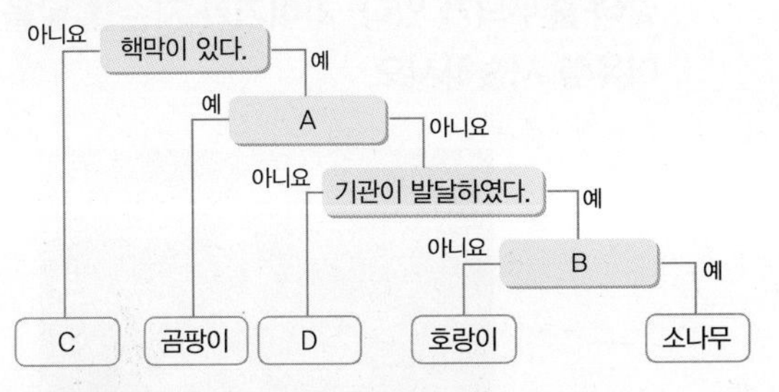

보기
㉠ A는 '몸이 균사로 이루어졌다'가 될 수 있다.
㉡ B는 '운동성이 있다'가 될 수 있다.
㉢ C는 다세포 생물이다.
㉣ D는 아메바와 짚신벌레가 속한다.

① ㉠, ㉡ ② ㉠, ㉢
③ ㉠, ㉣ ④ ㉡, ㉣
⑤ ㉢, ㉣

11 식물계가 동물계와 다른 특징으로 옳은 것을 모두 고르시오.

① 광합성을 한다.
② 세포벽이 있다.
③ 다세포 생물이다.
④ 핵막으로 둘러싸인 뚜렷한 핵이 있다.
⑤ 암수 개체의 생식 세포의 수정으로 번식한다.

12 (가)~(마)에 속하는 예를 바르게 짝지은 것은?

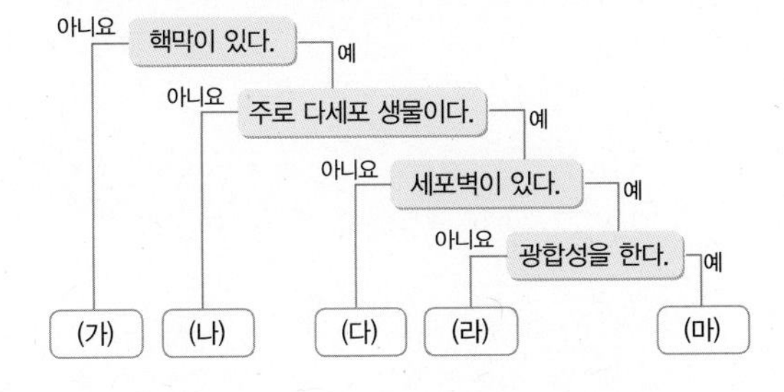

① (가) – 효모 ② (나) – 대장균
③ (다) – 소나무 ④ (라) – 버섯
⑤ (마) – 호랑이

서술형으로 다지기

정답 ◆ 4p ◆

01 수사자와 암호랑이 사이에서 태어난 라이거는 사자보다 몸집이 크고, 몸 색깔은 사자와 비슷하지만 약간 어두운색을 띠며, 뚜렷하지는 않지만 호랑이와 같은 갈색 줄무늬가 있다. 라이거가 자손을 낳을 수 없는 이유를 서술하시오.

02 고래와 상어는 물에서 살지만, 사람은 물에서 살 수 없다. 호흡 방법을 바탕으로 고래와 상어, 고래와 사람 사이의 멀고 가까운 관계를 비교하여 서술하시오.

고래

상어

사람

03 산호는 물속에 살며 움직이지 않고 한 곳에서 번식하며 살아가지만, 동물계에 속하는 생물이다. 산호가 동물계에 속하는 이유를 서술하시오.

04 다음은 새로 발견된 생물의 특징이다. 특징을 바탕으로 이 생물을 어떤 '계'로 분류하면 좋을지 서술하시오.

- 물속에서 산다.
- 단세포 생물이며 핵막으로 둘러싸인 핵이 있다.
- 세포막으로 둘러싸여 있고 형태가 일정하지 않다.
- 분열법으로 번식한다.
- 기관이 발달되어 있지 않고 미끄러지듯이 움직이며 먹이를 먹는다.

정답 ◆ 4p ◆

STEAM 강이나 호수가 녹색으로 변한 녹조

녹조는 강이나 호수에 녹조류 또는 시아노박테리아 같은 식물성 플랑크톤이 크게 번식해 물빛이 짙은 녹색을 띠는 현상이다. 녹조는 특히 부영양화된 호수에서 흔히 나타난다. 식물성 플랑크톤이 자라는 데에는 질소와 인 같은 영양분이 필요한데, 강이나 호수에 이러한 영양물질이 많은 상태를 부영양화라고 한다.

국내 호수나 강에서는 대부분 남조류가 대량으로 번식하여 녹조가 발생한다. 남조류는 남세균이라고 불리기도 하는데, 시아노박테리아가 정확한 표현이다. 시아노박테리아는 광합성을 하는 원핵생물로, 세균이라고 보면 된다. 세균처럼 세포 내에 별도로 구분되는 핵이 없고, 성장 속도가 매우 빠르다. 조건이 좋으면 이틀에 한 번꼴로 번식한다. 세포 하나가 두 개로 나뉘는 분열법으로 번식하는데, 20일이면 약 1,000배로 불어날 수 있다.

일부에서는 4대강 사업으로 녹조가 심해졌다고 주장하기도 한다. 시아노박테리아가 분열하는 데 걸리는 시간보다 강물의 체류 시간이 길면 시아노박테리아 숫자가 늘어나게 되고, 이런 상황이 지속되면 녹조로 이어진다. 다른 쪽에서는 4대강 사업의 보 때문이 아니라 기후변화로 인해 여름철 폭염이 심해지고, 질소와 인과 같은 오염 물질 때문이라고 설명하기도 한다.

녹조가 발생하면 물에서 흙냄새 같은 악취가 발생할 수 있으며, 시아노박테리아가 사람이나 동물에게 해로운 물질을 생산하기도 한다. 상수원에 녹조가 발생하면 수돗물을 생산할 때 오존이나 활성탄을 사용해 고도정수처리를 하는 등 그만큼 신경을 더 써야 한다.

녹조를 막기 위하여 생활하수를 충분히 정화하고 영양염류가 바다나 호수로 흘러들어가지 않게 해야 한다.

01

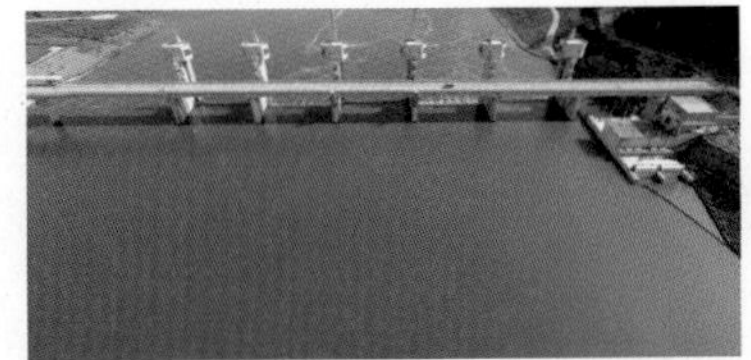

경남 합천창녕보–녹조가 발생한 모습

최근 낙동강, 금강, 영산강 등에서 매년 여름 녹조가 심하게 발생하고 있다. 여름에 녹조가 잘 발생하는 이유를 서술하시오.

논술형

02

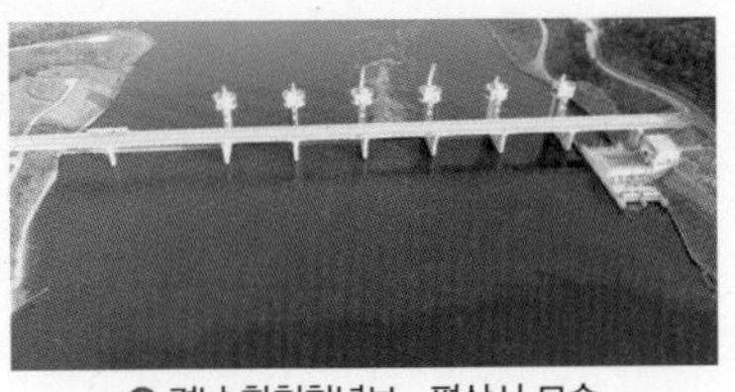

경남 합천창녕보–평상시 모습

녹조는 수중 생태계를 파괴할 뿐 아니라 육상 동물에게도 문제를 일으킨다. 녹조를 줄일 수 있는 방법을 고안하시오.

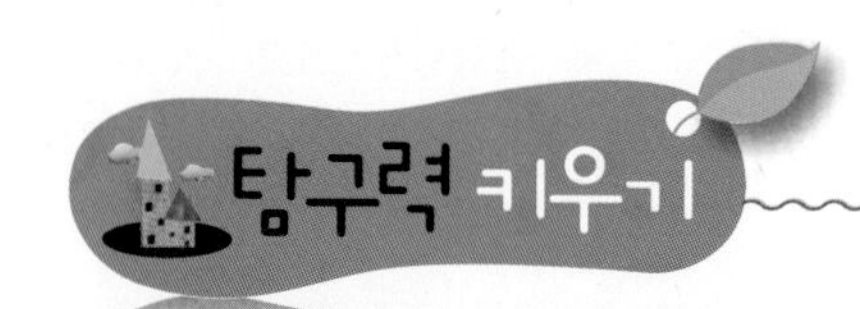

정답 ◆ 5p ◆

STEAM 생물을 계 수준에서 분류하기

여러 가지 생물의 특징을 조사한 후 생물을 계 수준에서 분류하여 보자.

[준비물] 생물 카드

실험

01 다음은 생물을 5개의 계로 분류하는 과정이다. (가)~(마)에 해당하는 계의 이름을 쓰시오.

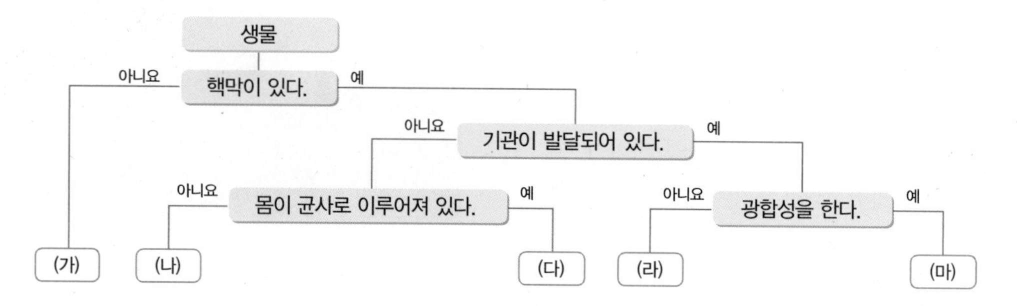

02 생물 카드의 생물을 **01**의 분류 기준에 따라 분류하고, 각 계에 속하는 생물을 5가지씩 쓰시오.

구분	생물 카드 생물	생물 카드 외 생물
(가)		
(나)		
(다)		
(라)		
(마)		

03 식물의 구성 단계, 식물에서의 물질 이동(1)
04 식물에서의 물질 이동(2)
05 식물에서 양분의 합성과 전환

2015 개정 교육과정 교과서

중학교 1~3학년 군 : 2학년 4단원 식물과 에너지

다른 학년과의 연계

3~4학년 군 : 식물의 한살이
5~6학년 군 : 식물의 구조와 기능
생명과학 Ⅱ : 세포 호흡과 광합성

세포, 조직, 조직계, 기관, 개체로 이루어진

03 식물의 구성 단계, 식물에서의 물질 이동(1)

플러스 노트

● **다양한 세포의 모양**

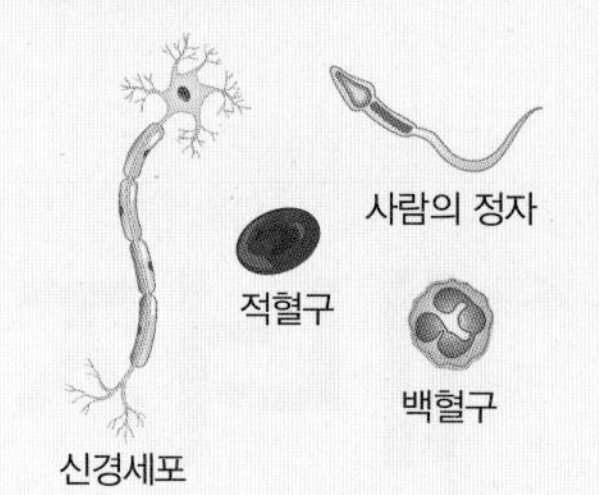

● **코끼리가 쥐보다 몸집이 큰 이유**
코끼리의 세포가 쥐의 세포보다 크기가 크기 때문이 아니라, 코끼리의 세포 수가 쥐의 세포 수보다 많기 때문이다.

● **액포**
액포는 주로 식물세포에서 발달되어 있으나 노화된 동물세포에서 드물게 관찰되는 경우가 있어 식물세포만의 특징이라고 할 수 없다.

● **식물세포와 엽록체**
식물세포라고 해서 모두 엽록체가 있는 것은 아니다. 양파의 비늘줄기 또는 무의 뿌리처럼 햇빛을 받아 양분을 만들지 않는 부분을 구성하는 세포는 엽록체를 가지고 있지 않다.

ⓐ 세포 ⓑ 수 ⓒ 핵
ⓓ 세포질 ⓔ 세포막 ⓕ 엽록체
ⓖ 세포벽

A 세포의 구조

1 ⓐ ______ : 생물을 구성하는 구조적·기능적 기본 단위

2 세포의 특징

① 세포의 모양과 크기는 생물의 종류에 따라 다르다.
② 같은 생물에서도 기능에 따라 세포의 모양과 크기가 다양하다.
③ 대부분 세포는 크기가 작아 현미경을 이용하여 관찰해야 하지만, 일부 세포는 맨 눈으로 볼 수 있을 만큼 크다. 예 달걀, 개구리 알 등
④ 생물은 세포의 ⓑ ___ 를 늘림으로써 생장한다.

3 세포의 구조와 기능

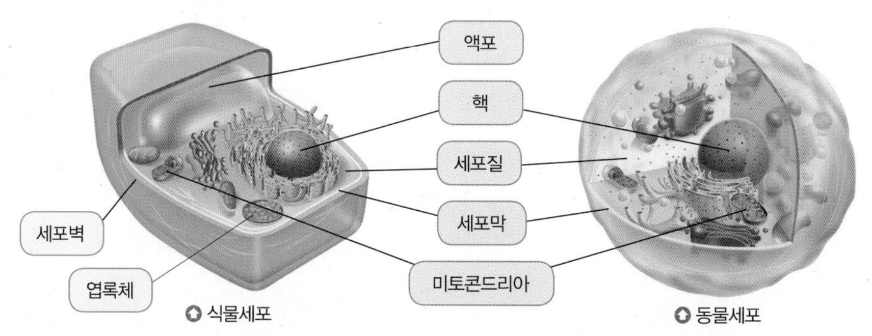

식물세포 동물세포

세포 소기관	기능
ⓒ ______	• 유전 정보가 들어 있다. • 세포가 생명 활동을 유지할 수 있도록 조절하고 통제한다.
ⓓ ______	핵 주변을 채우고 있으며, 생명 활동에 필요한 다양한 반응이 일어난다.
ⓔ ______	세포를 둘러싸고 있는 얇은 막으로 세포 안팎의 물질 출입을 조절한다.
미토콘드리아	세포의 생명 활동에 필요한 에너지를 만든다.
액포	물과 노폐물이 들어 있다. 오래된 식물세포에 특히 발달한다.
ⓕ ______	녹색 색소가 있어 광합성을 한다.
ⓖ ______	세포막 바깥쪽에 있는 두껍고 단단한 부분으로 식물세포의 형태를 유지할 수 있게 한다.

4 식물세포와 동물세포의 비교

① 식물세포의 세포막 바깥쪽에는 두꺼운 세포벽이 있다. ➡ 식물세포가 일정한 모양을 유지할 수 있게 하고, 세포를 단단하게 지지하여 높게 자라게 한다.
② 식물세포에는 엽록체가 있다. ➡ 광합성을 하여 유기 양분을 합성한다.
③ 오래된 식물세포에서는 액포가 크게 발달하여 세포질의 대부분을 차지한다.

5 식물세포와 동물세포 관찰

구분	검정말 잎 세포(식물세포)	입 안 상피세포(동물세포)
모습		
특징	• 녹색 알갱이인 엽록체가 여러 개 보인다. • 세포벽이 있어 세포의 모양이 규칙적이다. • 염색 전에는 핵이 흐리게 보이지만, 아세트산카민으로 염색한 후에는 핵이 붉게 보인다.	• 엽록체가 없다. • 세포벽이 없어 세포의 모양과 배열이 불규칙적이다. • 메틸렌블루 용액으로 염색하면 푸른색으로 염색된 핵이 세포 하나당 한 개씩 있다.

B 식물의 구성 단계

단계	특징
ⓐ	식물체를 구성하는 기본 단위
ⓑ	모양과 기능이 비슷한 세포들의 모임
조직계	여러 조직이 모여 일정한 기능을 수행하는 단계
ⓒ	조직계가 모여 일정한 형태를 이루고 기능을 수행하는 단계
ⓓ	생명 활동이 가능한 독립적인 식물체

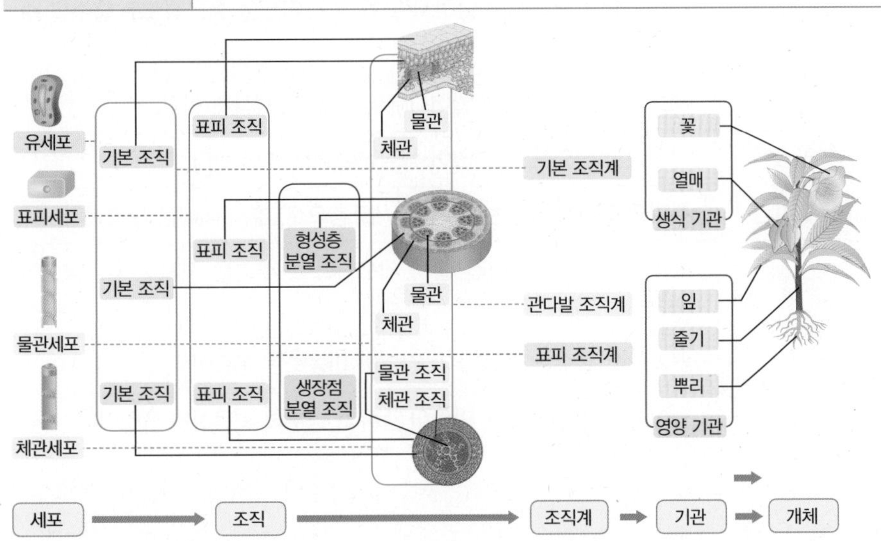

플러스 노트

● **식물의 구성 단계**
다양한 세포가 특정한 체계에 따라 식물을 구성하여 생명 활동을 수행한다.

● **기본 조직계**
식물체 대부분을 구성하는 조직계로, 양분을 합성하고 저장한다.

● **관다발 조직계**
식물을 이루는 각 기관은 관다발 조직계로 서로 연결되어 있다. 잎에서 광합성으로 생성된 유기 양분과 뿌리에서 흡수된 물과 무기 양분은 관다발 조직계를 통해 식물의 각 기관으로 이동한다.

● **표피 조직계**
식물체를 둘러싸고 있어 내부를 보호하고 수분 손실을 막는다.

ⓐ 세포 ⓑ 조직 ⓒ 기관
ⓓ 개체

플러스 노트

● **뿌리털 관찰**
싹튼 무씨의 뿌리를 관찰하면 가느다란 솜털처럼 나 있는 뿌리털을 볼 수 있다.

● **뿌리털과 뿌리의 표면적**
뿌리털이 많아지면 뿌리의 표면적이 넓어져 뿌리와 흙이 닿는 부분이 넓어지므로 물과 무기 양분을 효율적으로 흡수할 수 있다.

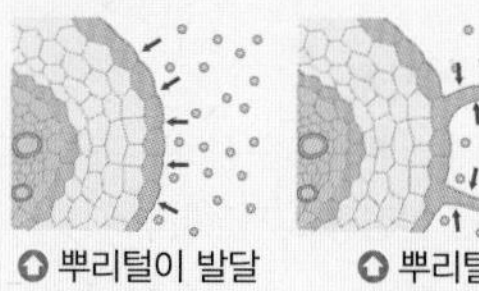
⬆ 뿌리털이 발달하지 않은 경우 ⬆ 뿌리털이 발달한 경우

● **뿌리털과 같이 표면적을 넓히는 구조의 예**
* 소장의 융털
* 라디에이터
* 물고기의 아가미
* 에어컨의 냉각핀

● **무기 양분과 유기 양분**
* **무기 양분** : 질소, 인, 칼륨, 마그네슘 등의 양분으로, 뿌리로 흡수된다.
* **유기 양분** : 탄소를 포함하고 있는 물질로 광합성으로 만들어지며 에너지원으로 사용된다.

ⓐ 곧은 ⓑ 수염 ⓒ 뿌리털
ⓓ 생장점 ⓔ 물관 ⓕ 체관

C 뿌리에서 물과 무기 양분의 흡수

1 뿌리의 모양

구분	ⓐ ____ 뿌리	ⓑ ____ 뿌리
특징	굵은 원뿌리를 중심으로 가느다란 곁뿌리가 나온 뿌리 예 민들레, 배추, 봉선화, 무 등	원뿌리와 곁뿌리 구분 없이 가늘고 긴 뿌리가 여러 개 달린 뿌리 예 강아지풀, 벼, 파, 옥수수 등
모양		

2 뿌리의 구조

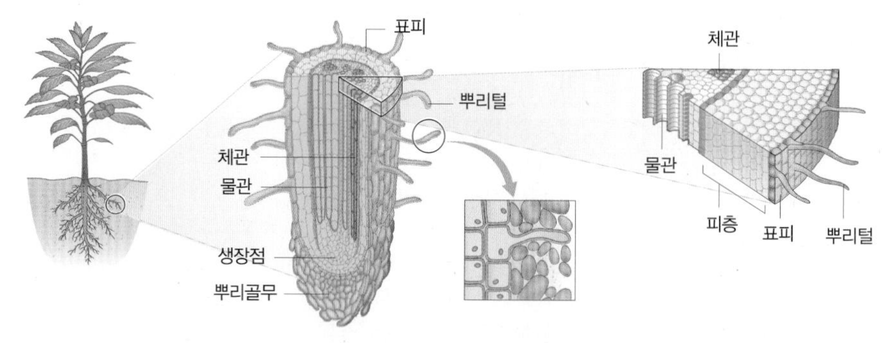

구분		기능
ⓒ ____		• 물과 무기 양분을 흡수한다. • 한 개의 표피세포가 가늘고 길게 뻗어 나온 것이다. • 흙과 닿는 표면적을 넓혀서 물과 무기 양분을 효율적으로 흡수할 수 있게 한다.
ⓓ ____		세포 분열이 활발하게 일어나 뿌리가 길게 자라게 한다.
뿌리골무		단단한 조직으로 되어 있어 생장점을 싸서 보호한다.
표피		뿌리의 외부를 감싸는 한 겹의 세포층으로, 뿌리 내부를 보호한다.
피층		표피 안쪽에 있는 여러 겹의 세포층으로, 뿌리를 지지하거나 양분이 저장되는 부분이다.
관다발	ⓔ ____	뿌리에서 흡수한 물과 무기 양분이 이동하는 통로이다.
	ⓕ ____	잎에서 광합성에 의해 만들어진 유기 양분이 이동하는 통로이다.

3 뿌리의 기능

① ⓐ____ 작용 : 땅속으로 넓고 깊게 뻗어 들어가 식물체를 지탱한다.

② ⓑ____ 작용 : 흙 속의 물과 무기 양분을 흡수한다.

③ ⓒ____ 작용 : 광합성으로 만든 유기 양분을 저장한다. 예 고구마, 무, 당근 등

④ 호흡 작용 : 흙 속의 산소를 흡수하고 이산화 탄소를 배출한다.

4 뿌리에서 물이 흡수되는 원리

① ⓓ____ : 세포막(반투과성 막)을 사이에 두고 농도가 다른 두 용액이 있을 때 농도가 낮은 쪽에서 농도가 높은 쪽으로 용매(물)가 이동하는 현상

② 물과 설탕물 사이의 삼투

- 농도 : 설탕물 > 물
- 물이 있는 쪽에서 설탕물이 있는 쪽으로 ⓔ____ 입자가 이동한다.

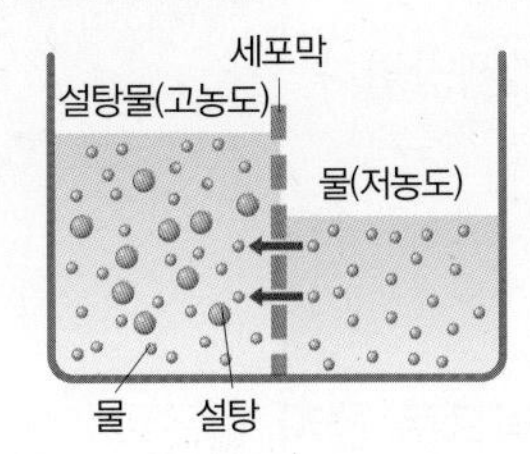

[뿌리에서 물이 흡수되는 원리]

당근 가운데에 유리관 굵기의 구멍을 파고 구멍에 진한 소금물을 넣은 후 유리관을 꽂아 물이 든 비커에 넣어 둔다.

① 당근에 꽂은 유리관 속 소금물의 높이가 ⓕ____ 진다.

② 농도가 낮은 당근 바깥쪽의 물이 농도가 높은 당근 안쪽으로 이동한다.

➡ 삼투에 의해 물이 흡수된다.

유리관 높이 차이 / 소금물 / 물 / 당근

5 뿌리털에서 물과 무기 양분의 흡수와 이동

① 농도 : 흙 속 < 뿌리털 < 피층 < 내피 < 물관

② 물의 이동 : 흙 속 → ⓖ____ → 피층 → 내피 → ⓗ____

③ 물이 흡수될 때 물에 녹아 있는 무기 양분도 함께 흡수된다. ➡ 식물의 생명 활동 조절

④ 물관으로 이동한 물은 줄기를 거쳐 잎으로 이동한다. ➡ 광합성의 원료로 사용

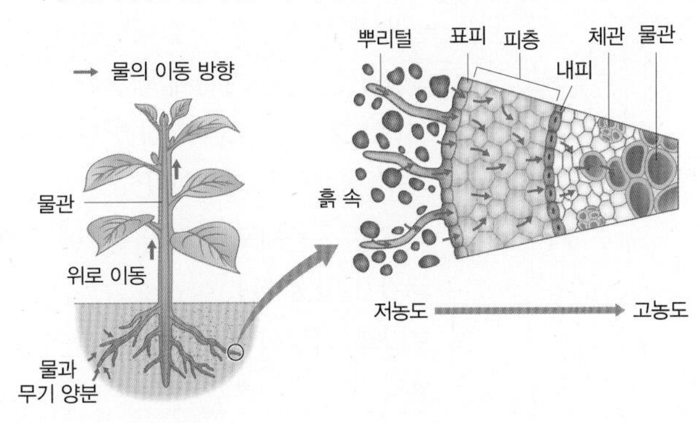

플러스 노트

● **무기 양분과 유기 양분의 차이**

* **무기 양분** : 질소, 황, 인, 칼륨, 칼슘, 마그네슘, 철 등과 같이 식물이 자라는 데 필요한 성분으로, 주로 물에 녹아서 식물의 뿌리를 통해 흡수된다.
* **유기 양분** : 잎에서 광합성을 통해 만들어진 포도당으로부터 생성된 물질로, 탄수화물, 지방, 단백질 등이 있다.

● **삼투에 의해 나타나는 현상**

* 시든 채소에 물을 뿌리면 다시 싱싱해진다.
* 배추에 소금을 뿌리면 숨이 죽는다.
* 건포도를 물에 넣으면 탱탱해진다.
* 감자를 물에 담가두면 껍질이 잘 벗겨진다.
* 식물 주변에 비료를 너무 많이 주면 뿌리에서 물이 빠져나와 식물이 말라 죽는다.
* 오이를 식초에 넣으면 오이에서 물이 빠져나가 피클이 된다.
* 사탕을 입에 오래 물고 있으면 볼 안쪽이 쭈글쭈글해 진다.

용어풀이

반투과성(반 半, 통할 透, 지날 過, 성질 性) 막 : 알갱이의 크기가 큰 물질은 통과시키지 못하고, 알갱이의 크기가 작은 물질만 선택적으로 통과시키는 막 예 세포막, 셀로판 막, 달걀 속 껍질 등

ⓐ 지지 ⓑ 흡수 ⓒ 저장
ⓓ 삼투 ⓔ 물 ⓕ 높아
ⓖ 뿌리털 ⓗ 물관

01 다음 중 세포에 대한 설명으로 옳은 것은?

① 같은 생물을 구성하는 세포의 모양과 크기는 모두 같다.
② 같은 생물에서 세포는 기능에 따라 세포의 크기만 다르고 수는 같다.
③ 모든 세포는 크기가 작아 현미경을 이용해야만 관찰할 수 있다.
④ 세포는 생물을 구성하는 구조적·기능적 기본 단위이다.
⑤ 생물은 세포의 크기가 커지면서 생장한다.

02 다음 그림의 식물세포에 대한 설명으로 옳지 않은 것은?

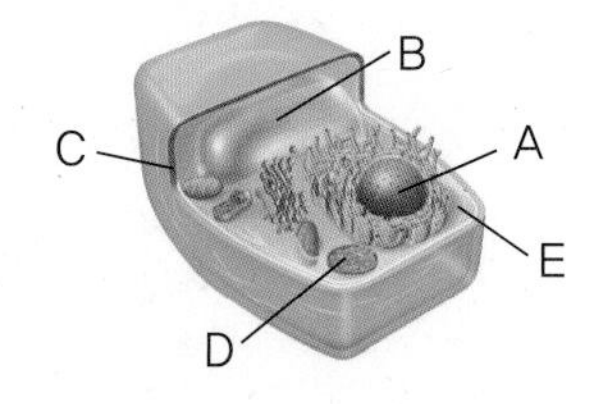

① A는 핵으로 유전 정보가 들어 있다.
② B는 액포로 동물세포에서도 볼 수 있다.
③ C는 세포벽으로 세포의 형태를 유지할 수 있게 한다.
④ D는 미토콘드리아로 세포의 활동에 필요한 에너지를 만든다.
⑤ E는 세포질로 생명 활동에 필요한 다양한 반응이 일어난다.

03 다음 중 동물세포에는 없고, 식물세포에만 있는 세포 소기관을 모두 고르시오.

① 핵 ② 액포
③ 세포막 ④ 세포벽
⑤ 엽록체

04 다음은 세포를 현미경으로 관찰한 모습이다. (가)와 (나)에 대한 설명으로 옳은 것은?

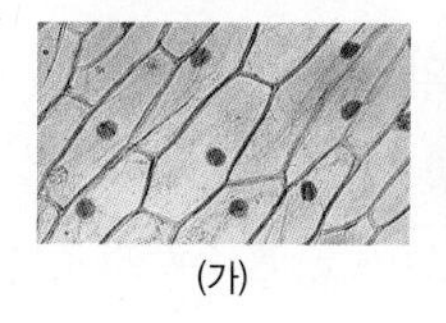
(가)

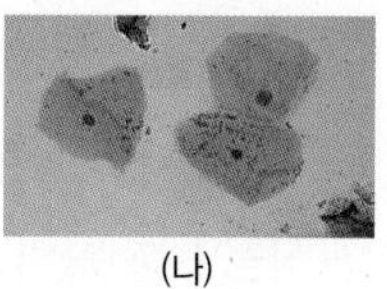
(나)

① (가)는 세포의 모양과 배열이 불규칙하다.
② (나)는 엽록체가 관찰된다.
③ (가)는 동물세포, (나)는 식물세포이다.
④ (가)는 아세트산카민 용액에 의해 핵이 붉게 염색된다.
⑤ (나)에서만 세포벽을 관찰할 수 있다.

05 식물의 구성 단계를 작은 것부터 순서대로 옳게 나열한 것은?

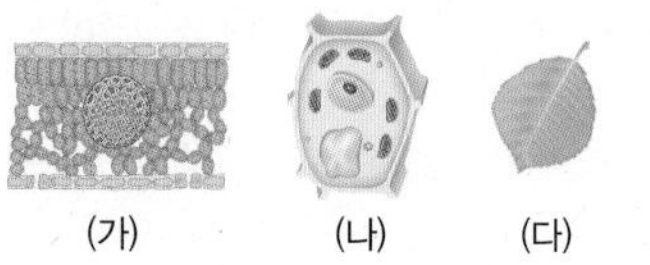
(가) (나) (다)

(라)

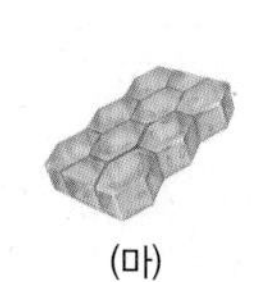
(마)

① (가)－(나)－(다)－(라)－(마)
② (나)－(가)－(마)－(다)－(라)
③ (나)－(마)－(가)－(다)－(라)
④ (나)－(마)－(다)－(가)－(라)
⑤ (마)－(가)－(다)－(나)－(라)

06 다음 중 생물의 구성 단계에 대한 설명으로 옳은 것을 모두 고르시오.

① 물관과 체관은 조직에 해당한다.
② 꽃, 열매, 잎은 기관에 해당한다.
③ 여러 조직계가 모여 일정한 형태를 이루고 기능을 수행하는 것은 개체이다.
④ 세포는 동물세포와 식물세포에 관계없이 모양과 크기가 일정하다.
⑤ 모양과 기능이 비슷한 세포들이 모여 기관을 이룬다.

07 다음 그림 (가)와 (나)는 서로 다른 식물의 뿌리를 나타낸 것이다. 이에 대한 설명으로 옳은 것은?

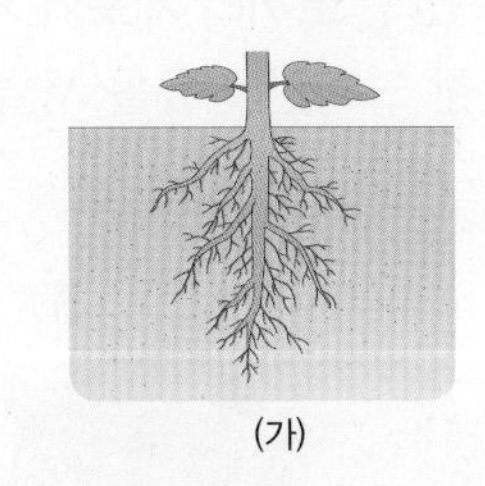
(가)

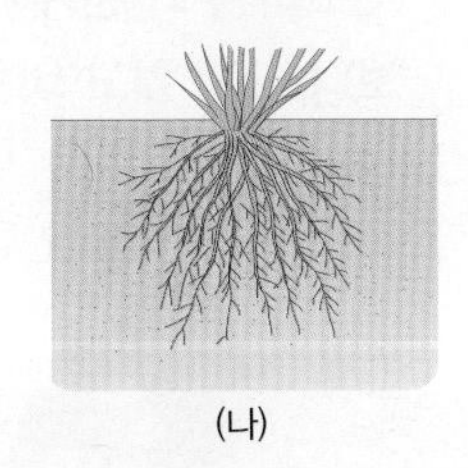
(나)

① (가)는 수염뿌리이다.
② (나)는 곧은뿌리이다.
③ (나)는 원뿌리와 곁뿌리의 구분이 없다.
④ (가)는 강아지풀, 벼, 옥수수 등에서 볼 수 있는 뿌리이다.
⑤ (나)는 민들레, 봉선화, 무 등에서 볼 수 있는 뿌리이다.

08 다음은 어떤 식물 뿌리의 단면을 나타낸 그림이다. 이에 대한 설명으로 옳지 <u>않은</u> 것은?

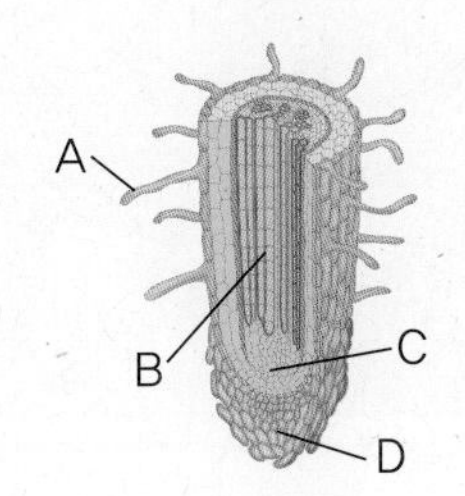

① A는 1개의 표피세포가 변한 것이다.
② B는 뿌리에서 흡수한 물과 무기 양분이 이동하는 통로이다.
③ C는 생장점으로 세포 분열이 일어나 뿌리가 두꺼워지게 한다.
④ D는 단단한 조직으로 되어 있어 생장점을 싸서 보호한다.
⑤ A는 흙과 닿는 표면적을 넓혀서 물과 무기 양분을 효율적으로 흡수한다.

09 다음 중 뿌리의 기능으로 옳은 것을 <u>모두</u> 고르시오.

① 흙 속의 물과 무기 양분을 흡수한다.
② 이산화 탄소를 흡수하고, 산소를 배출한다.
③ 광합성을 통하여 유기 양분을 만든다.
④ 식물이 넘어지지 않도록 지탱한다.
⑤ 감자나 양파와 같이 남는 양분을 뿌리에 저장한다.

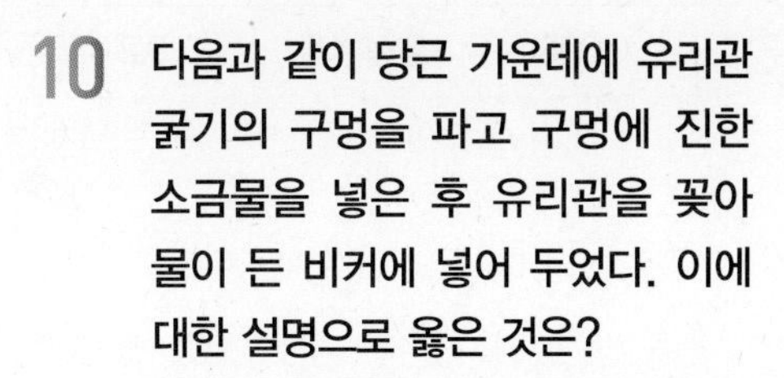

10 다음과 같이 당근 가운데에 유리관 굵기의 구멍을 파고 구멍에 진한 소금물을 넣은 후 유리관을 꽂아 물이 든 비커에 넣어 두었다. 이에 대한 설명으로 옳은 것은?

① 당근 가운데에 넣은 소금물보다 비커 속 물의 농도가 높다.
② 시간이 지나면 당근에 꽂은 유리관 속 소금물의 높이가 높아진다.
③ 시간이 지나면 당근에 꽂은 유리관 속 소금물의 높이와 비커 속 물의 높이가 모두 낮아진다.
④ 시간이 지나면 비커 속 물의 높이가 점점 높아진다.
⑤ 당근 가운데 넣은 소금물이 비커로 이동한다.

11 뿌리털에서 물과 무기 양분을 흡수하여 이동시키는 과정에 대한 설명으로 옳은 것은?

① 흙보다 뿌리털의 농도가 낮다.
② 무기 양분은 뿌리털에서 흙으로 이동한다.
③ 뿌리를 소금물에 담가 두면 물과 무기 양분이 더 잘 흡수된다.
④ 뿌리털로 흡수된 물은 체관을 통해 잎으로 전달된다.
⑤ 물이 이동하는 원리는 시든 채소에 물을 뿌리면 다시 싱싱해지는 것과 같다.

서술형으로 다지기

정답 ◆ 6p ◆

01 다음은 여러 세포의 모습과 크기를 나타낸 표이다. 이것으로 알 수 있는 세포의 특징을 2가지 서술하시오.

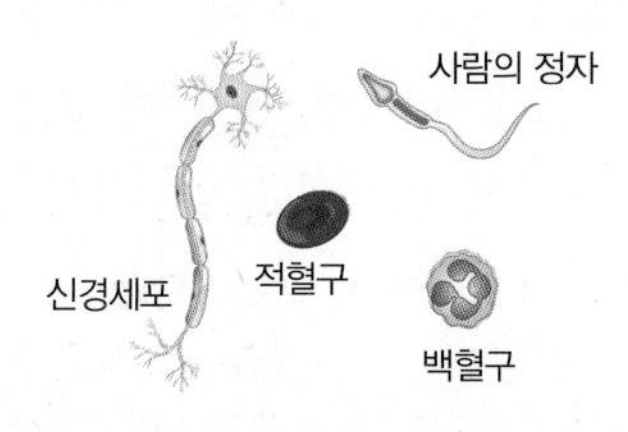

세포의 종류	크기(mm)	세포의 종류	크기(mm)
대장균	0.003	효모	0.01
적혈구	0.008	짚신벌레	0.2

02 다음과 같이 나무를 옮겨 심을 때 뿌리 주변의 흙을 함께 옮겨 심는다. 흙을 털어내지 않고 나무와 함께 옮기는 이유를 서술하시오.

뿌리털

03 사람과 코끼리는 몸의 크기는 다르지만 세포의 크기는 비슷하다. 몸의 크기는 세포의 크기가 아니라 세포의 수와 관계가 있다. 코끼리 세포가 사람 세포보다 크지 않고 비슷한 크기인 이유를 서술하시오.

사람

코끼리

04 나무가 사람과 같은 동물보다 더 높게 자랄 수 있는 이유를 세포의 구조와 관련지어 서술하시오.

STEAM 식물 뿌리 성장을 막는 소금

농부들은 염분이 높은 토양에서 식물이 자라지 못한다는 사실을 잘 알고 있다. 그러나 명확한 원리와 메커니즘은 확실히 밝혀진 바 없다. 최근에 식물 뿌리에 염분이 닿으면 스트레스 호르몬이 활성화되어 곁뿌리의 성장이 멈춘다는 사실이 밝혀졌다.

대부분 농업용 식물은 뿌리에서 시작된 관이 줄기를 거쳐 잎까지 이어지는 관다발 식물이다. 원뿌리가 수직으로 뻗어 나가 식물의 몸을 땅에 고정하면, 곁뿌리가 자라면서 토양 속 물과 무기 양분을 흡수하고 관다발을 통해 몸 전체로 보낸다. 곁뿌리의 내피층은 물 속 용질을 걸러내는 반투과성 막의 작용을 하며, 토양에서 빨아들인 물과 무기 양분 중에서 유용한 물질과 유독한 물질을 구분한다. 염분의 흡수를 막는 것도 내피층이 담당하는 기능이다.

애기장대의 묘목을 기르면서 곁뿌리의 성장과 염분 반응을 관찰했더니, 염분 농도가 높은 환경에서는 내피층에서 낙엽산이 활성화되고, 이것이 식물 내에서 스트레스 호르몬으로 작용하여 뿌리의 성장을 멈추도록 지시하여 곁뿌리가 자라지 않고 멈추거나 아주 느리게 성장했다.

일반적으로 농업에서는 토양 속의 해로운 성분을 씻어내고 식물에 물을 공급하기 위해 인공적으로 물을 주는 관개를 한다. 관개는 식물의 성장뿐만 아니라 토양의 온도를 조절해 냉해를 막고, 바람으로 인한 침식 작용을 막는다. 그런데 관개를 오래 하면 염분으로 인한 피해가 발생한다.

낙엽산의 전달을 방해해 염분 스트레스 반응을 낮출 수 있다면 소금기 많은 땅에서도 뿌리 성장이 멈추지 않고 잘 자라는 식물을 개발할 수 있을 것으로 기대된다.

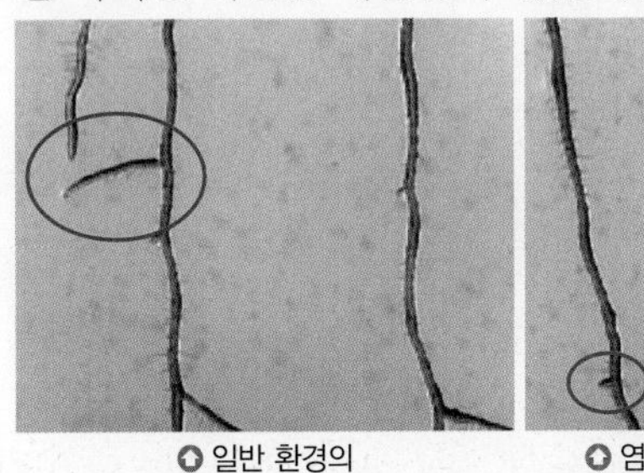
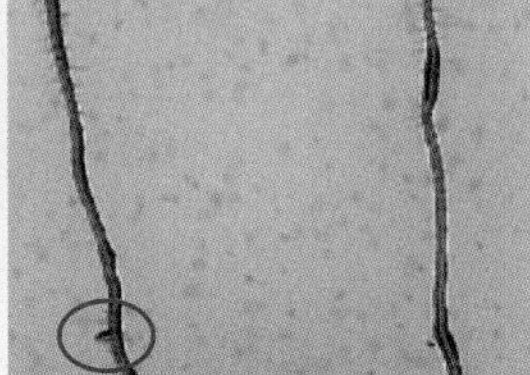

◐ 일반 환경의 애기장대 묘목 뿌리

◐ 염분 농도가 높은 환경의 애기장대 묘목의 뿌리

01 염분이 높은 토양에서 식물의 뿌리가 성장을 멈추거나 잘 자라지 않는 이유를 추리하여 서술하시오.

논술형

02 UN의 추산에 의하면 세계 농지 중 8천만 헥타르에 달하는 면적이 염분으로 인해 작물 재배에 어려움을 겪고 있다고 한다. 농사를 짓기 위해 물을 인공적으로 농지에 공급해 주는 관개가 토양 속 염분 농도를 증가시키는 이유를 서술하시오.

뿌리, 줄기, 잎에서 일어나는

04 식물에서의 물질 이동(2)

플러스 노트

● **나이테**
나무줄기를 가로로 잘랐을 때 나타나는 둥근 띠 모양의 무늬이다.

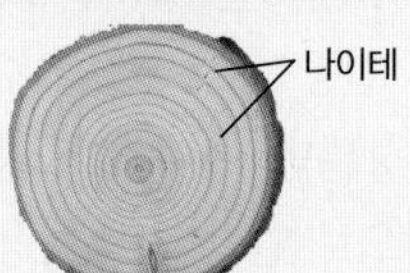

나이테는 계절에 따라 형성층의 세포 분열에 의한 식물의 부피 생장 속도가 다르기 때문에 나타난다. 따라서 온대 지방의 나무에서는 1년에 1개의 나이테가 생기고, 계절 구분이 없는 열대 지방의 나무에서는 나이테가 관찰되지 않는다. 건조한 지역에서 자라는 식물은 1년에 1개 이상의 나이테가 생기기도 한다.

● **환상박피 실험**
나무줄기의 껍질을 고리 모양을 벗겨 낸 후 기르면, 껍질을 벗겨 낸 부분의 위쪽이 두껍게 부풀어 오른다.

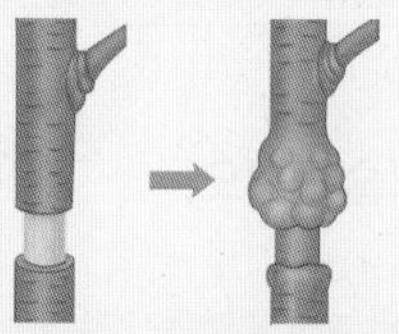

잎에서 만든 유기 양분이 아래쪽으로 이동하지 못해 껍질을 벗겨 낸 부분 위쪽에 쌓이기 때문이다. 환상박피 실험을 통해 체관은 관다발의 바깥쪽에 있으며, 체관을 통해 유기 양분이 이동함을 알 수 있다.

용어풀이

관다발(대롱 管, 많을 多, 쏠 發) : 피리처럼 둥글고 속이 비어 있는 대롱이 여러 개 모여 다발을 이룬 조직

ⓐ 지지 ⓑ 운반 ⓒ 호흡
ⓓ 관다발 ⓔ 안 ⓕ 바깥

A 줄기에서 물과 양분의 이동

1 줄기의 기능

① ⓐ______ 작용 : 잎과 꽃 등을 달고 있으며, 식물체를 지탱한다.

② ⓑ______ 작용 : 물관을 통해 물과 무기 양분을, 체관을 통해 유기 양분을 운반한다.

③ ⓒ______ 작용 : 피목을 통해 산소를 흡수하고, 이산화 탄소를 배출한다.

④ **저장 작용** : 사용하고 남은 양분을 저장한다. 예 감자, 양파, 토란 등

2 줄기의 구조

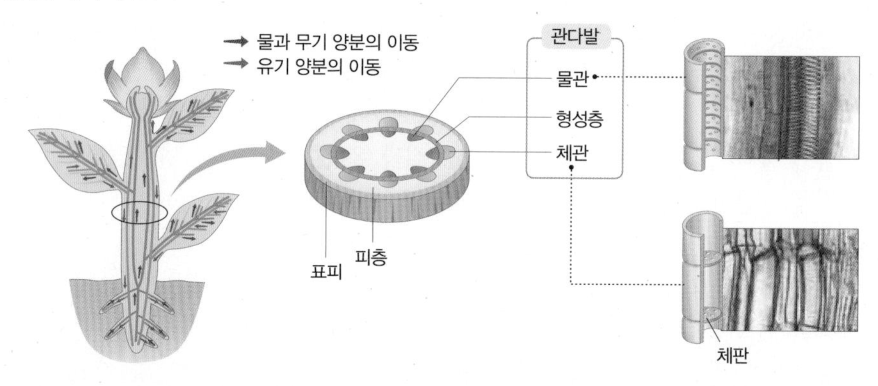

① **표피** : 줄기 가장 바깥쪽에 있는 한 겹의 세포층으로 줄기 내부를 보호한다.

② **피층** : 표피 안쪽에 있는 여러 겹의 세포층

③ ⓓ______ : 물관과 체관 여러 개가 모여 다발을 이루고 있는 것으로 뿌리에서 잎까지 연결되어 있다. ➡ 뿌리에서 흡수한 물과 무기 양분 및 잎에서 만든 유기 양분은 관다발을 통해 식물체의 각 부분으로 이동한다.

구분	물관	형성층	체관
위치	관다발 ⓔ____ 쪽	물관과 체관 사이	관다발의 ⓕ____ 쪽
기능	뿌리에서 흡수한 물과 무기 양분의 이동 통로	세포 분열이 활발하여 줄기를 굵게 자라게 함 ➡ 부피 생장	잎에서 광합성으로 만들어진 유기 양분의 이동 통로
구조	세포 위아래의 세포벽이 없는 긴 대롱 모양의 관	물관과 체관 사이에 있는 둥근 띠 모양의 구조	세포 위아래의 세포벽에 체 모양의 작은 구멍이 있는 체판이 있음
특징	• 죽은 세포로 구성 • 세포벽이 두꺼움	쌍떡잎식물과 겉씨 식물에 존재	• 살아 있는 세포로 구성 • 세포벽이 얇음

3 관다발 관찰 – 쌍떡잎식물과 외떡잎식물의 관다발 비교

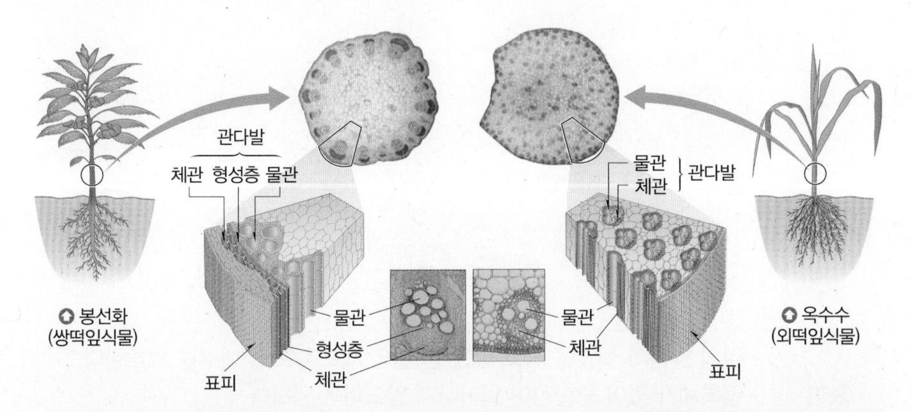

쌍떡잎식물	외떡잎식물
• 관다발이 고리 모양으로 배열되어 있다. ➡ 규칙적인 배열 • ⓐ ______ 이 있어 부피 생장을 한다.	• 관다발이 줄기 전체에 흩어져 있다. ➡ 불규칙적인 배열 • 형성층이 없어 부피 생장을 하지 않는다.
예 봉선화, 민들레, 무궁화, 해바라기 등	예 옥수수, 보리, 벼, 강아지풀 등

탐구

[줄기 구조 관찰]

셀러리(쌍떡잎식물)와 백합(외떡잎식물) 줄기를 붉은색 식용 색소를 녹인 물에 꽂아 햇빛이 잘 비치는 곳에 하루 정도 놓아둔 후, 안전면도날을 이용하여 줄기를 가로와 세로로 얇게 잘라 붉게 물든 부분을 관찰한다.

가로 단면		세로 단면	
셀러리(쌍떡잎식물)	백합(외떡잎식물)	셀러리(쌍떡잎식물)	백합(외떡잎식물)

① 쌍떡잎식물의 관다발은 ⓑ ______ 적으로 줄기의 가장자리에 분포한다.
② 외떡잎식물의 관다발은 ⓒ ______ 적으로 줄기 전체에 흩어져 분포한다.

더 알아보기

[쌍떡잎식물과 외떡잎식물의 특징 비교]

구분	떡잎 수	뿌리	줄기(관다발)	잎(잎맥)
쌍떡잎식물	2개	ⓓ ______ 뿌리	규칙적인 배열	ⓕ ______ 맥
외떡잎식물	1개	ⓔ ______ 뿌리	불규칙적인 배열	ⓖ ______ 맥

플러스 노트

● 물관이 체관보다 안쪽에 있어서 유리한 점

줄기의 표피를 벗겨 내도 안쪽에 있는 물관은 손상되지 않는다. 따라서 표피에 상처가 나도 물관에는 영향이 없으므로 물이 그대로 위까지 올라가 식물이 시드는 일이 일어나지 않는다.

● 대나무는 나무일까? 풀일까?

대나무의 땅위줄기는 1년 이상 지속해서 생존하므로 나무로 생각하기 쉽다. 그러나 대나무는 외떡잎식물의 한 종류이다. 일반적으로 나무는 쌍떡잎식물로 형성층이 있어 부피 생장을 하며 나이테가 있다. 그러나 외떡잎 식물인 대나무는 형성층이 없어 부피 생장을 거의 하지 못하고, 줄기는 속이 비어 있고 마디가 있다. 또한, 잎은 길고 가늘며, 나란히맥이다.

정답

ⓐ 형성층 ⓑ 규칙 ⓒ 불규칙
ⓓ 곧은 ⓔ 수염 ⓕ 그물
ⓖ 나란히

플러스 노트

● **잎의 겉모양**

* **잎몸** : 잎의 넓적한 부분으로 잎맥이 퍼져 있으며, 주로 광합성을 하는 부위이다.
* **잎자루** : 잎몸을 줄기에 연결한다.
* **턱잎** : 어린 잎을 보호하는 부분으로, 대부분 잎몸이 자랄 때 떨어진다. 쌍떡잎식물에서 많이 발견된다.

● **공변세포와 표피세포의 차이점**

공변세포는 잎의 표피세포가 변하여 형성된 것이지만, 표피세포와는 생김새와 기능이 다르다. 공변세포는 표피세포와 달리 긴 반달 모양이고, 엽록체가 있어 광합성을 할 수 있다.

● **기공이 잎의 뒷면에 많은 이유**

햇빛을 직접 받지 않는 잎의 뒷면에 기공이 더 많이 분포하면 증산 작용이 과다하게 일어나는 것을 막을 수 있고 비나 먼지에 의해 기공이 막히는 것을 막을 수 있다. 그러나 물 위에 떠서 사는 수생식물은 기공이 잎의 앞면에만 분포한다.

용어풀이

해면(바다 海, 솜 綿) 조직 : 세포가 해면동물의 몸처럼 듬성듬성 분포되어 있는 조직

ⓐ 엽록체 ⓑ 뒷 ⓒ 광합성
ⓓ 공변세포

B 잎의 구조와 기능

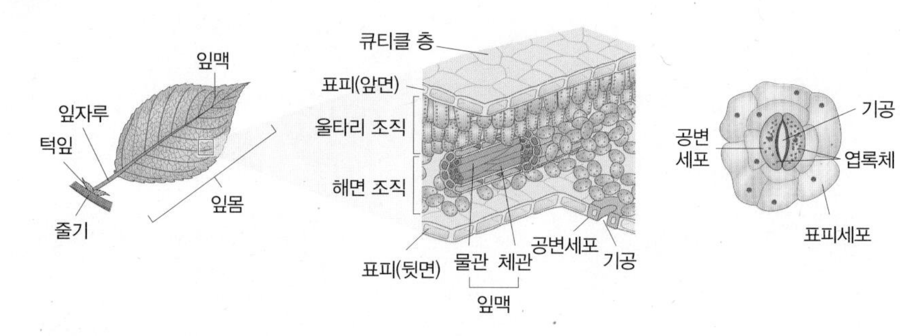

표피	• 잎의 앞면과 뒷면을 싸고 있는 한 겹의 세포층으로, 내부를 보호한다. • 엽록체가 없어 광합성이 일어나지 않으며 투명하다. • 큐티클 층으로 싸여 있어 수분 손실을 막는다.
공변세포	• 표피세포가 변형된 것으로, ⓐ ______ 가 있어 광합성이 일어난다. • 기공 쪽의 세포벽이 반대쪽보다 두껍다.
기공	• 2개의 공변세포로 둘러싸인 틈으로, 증산 작용과 기체 교환이 일어난다. • 주로 잎의 ⓑ ______ 면에 분포한다.
울타리 조직	• 엽록체를 가진 세포들이 빽빽하게 배열되어 있다. • ⓒ ______ 이 가장 활발하게 일어난다.
해면 조직	• 엽록체를 가진 세포들이 엉성하게 배열되어 있다. • 광합성이 일어나며, 세포 사이의 빈틈으로 기체가 이동한다.
잎맥	• 물관과 체관으로 이루어진 관다발로, 물과 양분의 이동 통로이다. • 줄기의 관다발과 연결되어 있고, 잎몸을 지탱한다.

[잎의 표피 관찰]

한 손으로 닭의장풀 잎 앞면을 잡고 다른 손으로 잎을 꺾어 당겨 앞면 표피를 벗긴다. 같은 방법으로 잎 뒷면을 잡고 잎을 꺾어 당겨 뒷면 표피를 벗긴다. 현미경으로 잎 앞면과 뒷면의 표피를 관찰한다.

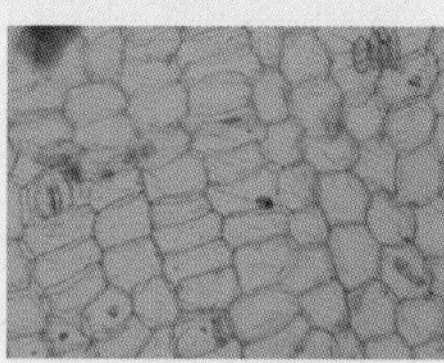
○ 닭의장풀 잎 앞면

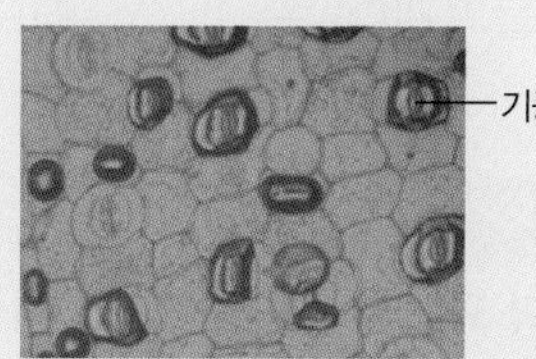

○ 닭의장풀 잎 뒷면

① 잎의 앞면에는 기공이 적고, 투명한 세포들이 많다.
② 잎의 뒷면에는 기공이 많으며, 기공은 2개의 ⓓ ______ 로 둘러싸여 있다.
③ 공변세포에는 녹색 알갱이(엽록체)가 있다.

C 잎에서의 증산 작용

1 증산 작용 : 기공을 통해 식물체 내의 물을 수증기 상태로 배출하는 현상

2 증산 작용의 조절 : 공변세포의 팽창과 수축에 의해 기공이 열리고 닫힌다.

<table>
<tr><th>기공이 열리는 과정 – 낮</th><th>기공이 닫히는 과정 – 밤</th></tr>
<tr><td>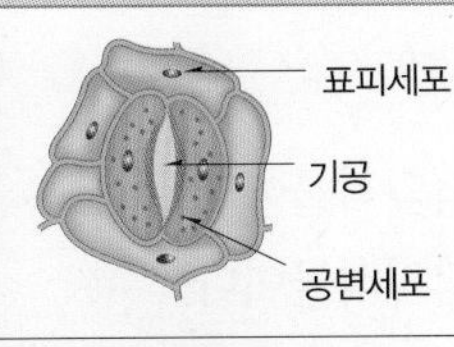
</td><td>
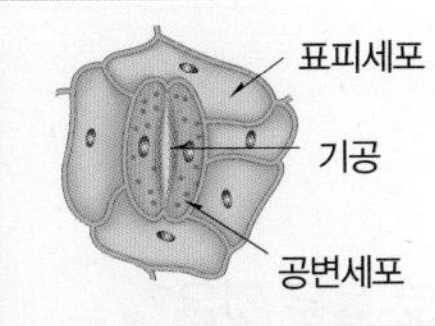
</td></tr>
<tr><td>공변세포에서 광합성이 일어난다.
➡ 공변세포의 농도가 높아진다.
➡ 삼투에 의해 ⓐ ____ 이 주위 세포로부터 공변세포로 이동한다.
➡ 공변세포의 팽압이 ⓑ ____ 져 팽창하면서 활처럼 휘어진다.
➡ 기공이 열린다.</td><td>공변세포 저장되었던 녹말이 이동한다.
➡ 공변세포의 농도가 낮아진다.
➡ 공변세포의 물이 주변 세포로 이동한다.
➡ 공변세포의 팽압이 ⓒ ____ 져 원래 모양으로 회복된다.
➡ 기공이 닫힌다.

기공 개폐</td></tr>
</table>

3 증산 작용의 의의

① **물 상승의 원동력 :** 기공을 통해 물을 내보내면 부족한 물을 보충하기 위해 물을 끌어올린다.

② **식물체의 체온 조절 :** 기공을 통해 물이 증발하면서 식물체의 열을 빼앗아간다.

③ **식물체 내의 수분량 조절 :** 식물체 내 수분량 및 물질의 농도를 조절한다.

탐구

[증산 작용에 영향을 미치는 요인]

같은 수의 잎이 달린 봉숭아 2개와 잎이 달리지 않은 봉숭아를 같은 양의 물이 담긴 눈금실린더에 꽂고 기름 한두 방울을 떨어뜨린 다음 입구를 솜으로 막는다. (다)의 봉숭아에만 비닐봉지를 씌우고 햇빛이 잘 비치는 실내에 두고 5시간 정도 지난 후 변화를 관찰한다.

① 눈금실린더의 줄어든 물의 양 : ⓓ ____ > ⓔ ____ > ⓕ ____

② (나)와 (다)에서는 증산 작용으로 잎을 통해 물이 밖으로 배출되기 때문에 눈금실린더 속의 물이 줄어든다.

③ (다)의 비닐 주머니에는 증산 작용으로 배출된 물이 비닐 주머니에 맺힌다.

④ (가)와 (나)를 비교하면 증산 작용이 잎에서 일어남을 알 수 있다.

⑤ (나)와 (다)를 비교하면 증산 작용은 습도가 낮을 때 활발하게 일어남을 알 수 있다.

플러스 노트

● **공변세포**
공변세포는 안쪽(기공 쪽) 세포벽이 바깥쪽 세포벽보다 두껍다. 공변세포에 물이 들어와 팽압(식물 세포에서 세포벽을 밀어내는 압력)이 높아지면 세포벽이 얇은 쪽이 두꺼운 쪽보다 많이 늘어나 활처럼 휘어진다.

● **잎의 기능**
* **광합성 :** 빛을 이용해 엽록체에서 유기 양분을 합성한다.
* **증산 작용 :** 잎의 기공을 통해 식물 내부의 물을 수증기 형태로 배출한다.
* **호흡 :** 잎의 기공을 통해 산소를 흡수하고 이산화 탄소를 배출한다.

● **식물체 내에서 물을 상승시키는 요인**
* **증산 작용**
* **물 분자의 응집력 :** 물 입자 사이에서 서로 끌어당기는 힘
* **뿌리압 :** 뿌리에서 물을 위로 밀어 올리는 힘
* **모세관 현상 :** 물이 가느다란 관을 따라 올라가는 현상
* **크기 비교 :** 증산 작용>물 입자의 응집력>뿌리압>모세관 현상

● **증산 작용이 잘 일어나는 조건**
* 햇빛이 강할 때
* 온도가 높을 때
* 바람이 잘 불 때
* 습도가 낮을 때
* 체내 수분량이 많을 때

ⓐ 물 ⓑ 높아 ⓒ 낮아
ⓓ (나) ⓔ (다) ⓕ (가)

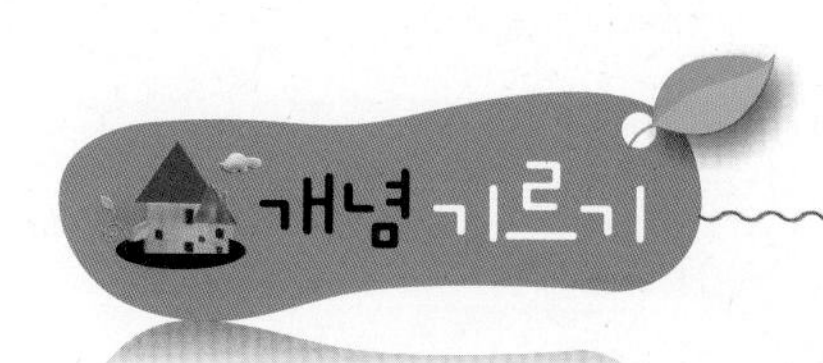

01 다음 중 줄기의 기능으로 옳지 않은 것은?

① 지지 작용 ② 운반 작용
③ 호흡 작용 ④ 흡수 작용
⑤ 저장 작용

02 다음 줄기의 단면 그림에 대한 설명으로 옳은 것은?

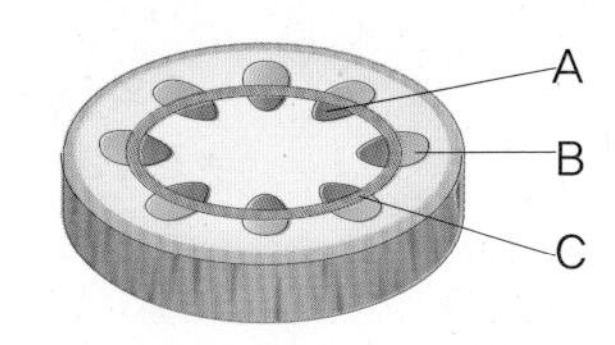

① A는 체관, B는 물관이다.
② C는 물과 무기 양분의 이동 통로이다.
③ A는 살아 있는 세포, B는 죽은 세포로 구성되어 있다.
④ C는 모든 식물의 줄기에서 볼 수 있다.
⑤ A, B, C를 묶어 관다발이라고 한다.

03 다음 그림은 나무줄기의 껍질을 고리 모양으로 벗겨 낸 후 길렀을 때 껍질을 벗겨낸 줄기 위쪽이 두껍게 부풀어 오른 모습이다. 이와 같은 변화가 생긴 것은 무엇이 제거되었기 때문인가?

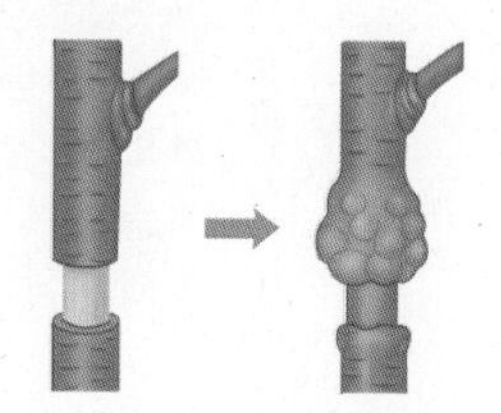

① 물관 ② 체관
③ 형성층 ④ 생장점
⑤ 뿌리털

04 다음은 쌍떡잎식물과 외떡잎식물의 줄기 단면이다. 이에 대한 설명으로 옳지 않은 것은?

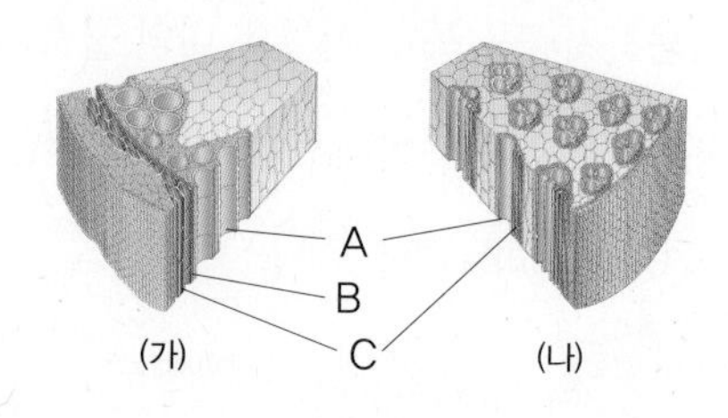

① (가)는 쌍떡잎식물이다.
② (나)는 외떡잎식물이다.
③ A는 뿌리에서 흡수된 물이 이동한다.
④ B는 쌍떡잎식물에서만 관찰 가능하다.
⑤ C는 잎에서 만들어진 무기 양분의 이동 통로이다.

05 오른쪽 그림과 같은 줄기의 단면을 가지는 식물을 모두 고르시오.

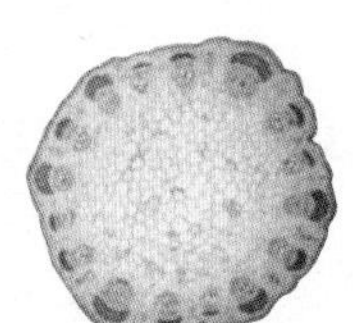

① 벼
② 보리
③ 민들레
④ 강아지풀
⑤ 해바라기

중요

06 쌍떡잎식물과 외떡잎식물의 특징을 비교한 것으로 옳은 것은?

① 떡잎 수는 외떡잎식물이 더 많다.
② 쌍떡잎식물은 곧은뿌리, 외떡잎식물은 수염뿌리이다.
③ 쌍떡잎식물과 외떡잎식물의 관다발 구조는 동일하다.
④ 부피 생장은 쌍떡잎식물에서는 없고, 외떡잎식물에서만 일어난다.
⑤ 외떡잎식물과 쌍떡잎식물은 관다발의 배열로 구분할 수 없다.

07 다음 그림은 잎의 단면을 나타낸 것이다. 이에 대한 설명으로 옳은 것은?

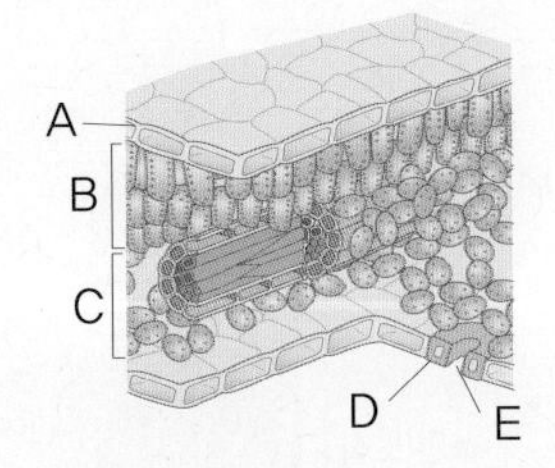

① A는 광합성이 일어나지 않고 큐티클 층으로 싸여 있어 수분 손실을 막는다.
② B는 해면 조직으로 광합성이 가장 활발하다.
③ C는 울타리 조직으로 광합성이 일어나지 않는다.
④ D는 기공이 변형된 것으로 광합성이 일어나지 않는다.
⑤ E는 물관과 체관으로 이루어진 관다발로 줄기의 관다발과 연결되어 있다.

08 그림은 어떤 잎의 표피를 벗겨 내어 현미경으로 관찰한 모습이다. 이에 대한 설명으로 옳은 것은?

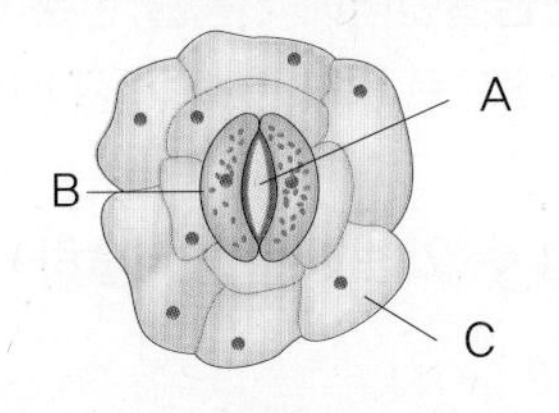

① A는 잎의 앞면보다 뒷면에 많다.
② B는 안쪽보다 바깥쪽 세포벽이 두껍다.
③ C는 엽록체가 있어 광합성이 일어난다.
④ A와 B에는 엽록체가 있어 광합성을 한다.
⑤ C는 B가 변형되어 만들어진 세포이다.

09 다음 중 증산 작용에 대한 효과로 옳지 않은 것은?

① 유기 양분을 만든다.
② 뿌리에서 흡수한 물을 끌어올린다.
③ 식물체의 체온을 조절한다.
④ 식물체 내의 수분량을 조절한다.
⑤ 식물체 내의 물질의 농도를 조절한다.

10 다음은 서로 다른 기공의 상태를 나타낸 그림이다. (가)가 (나)로 되기 위한 조건으로 옳은 것은?

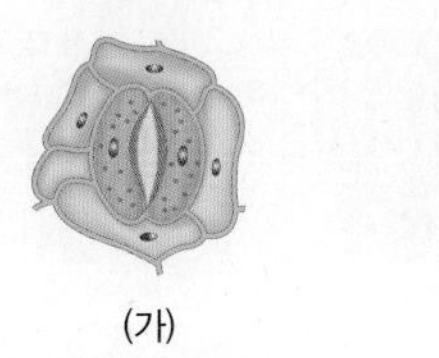
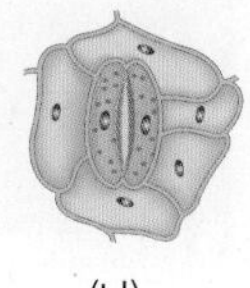

(가) (나)

① 습도가 낮을 때
② 온도가 높을 때
③ 바람이 잘 불 때
④ 햇빛이 강할 때
⑤ 체내 수분량이 적을 때

11 기공이 열리는 과정을 순서 없이 나타낸 것이다. 순서대로 옳게 나열한 것은?

> ㉠ 주위 세포보다 공변세포의 농도가 높아진다.
> ㉡ 낮에 공변세포에서 광합성이 일어난다.
> ㉢ 공변세포로 물이 들어온다.
> ㉣ 공변세포가 팽창하면서 활처럼 휘어진다.

① ㉠-㉡-㉢-㉣
② ㉠-㉢-㉡-㉣
③ ㉡-㉠-㉢-㉣
④ ㉡-㉢-㉠-㉣
⑤ ㉢-㉠-㉣-㉡

12 다음 중 식물체 내에서 물이 상승하는 원인으로 옳지 않은 것은?

① 기공을 통해 물을 내보내는 증산 작용
② 뿌리에서 물을 밀어 올리는 뿌리압
③ 물이 가는 관을 따라 올라가는 모세관 현상
④ 물 입자 사이에서 서로 끌어당기는 응집력
⑤ 잎의 기공에서 이산화 탄소를 받고 산소를 내보내는 호흡 작용

서술형으로 다지기

정답 ◆ 7p ◆

01 다음 그림 (가)와 (나)를 물관과 체관으로 구분하고, 각각의 관에 대한 구조와 특징을 서술하시오.

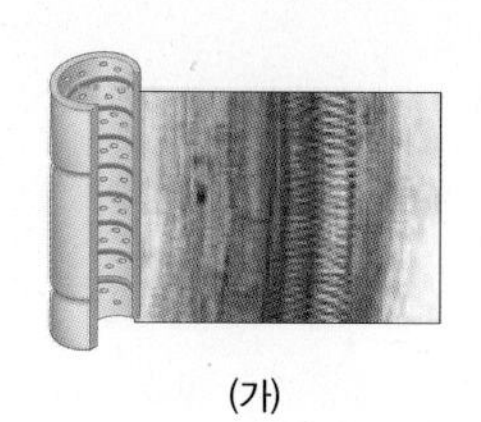
(가)

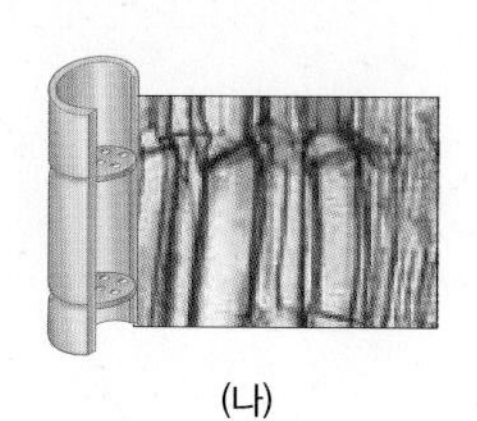
(나)

02 다음은 셀러리와 백합 줄기를 붉은 색소가 담긴 플라스크에 하루 정도 꽂아 둔 후, 줄기의 단면을 잘라랐을 때의 모습이다. (가)와 (나)에서 붉게 물든 곳을 찾고, 각각 어떤 식물인지 이유와 함께 서술하시오.

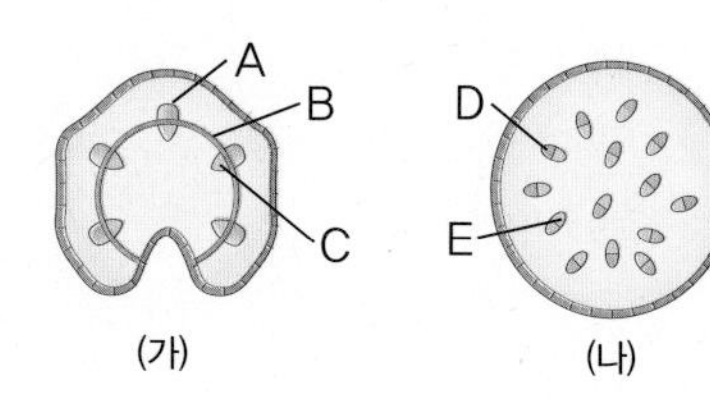

(가) (나)

03 다음은 잎의 단면을 나타낸 그림이다. 울타리 조직은 빽빽한 데 비해서 해면 조직은 엉성하다. 그 이유를 서술하시오.

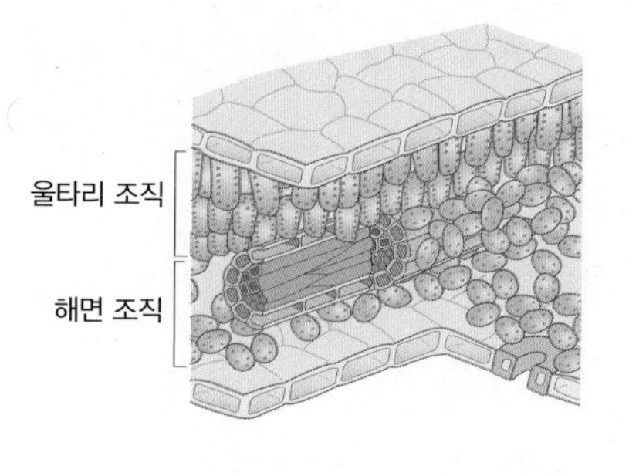

논술형

04 다음 그림과 같이 봉숭아 3개를 장치하였다. 물이 담긴 눈금실린더에 기름을 한두 방울 떨어뜨린 다음 입구를 솜으로 막고, 햇빛이 잘 비치는 실내에 놓았다. 눈금실린더 안에 기름을 넣는 이유와 실험 결과를 통해 알 수 있는 사실을 서술하시오.

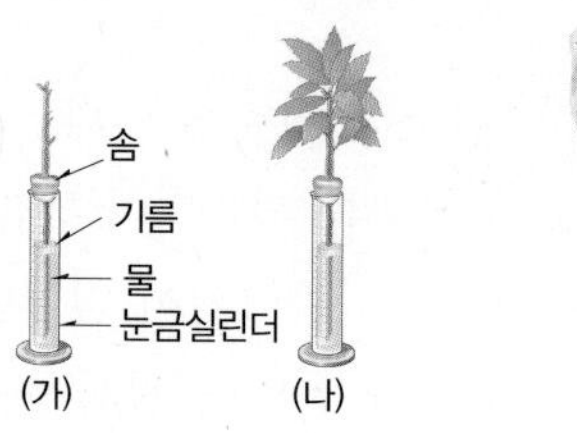

(가) (나)

(다)

정답 ◆ 7p ◆

STEAM 겨울철 실내 공기를 정화하는 식물들

최근 국민건강보험공단에서 발표한 결과에 의하면, 2년간 6세 미만 소아의 65.3 %가 호흡기 질환을 앓은 경험이 있는 것으로 나타났다. 호흡기 질환에는 깨끗한 공기를 마시는 것이 가장 좋다. 전문가들은 추워도 건강을 위해 하루에 30분씩 두 번 이상의 환기를 권하고 있다. 그러나 쌀쌀해진 날씨 탓에 환기하기 어렵거나 밖에 나가서 바람을 쐬는 것이 힘들다면 실내 공기 정화에 도움을 주는 공기정화 식물을 키워 보는 것도 좋다.

공기정화 식물은 실내 공기 속에 있는 각종 오염물질이나 유해물질 등을 정화해 실내 환경을 쾌적하게 하는 식물이다.

식물은 광합성, 증산 작용, 토양 내 미생물과의 상호작용을 통하여 실내 오염물질을 제거한다. 주로 실내 공기를 오염시키는 물질로는 일산화 탄소와 암모니아, 벤젠 등과 같은 휘발성 유기 화합물과 미세먼지 등이 있다.

식물은 잎에 흡수된 오염물질의 일부는 식물이 대사산물로 이용하여 제거하고, 일부는 뿌리로 이동시켜 토양 미생물의 영양원으로 활용한다. 폼알데하이드의 경우, 잎의 기공을 통하여 식물에 흡수된 후 폼산, 이산화 탄소로 차례로 전환되고, 광합성 과정에서 대사 산물로 이용되면서 독성이 제거된다.

공기정화 식물은 실내 습도 조절은 물론이고, 냄새 제거와 음이온 발생, 때에 따라서는 소음과 전자파 등을 차단하기도 한다.

공기정화 식물

아레카 야자

관음죽

01

식물은 광합성, 증산 작용, 토양 내 미생물과의 상호작용으로 실내 오염물질을 제거한다. 왼쪽 그림을 바탕으로 식물의 증산 작용으로 실내 공기가 정화되는 과정을 추리하여 서술하시오.

논술형

02 식물의 공기정화능력에 대한 실험은 많은 곳에서 이루어졌으며, 미항공우주국(NASA)에서도 이미 연구가 진행되었다. NASA의 연구 결과에 의하면 인체에 해로운 오염물질이 있는 밀폐된 공간에 12개 정도의 식물을 넣어두었더니 24시간 이내에 80 %의 폼알데하이드, 벤젠, 일산화 탄소와 같은 실내 공기 오염물질들이 제거되었다고 한다. NASA가 식물 연구에 주목하는 이유를 서술하시오.

05 식물에서 양분의 합성과 전환

A 광합성

1 광합성 : 식물이 ⓐ ______ 에서 빛에너지를 흡수하여 ⓑ ______ 과 ⓒ ______ 를 원료로 ⓓ ______ 을 만들고 ⓔ ______ 를 방출하는 과정

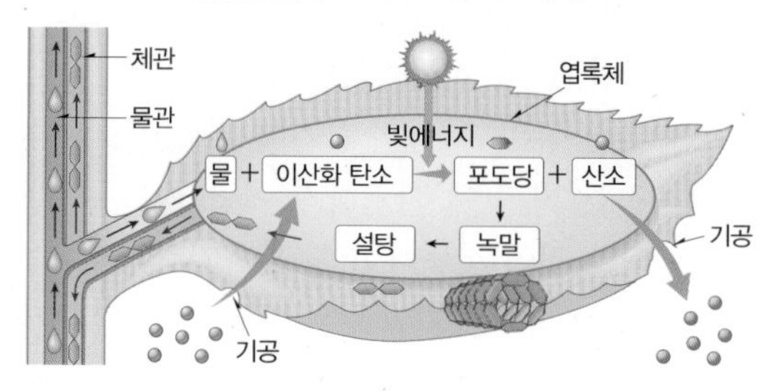

2 광합성에 필요한 요소

① 빛에너지 : 엽록체 속에 들어 있는 엽록소에서 빛에너지를 흡수한다.

② 물 : 뿌리를 통해 흡수되어 물관을 따라 잎까지 이동된다.

③ 이산화 탄소 : 공기 중의 이산화 탄소가 잎의 기공을 통해 흡수된다.

[광합성에 필요한 물질]

- **탐구 과정**

① 녹색 BTB 용액에 빨대를 사용하여 입김을 불어넣어 황색으로 만든다.

② 시험관 A, B, C에 황색 BTB 용액을 넣은 후 시험관 B와 C에 검정말을 넣는다.

③ 시험관 A~C를 고무마개로 막은 후 시험관 C만 알루미늄 포일로 감싼다.

④ 햇빛이 잘 비치는 곳에 두고 BTB 용액의 색깔 변화를 관찰한다.

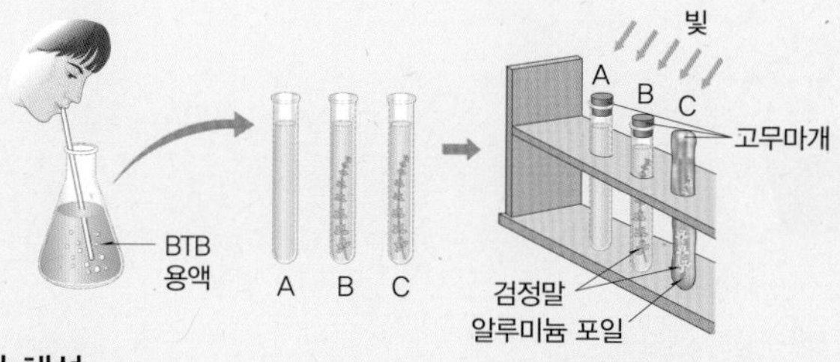

- **탐구 결과 및 해석**

① BTB 용액의 색 변화

구분	시험관 A	시험관 B	시험관 C
BTB 용액의 색	변화 없음(황색)	청색으로 변함	변화 없음음(황색)

② 시험관 A와 B를 비교하면, 검정말의 광합성에 ⓕ ______ 가 사용됨을 알 수 있다.

③ 시험관 B와 C를 비교하면, 광합성은 ⓖ ______ 이 있을 때에만 일어남을 알 수 있다.

플러스 노트

- **광합성의 의의**
  * 무기물로부터 유기물(포도당)을 합성한다.
  * 생물의 호흡에 필요한 산소를 생성한다.
  * 빛에너지를 생물이 이용할 수 있는 화학 에너지(포도당)로 저장한다.

- **광합성과 빛에너지**
  빛에너지는 광합성에 필요한 요인이지만, 광합성의 원료는 아니다. 빛은 식물이 물과 이산화 탄소를 원료로 포도당을 만드는 데 필요한 에너지원이다.

- **엽록체와 엽록소**
  엽록체는 광합성이 일어나는 녹색 알갱이이고, 엽록소는 빛에너지를 흡수하는 녹색 색소이다.

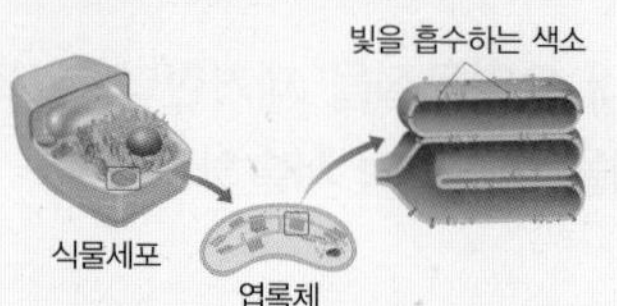

용어풀이

광합성(빛 光, 합할 合, 이룰 成) : 식물이 빛을 이용해 살아가는 데 필요한 포도당과 산소를 만드는 과정

엽록체(잎 葉, 푸를 綠, 몸 體) : 식물세포 속에 들어 있는 작은 알갱이로 엽록소를 포함하고 있어서 녹색으로 보인다.

ⓐ 엽록체 ⓑ 물 ⓒ 이산화 탄소
ⓓ 포도당 ⓔ 산소
ⓕ 이산화 탄소 ⓖ 빛

3 광합성으로 생성되는 물질

① **포도당** : 광합성 결과 최초로 만들어지는 유기 양분으로, 곧 녹말로 바뀌어 잎에 잠시 저장된다.

② **산소** : 식물 자신의 호흡에 이용하고, 남은 산소는 기공을 통해 공기 중으로 배출한다.

B 광합성에 영향을 미치는 요인

빛의 세기	이산화 탄소의 농도	온도
이산화 탄소 농도와 온도 일정	빛의 세기와 온도 일정	빛의 세기 강, 이산화 탄소 농도 일정
광합성량 / 광포화점 / 빛의 세기(lx)	광합성량 / 0.1 % / 이산화 탄소의 농도(%)	광합성량 / 35~38 ℃ / 온도(℃)
빛의 세기가 증가할수록 광합성량이 증가하다가 빛의 세기가 일정 세기 이상이 되면 광합성량이 증가하지 않고 일정해진다.	이산화 탄소의 농도가 증가할수록 광합성량이 증가하다가 일정 농도 이상이 되면 광합성량이 더 이상 증가하지 않고 일정해진다.	온도가 높아질수록 광합성량이 증가하다가 35~38 ℃에서 최대가 되고, 40 ℃ 이상에서 급격히 감소한다.

탐구

[빛의 세기와 광합성량]

• **탐구 과정**

① 비커에 25 ℃ 정도의 0.3 % 탄산수소 나트륨 수용액을 넣고 온도계를 장치한다.

② 물속에서 검정말 줄기의 끝부분을 비스듬히 자르고 거꾸로 세워 고정한다.

③ 비커와 전등 사이에 물을 담은 수조를 놓은 후, 검정말로부터 50 cm, 40 cm, 30 cm, 20 cm, 10 cm 떨어진 지점에서 각각 전등을 비춘다.

④ 3분 동안 발생하는 기포 수를 측정한다.

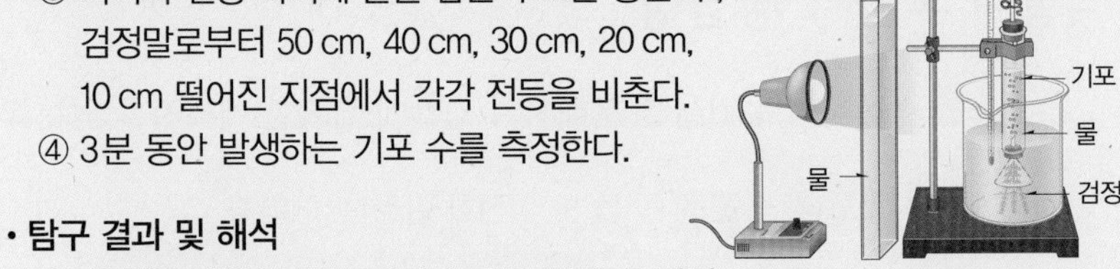

• **탐구 결과 및 해석**

① 비커와 전등 사이의 거리에 따른 기포 수 변화

비커와 전등 사이의 거리(cm)	50	40	30	20	10
3분 동안 발생한 기포 수(개)	10	14	20	30	30

② 검정말에서 발생하는 기포는 산소이며, 발생하는 기포 수는 광합성량에 비례한다.

③ 이산화 탄소를 공급하기 위해 탄산수소 나트륨 수용액을 넣는다.

④ 온도를 일정하게 유지하기 위해 비커 앞에 물을 담은 수조를 둔다.

⑤ 빛의 세기가 강할수록 광합성량이 ⓐ ______ 하며, 빛의 세기가 어느 정도 이상이 되면 광합성량이 더 이상 증가하지 않고 ⓑ ______ 해진다.

플러스 노트

● **광합성량이 계속 증가하지 않고 일정해지는 이유**

빛을 흡수하는 색소인 엽록소는 한 번에 받아들일 수 있는 빛의 양이 정해져 있다. 따라서 빛의 세기가 강해져 빛의 양이 증가하더라도 엽록소가 어느 정도 이상으로 빛을 받아들일 수 없으므로, 일정 세기 이상에서는 빛의 세기가 증가하더라도 광합성량이 증가하지 않는다.

● **40 ℃ 이상이 되면 광합성량이 급격히 감소하는 이유**

약 40 ℃ 이상에서는 광합성 과정에 이용되는 효소의 주성분인 단백질의 구조가 변하여 효소가 제대로 기능을 하지 못하기 때문이다.

● **헬몬트의 연구(1960년 경)**

헬몬트가 어린 버드나무를 화분에 심어 5년 동안 물만 주면서 키웠더니, 식물은 많이 자랐으나 흙의 양은 거의 줄어들지 않았다. 이를 통해 식물은 흙에서 양분을 얻어 자라는 것이 아니라 흙 속의 물을 흡수하여 자란다는 것을 알게 되었다.

정답 ⓐ 증가 ⓑ 일정

플러스 노트

● **광합성 산물이 체관을 따라 이동할 때의 형태**
체관을 흐르는 용액의 주성분은 당으로 설탕이 대부분이다. 포도당, 과당 등의 단당류는 환원당으로 화학적으로 불안정하여 다른 물질과 화학 반응을 일으키기 쉽다. 그러나 설탕은 비환원당으로 화학적으로 안정하기 때문에, 체관을 따라 이동하는 동안 다른 물질과 화학 반응을 일으킬 가능성이 적다.

● **광합성 산물의 저장 기관**
* **뿌리** : 당근, 무, 고구마 등
* **줄기** : 감자, 연, 토란, 사탕수수 등
* **열매** : 토마토, 오이, 사과 등
* **씨** : 벼, 밀, 옥수수, 보리, 깨, 잣 등

용어풀이

호흡(숨을 내쉴 呼, 숨을 들이쉴 吸)
: 생물이 산소를 흡수하고, 이산화 탄소를 배출하는 것으로, 특히 세포 호흡은 양분을 분해하여 에너지를 얻는 과정을 말한다.

ⓐ 녹말 ⓑ 설탕 ⓒ 호흡
ⓓ 일어남 ⓔ 포도당 ⓕ 산소

C 광합성 산물의 이동과 전환

1 광합성 결과 생성된 양분의 이동

① **양분의 합성** : 낮에 엽록체에서 빛에너지를 이용해 광합성이 일어나 포도당을 만든다.

② **양분의 이동** : 포도당은 곧 물에 녹지 않는 ⓐ ____ 의 형태로 바뀌어 엽록체에 잠시 저장된다. 밤에 녹말은 물에 잘 녹는 ⓑ ____ 의 형태로 전환되어 체관을 통해 뿌리, 줄기, 열매 등 식물의 각 부분으로 이동한다.

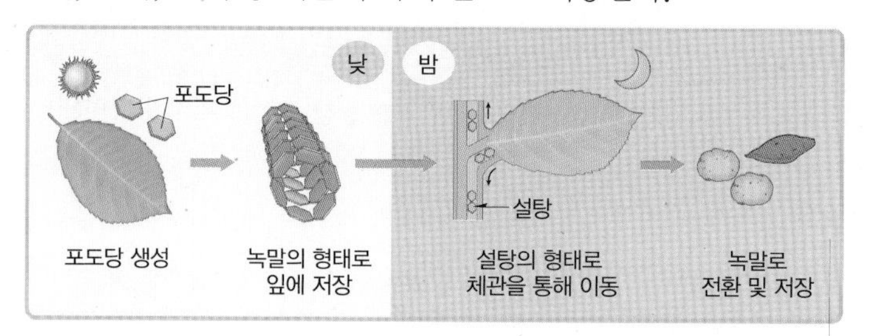

③ **양분의 이용** : 양분은 식물이 살아가는 데 필요한 에너지원으로 이용된다.

2 양분의 저장 : 이용하고 남은 양분은 뿌리, 줄기, 열매, 씨 등 저장 기관에 탄수화물, 지방, 단백질 등의 다양한 형태로 저장된다.

① **녹말** : 벼, 보리, 감자, 고구마 등
② **설탕** : 사탕수수, 사탕무 등
③ **포도당** : 양파, 붓꽃, 단맛을 내는 과일 등
④ **단백질** : 콩, 목화씨 등
⑤ **지방** : 땅콩, 깨 등

D 식물의 호흡과 광합성

1 ⓒ ____ : 산소를 이용하여 유기물을 분해시켜 생활에 필요한 에너지를 얻는 과정

포도당 + 산소 → 물 + 이산화 탄소 + 에너지

2 식물의 호흡

① **일어나는 장소** : 식물의 모든 세포
② **일어나는 시간** : 낮과 밤 구분 없이 ⓓ ____
③ **필요한 물질**

- ⓔ ____ : 광합성을 통해 생성된다.
- ⓕ ____ : 광합성을 통해 생성되거나, 잎(기공), 줄기(피목), 뿌리(표피) 등 몸 전체를 통해 흡수된다.

탐구

[식물의 호흡]

• **탐구 과정**

① 2개의 비닐 주머니 중 A에는 공기만 채우고, B에는 식물을 넣는다.
② A, B를 다음 그림과 같이 장치하여 암실에 둔다.
③ 하루가 지난 후 비닐 주머니 A, B에 들어 있는 공기를 각각 석회수에 통과시킨다.

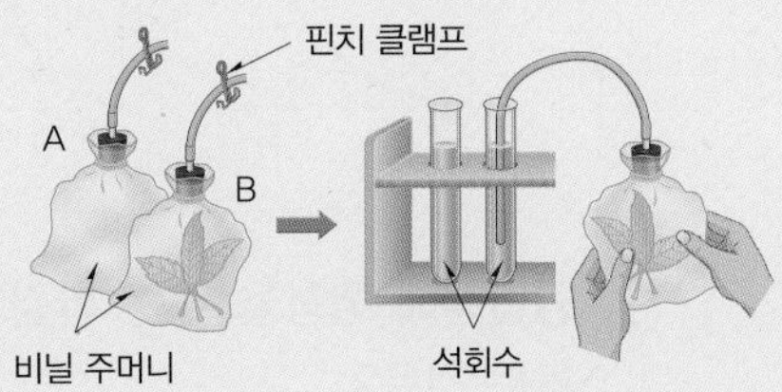

• **탐구 결과 및 해석**

① ⓐ_____의 공기를 통과시킨 석회수는 뿌옇게 흐려지지만, ⓑ_____의 공기를 통과시킨 석회수는 변화가 없다.
② 식물이 호흡하여 ⓒ________를 방출하므로 석회수가 뿌옇게 흐려진다.

3 광합성과 호흡의 관계

낮(강한 빛)	아침, 저녁(약한 빛)	밤(빛 없음)
강한 빛 / 광합성 / 호흡 / 이산화 탄소 / 산소	약한 빛 / 광합성 / 호흡 / 이산화 탄소 / 산소	호흡 / 이산화 탄소 / 산소
• 광합성량 ⓓ____ 호흡량 • 이산화 탄소 흡수, 산소 배출	• 광합성량 ⓔ____ 호흡량 • 외관상으로 기체의 출입이 없다.	• ⓕ____ 만 일어난다. • 산소 흡수, 이산화 탄소 배출

구분	광합성	호흡
일어나는 시기	낮(빛이 있을 때)	항상(빛의 유무와 관계 없음)
일어나는 장소	엽록체가 있는 세포	모든 세포(미토콘드리아)
필요한 물질	물, 이산화 탄소	포도당, 산소
만들어지는 물질	포도당, 산소	물, 이산화 탄소
기체의 이동	이산화 탄소 흡수, 산소 배출	산소 흡수, 이산화 탄소 배출
에너지 관계	에너지 흡수(저장)	에너지 방출
의미	양분 합성	에너지 생성

플러스 노트

● **식물에서 호흡이 활발하게 일어나는 시기**
씨가 싹틀 때, 꽃이 필 때, 생장이 활발할 때 ➡ 식물은 호흡을 통해 에너지를 얻기 때문에 에너지가 많이 필요한 시기에 호흡이 활발하게 일어난다.

● **보상점**
광합성량과 호흡량이 같을 때의 빛의 세기로, 외관상 기체의 출입이 없다.

● **미토콘드리아**
산소를 이용하여 포도당을 분해하여 에너지를 생산하는 세포 소기관이다. 세포 내 발전소라고도 불린다.

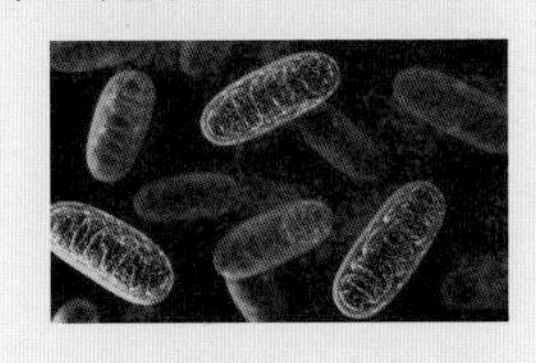

ⓐ B ⓑ A ⓒ 이산화 탄소
ⓓ > ⓔ = ⓕ 호흡

01 다음 중 광합성에 대한 설명으로 옳은 것은?

① 유기물에서 무기물을 합성한다.
② 이산화 탄소가 만들어진다.
③ 식물세포 속의 엽록체에서 일어난다.
④ 포도당을 원료로 에너지를 만드는 과정이다.
⑤ 화학 에너지를 빛에너지로 저장한다.

02 다음 그림과 같이 녹색의 BTB 용액에 날숨을 불어 넣어 황색으로 만든 다음, 3개의 시험관에 넣고 B와 C에만 물풀을 넣었다. 시험관을 모두 고무마개로 막은 후 C만 알루미늄 포일로 감쌌다. 이 실험에 대한 설명으로 옳은 것은?

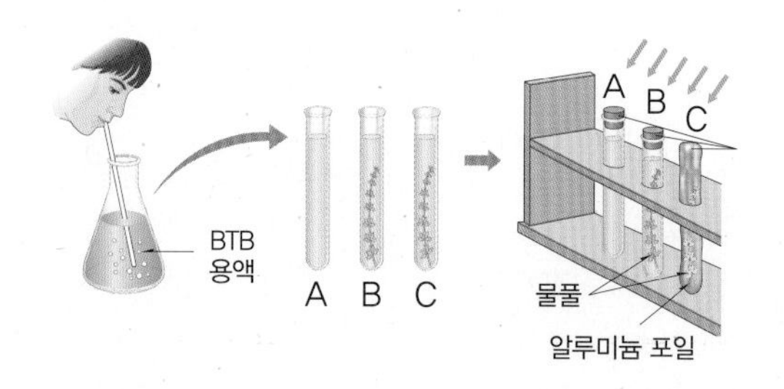

① 시험관 A는 청색으로 변한다.
② 시험관 C는 적색으로 변한다.
③ 시험관 B는 색깔의 변화가 없다.
④ 시험관 A와 B를 비교하면 물풀이 광합성에 이산화 탄소를 사용함을 알 수 있다.
⑤ B와 C를 비교하면 물풀의 광합성은 낮과 밤에 모두 일어남을 알 수 있다.

03 다음 중 광합성에 영향을 미치는 요인이 아닌 것을 모두 고르시오.

① 습도 ② 온도
③ 산소의 농도 ④ 빛의 세기
⑤ 이산화 탄소의 농도

04 다음 중 광합성에 영향을 미치는 요인과 광합성량의 관계를 나타낸 그래프로 옳은 것은?

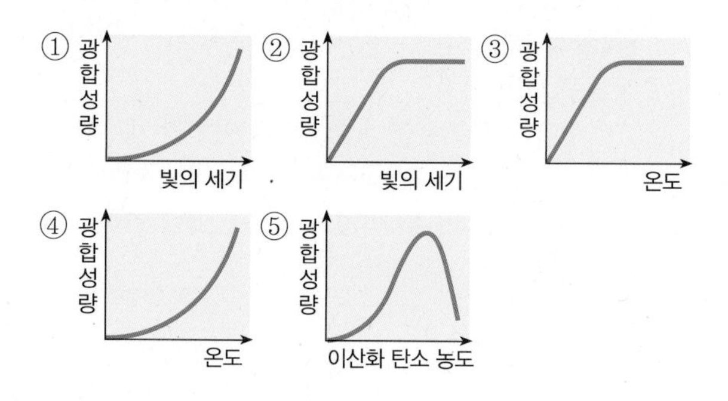

05 광합성에 영향을 주는 환경 요인에 대한 설명으로 옳은 것은?

① 빛의 세기가 강할수록 광합성량도 계속 증가한다.
② 물이 없어도 광합성은 일어난다.
③ 온도가 35~38 ℃일 때 광합성량이 최대이다.
④ 이산화 탄소의 농도가 증가할수록 광합성량도 계속 증가한다.
⑤ 온도가 40 ℃ 이상이면 광합성량이 급격히 증가한다.

06 다음 그림과 같이 비커에 이산화 탄소가 들어 있는 수용액을 담고 검정말을 넣은 후 전등 빛을 비추어 주었다. 이에 대한 설명으로 옳은 것은?

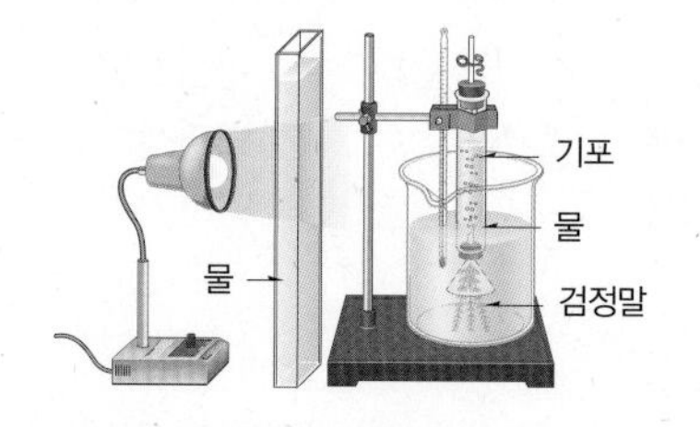

① 기포는 이산화 탄소가 발생된 것이다.
② 온도에 따른 광합성량을 알아보는 실험이다.
③ 검정말과 전등의 거리가 멀수록 기포가 많이 발생한다.
④ 온도를 일정하게 유지하기 위해 전등과 검정말 사이에 물이 든 수조를 둔다.
⑤ 모인 기포에 향을 넣으면 불꽃이 펑 소리를 내며 폭발한다.

07 **광합성에 의한 양분의 생성 및 이동에 대한 설명으로 옳지 않은 것은?**

① 낮에는 포도당이 녹말의 형태로 엽록체에 잠시 저장된다.
② 밤에는 녹말의 형태로 바뀌어 체관을 통해 이동한다.
③ 사용하고 남은 양분은 뿌리, 줄기, 열매 등에 저장된다.
④ 빛이 있는 낮에 엽록체에서 포도당이 만들어진다.
⑤ 포도당은 물에 잘 녹고 녹말은 물에 잘 녹지 않는다.

08 **호흡에 이용되고 남은 양분이 저장 기관에 저장되는 형태가 아닌 것은?**

① 녹말 ② 설탕
③ 지방 ④ 단백질
⑤ 마그네슘

중요

09 **호흡에 대한 설명으로 옳은 것은?**

① 호흡을 하려면 물과 이산화 탄소가 필요하다.
② 호흡이 일어나는 장소는 엽록체이다.
③ 호흡은 낮과 밤의 구분없이 항상 일어난다.
④ 호흡의 결과 포도당과 산소가 만들어진다.
⑤ 호흡을 통해 얻어진 에너지는 대부분 저장되지 않고 열매를 만드는 데 쓰인다.

10 **다음 그림과 같이 비닐 주머니 A에는 공기만, B에는 식물을 넣고 암실에 두었다. 하루가 지난 후 A, B에 들어 있는 공기를 석회수에 통과시켰다. 실험에 대한 설명으로 옳은 것은?**

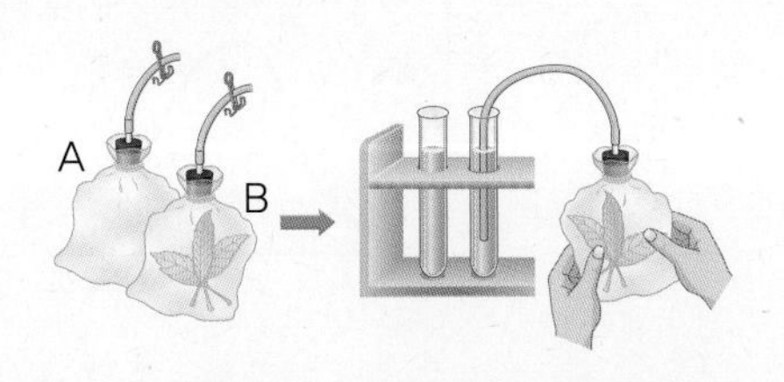

① B의 공기를 통과시킨 석회수는 변화없다.
② A의 공기를 통과시킨 석회수는 뿌옇게 흐려진다.
③ 식물 호흡의 결과물을 보는 실험이다.
④ 석회수는 산소를 만나면 뿌옇게 흐려진다.
⑤ A, B 모두 석회수가 뿌옇게 흐려진다.

11 **다음 중 광합성과 호흡의 관계에 대한 설명으로 옳은 것은?**

① 낮에는 호흡량과 광합성량이 같다.
② 밤에는 호흡만 일어난다.
③ 낮에는 외관상으로 이산화 탄소를 배출한다.
④ 밤에는 외관상으로 기체의 출입이 없다.
⑤ 아침과 저녁에는 광합성량이 호흡량보다 더 많다.

중요

12 **다음 중 식물에서 일어나는 광합성과 호흡을 비교한 것으로 옳지 않은 것은?**

	구분	광합성	호흡
①	장소	엽록체	모든 세포
②	시간	낮	밤
③	기체 출입	산소 배출	산소 흡수
④	에너지	저장	방출
⑤	의미	양분 합성	에너지 생성

Ⅱ 식물과 에너지

정답 ◆ 8p ◆

01 다음 그래프는 이산화 탄소의 농도가 일정하고 빛의 세기가 강할 때, 온도와 광합성량의 관계를 나타낸 것이다. 온도가 40 ℃ 이상이 되면 광합성량이 급격히 감소하는 이유를 서술하시오.

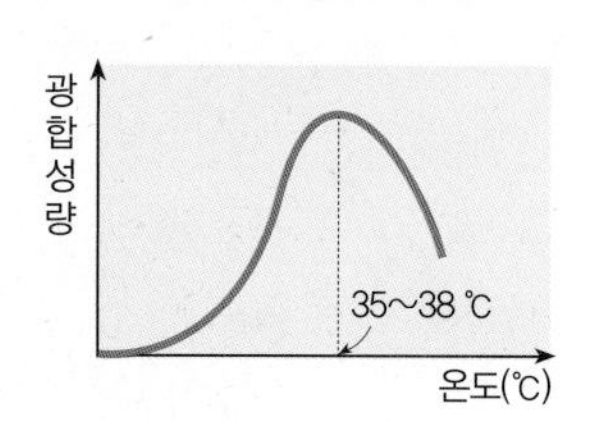

02 좁은 방에 큰 식물을 여러 개 두면 자고 일어났을 때 평소보다 더 피로하거나 머리가 아플 수 있다. 큰 식물을 방에 두고 자면 좋지 않은 이유를 서술하시오.

03 다음은 낮과 밤에 일어나는 광합성을 통해 얻은 양분의 저장과 이동을 나타낸 것이다. 낮에 녹말 형태로 저장된 양분을 그대로 옮기지 않고 설탕 형태로 바꾸어 이동시키는 이유를 서술하시오.

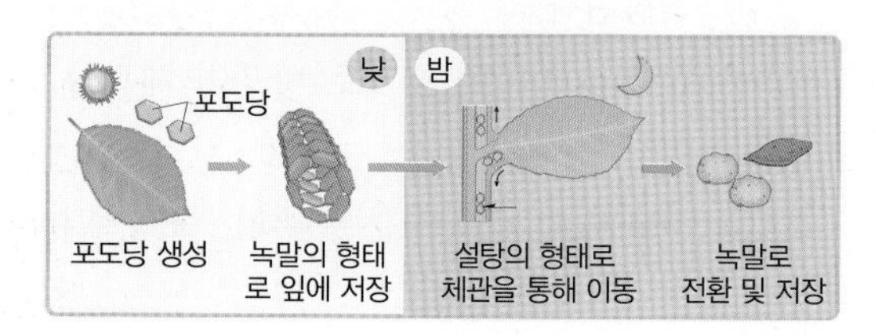

논술형

04 화학 공장이 폭발하여 많은 양의 화학 물질이 유출되었다. 이 화학 물질에는 식물의 엽록체를 파괴하는 성분이 포함되어 있다. 앞으로 이 화학 공장 주변에 나타날 문제를 생태계 변화와 관련지어 서술하시오.

정답 ◆ 9p ◆

STEAM 좁은 공간엔 아파트형 화분, 한 달에 한 번 물 줘도 OK!

바쁜 일상에 지친 현대인들은 자연과 함께할 때 한결 여유로움을 느낀다. 이 때문에 많은 사람이 식물을 키우고 싶어 한다. 그러나 막상 식물을 들여놓으면 공간도 마땅찮고, 관리도 쉽지 않아 포기하는 경우가 많다.

최근 실내 정원 관리의 꿈을 실현해주는 기술이 속속 나오고 있다.

실내에서 식물을 키울 때 가장 어려운 것이 물 관리. 물을 주는 것을 깜박하거나 너무 많이 줘 식물을 죽이기 일쑤다. 며칠 집을 비운 사이 애써 가꾼 식물이 말라 죽을까 봐 걱정하는 사람도 많다.

농촌진흥청 도시농업연구팀이 개발한 심지관수형 화분은 이런 고민을 단번에 해결해 준다. 이 화분을 이용하면 한 번만 물을 주면 몇 주 동안 신경을 쓰지 않아도 된다. 통에 물을 가득 채워 놓기만 하면 된다.

다양한 식물을 키우고 싶지만, 공간이 좁아 고민인 사람들은 아파트형 화분을 이용하면 된다. 신개념 정원 시스템인 나레스트는 화분을 층층이 쌓아 올린 구조로, 큰 화분 하나를 놓을 공간만 있으면 작은 화분 10여 개를 키울 수 있다. 맨 아래 물통에 펌프가 있어 물 관리도 쉽다. 펌프가 물을 맨 위로 끌어올린 뒤 아래로 내려가며 각 층의 화분에 물을 공급한다. 각 화분의 위치를 자유자재로 바꿀 수 있기 때문에 다양한 실내 풍경을 연출할 수 있고, 화분 각각이 빛을 받을 수 있다는 장점이 있다.

아파트형 화분

심지관수형 LED 채소재배기

아파트형 화분

01 심지관수형 화분은 아래 물받이 통에 물을 한 번만 주면 일주일에서 열흘까지 물을 주지 않아도 식물이 살 수 있다. 심지관수형 화분의 원리를 서술하시오.

02 심지관수형 LED 채소재배기는 LED가 설치되어 있어 빛이 충분하지 않은 거실, 주방, 베란다와 같은 공간에서도 웃자람 없이 자연광 아래에 있는 식물처럼 튼튼하게 키울 수 있으며, 추운 겨울에도 채소 재배가 가능하다. 농촌진흥청은 LED 채소재배기 뿐만 아니라 다양한 기능성 화분을 개발 중이다. 새로운 기능성 화분을 한 가지 고안하시오.

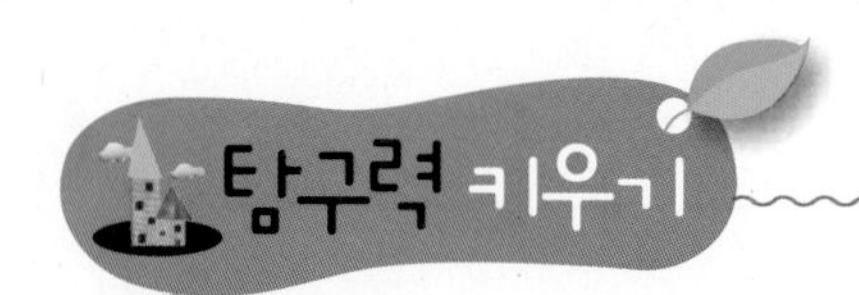

정답 ◆ 9p ◆

STEAM 뿌리가 물을 흡수하는 원리

식물의 뿌리가 물을 흡수하는 원리를 알아보자.

[준비물] 물약병 3개, 설탕, 물, 투명 셀로판지, 고무밴드 3개, 컵 3개, 송곳

실험

① 20 % 설탕물과 40 % 설탕물을 만든다.
② 물약병 3개에 20 % 설탕물을 절반씩 넣고, A, B, C라고 구분지어 이름을 적는다.
③ 물약병 입구를 투명 셀로판지로 감싸고 고무밴드로 묶는다.
④ 컵 D에는 그냥 물, 컵 E에는 20 % 설탕물, 컵 F에는 40 % 설탕물을 5 cm 높이로 넣는다.
⑤ 물약병을 거꾸로 뒤집은 후 설탕물의 높이를 표시하고, 물약병 아랫면에 구멍을 뚫는다.
⑥ 물약병 A는 컵 D에, 물약병 B는 컵 E에, 물약병 C는 컵 F에 거꾸로 세워 놓는다.
⑦ 하루가 지난 후 물약병 A, B, C의 설탕물 높이 변화를 측정한다.

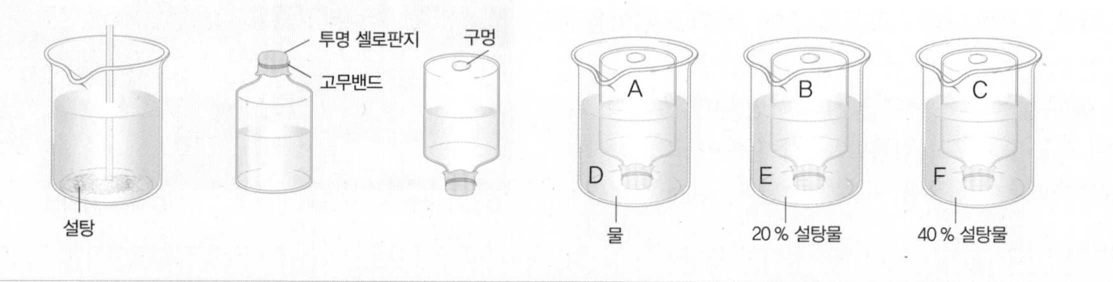

01 물약병 A, B, C의 설탕물의 높이 변화를 비교하시오.

02 물약병 A, B, C에서 설탕물의 높이 변화가 생긴 이유를 서술하시오.

03 실험 결과를 바탕으로 식물의 뿌리가 물을 흡수하는 원리를 서술하시오.

04 식물에 비료를 너무 많이 주면 어떻게 될지 실험 결과를 바탕으로 서술하시오.

Ⅲ 동물과 에너지

2015 개정 교육과정 교과서

중학교 1~3학년 군 : 2학년 5단원 동물과 에너지

다른 학년과의 연계

5~6학년 군 : 우리 몸의 구조와 기능
생명과학 Ⅰ : 사람의 물질대사

우리 몸에 꼭 필요한

06 동물의 구성 단계, 영양소

플러스 노트

● **생물의 구성 단계**

＊ 식물

세포 → 조직 → 조직계 → 기관 → 개체

＊ 동물

세포 → 조직 → 기관 → 기관계 → 개체

● **동물의 조직**

＊ 상피 조직 : 몸을 보호하는 조직

＊ 결합 조직 : 조직이나 기관을 연결하고 지지하는 조직 예 혈액, 연골, 뼈

＊ 근육 조직 : 운동과 내장의 작용을 조절하는 조직

＊ 신경 조직 : 자극을 받고 전달하는 조직

용어풀이

상피(위 上, 가죽 皮)세포 : 몸의 표면이나 위와 장과 같은 기관의 표면을 싸고 있는 세포

ⓐ 세포 ⓑ 조직 ⓒ 기관
ⓓ 개체 ⓔ 소화 ⓕ 순환
ⓖ 호흡 ⓗ 배설

A 동물의 유기적 구성

1 동물의 구성 단계

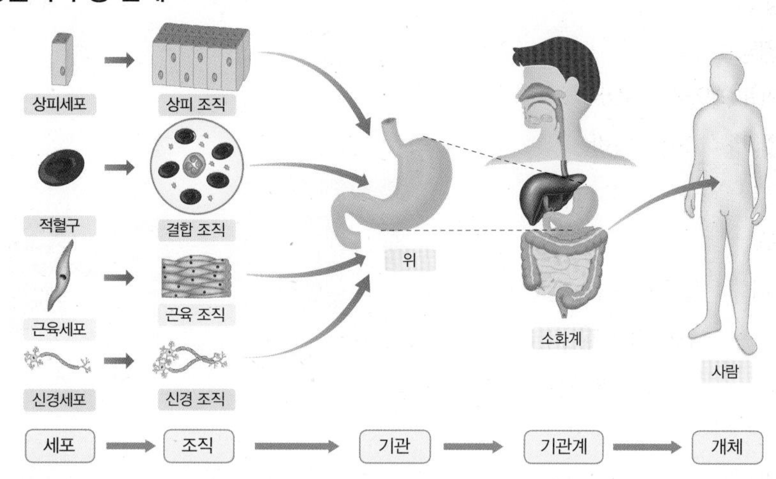

단계	특징	예
ⓐ	동물체를 구성하는 기본 단위	상피세포, 혈액세포, 근육세포, 신경세포 등
ⓑ	모양과 기능이 비슷한 세포들의 모임	상피 조직, 결합 조직, 근육 조직, 신경 조직 등
ⓒ	조직이 모여 특정한 형태를 이루고 기능을 나타냄	입, 심장, 콩팥, 폐, 방광, 위, 간, 소장, 대장, 이자 등
기관계	비슷한 기능을 하는 기관들의 모임	소화계, 순환계, 호흡계, 배설계, 신경계 등
ⓓ	생명 활동이 가능한 독립적인 동물체	사람, 호랑이, 쥐, 코끼리 등

2 기관계의 종류

① ⓔ 계 : 음식물을 소화하여 우리 몸에 필요한 양분을 흡수한다.

② ⓕ 계 : 세포 호흡에 필요한 영양소와 산소 및 세포 호흡의 결과 발생한 노폐물과 이산화 탄소를 운반한다.

③ ⓖ 계 : 산소를 받아들이고, 세포 호흡으로 발생한 이산화 탄소를 내보낸다.

④ ⓗ 계 : 세포 호흡으로 발생한 노폐물을 몸 밖으로 내보낸다.

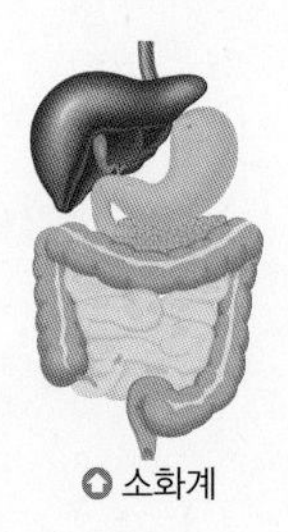
소화계

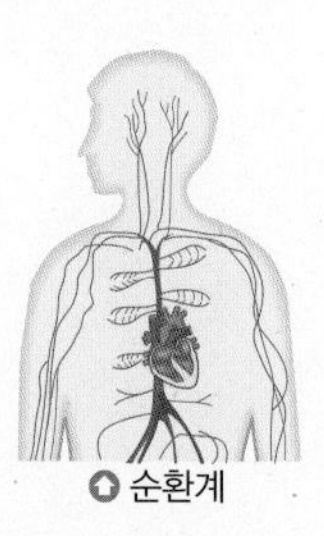
순환계

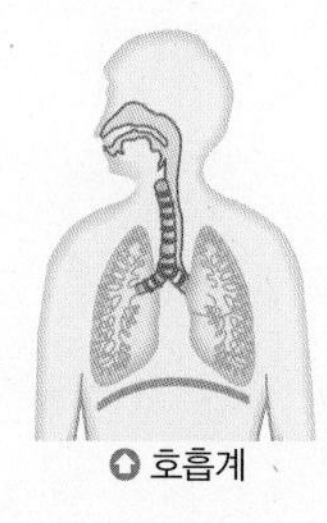
호흡계

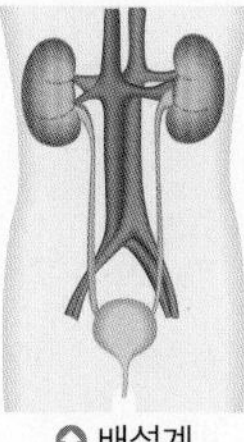
배설계

B 영양소

플러스 노트

1 영양소

① 영양소 : 우리 몸을 구성하거나 생명 활동에 필요한 물질

- 3대 영양소 : 모두 에너지원으로 쓰이며, 우리 몸의 구성 물질이다.
  예 탄수화물, 지방, 단백질
- 3부 영양소 : 에너지원으로 이용되지는 않지만, 몸을 구성하거나 생리 작용을 조절한다. 예 물, 바이타민, 무기 염류

② 우리 몸을 구성하는 영양소의 비율

- ⓐ ____ >단백질>지방>무기 염류>탄수화물>기타
- ⓑ ____ 은 대부분 에너지원으로 사용되므로 섭취량에 비해 몸을 구성하는 비율이 낮다.
- 바이타민은 영양소이지만 우리 몸의 구성 성분은 아니다.

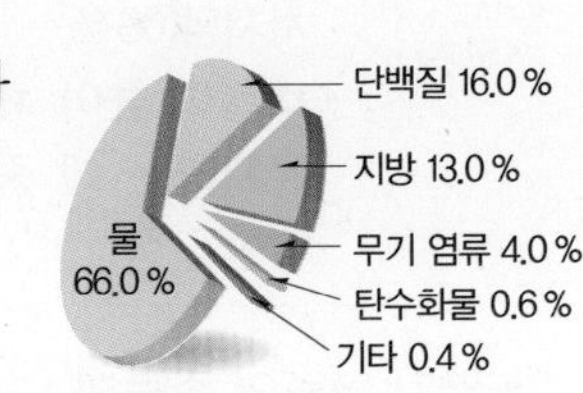

우리 몸을 구성하는 영양소의 비율

2 3대 영양소의 종류와 특징

구분	탄수화물	단백질	지방
구성 원소	탄소, 수소, 산소	탄소, 수소, 산소, 질소	탄소, 수소, 산소
기본 단위	ⓒ ____	ⓓ ____	ⓔ ____, ⓕ ____
	포도당	아미노산	글리세롤, 지방산
주요 기능	• 주 에너지원(4 kcal/g) • 몸의 구성 성분	• 에너지원(4 kcal/g) • 몸의 주요 구성 성분 • 생리 작용 조절 (호르몬과 효소의 성분)	• 고 에너지원(9 kcal/g) • 몸의 구성 성분 • 피하 지방은 체온 유지에 도움이 됨
특징	사용되고 남은 탄수화물은 지방으로 전환되어 체내에 저장됨	성장기에 특히 많이 필요함	섭취량이 많을 경우 비만과 고혈압의 원인이 됨
함유 식품	쌀, 빵, 감자, 고구마 등	두부, 달걀흰자, 살코기 등	식용유, 기름, 땅콩 등

● **탄수화물의 종류**
* **단당류** : 탄수화물을 구성하는 기본 단위 예 포도당, 과당, 갈락토스 등
* **이당류** : 2개의 단당류가 결합하여 연결된 형태 예 엿당(포도당+포도당), 젖당(포도당+갈락토스), 설탕(포도당+과당)
* **다당류** : 수백~수천 개의 단당류가 결합되어 연결된 고분자 화합물 예 녹말, 글리코젠, 섬유소 등

● **성장기와 단백질**
성장기에는 세포의 수가 많이 증가하므로 세포의 주성분인 단백질이 특히 많이 필요하다.

용어풀이

생리(살 生, 다스릴 理) : 소화, 순환, 호흡, 배설 등 생물이 살아가는 데 필요한 모든 작용

ⓐ 물 ⓑ 탄수화물 ⓒ 포도당
ⓓ 아미노산 ⓔ 지방산
ⓕ 글리세롤

III 동물과 에너지

플러스 노트

● **바이타민의 과다 섭취**
수용성 바이타민은 과다하게 섭취하여도 오줌 등을 통해 대부분 배설된다. 하지만 지용성 바이타민은 과다하게 섭취하면 몸에 축적되어 생리 작용을 방해하여 피로, 설사, 두통 등의 증상이 나타날 수 있다.

용어풀이

구루(곱추 佝, 구부릴 僂)병 : 뼈가 약해져 척추나 다리가 휘는 질병

각기(다리 脚, 공기 氣)병 : 다리가 붓고 근육이 약해지는 질병

괴혈(무너질 壞, 피 血)병 : 잇몸이 헐어 피가 나는 질병

정답

ⓐ 물 ⓑ 무기 염류
ⓒ 바이타민 ⓓ 괴혈 ⓔ 구루

3 3부 영양소

① 3부 영양소의 종류와 특징

구분	ⓐ	ⓑ	ⓒ
주요 기능	• 몸의 구성 성분 • 영양소, 노폐물 등을 운반 • 생리 작용 조절	• 몸의 구성 성분 (뼈, 치아 등) • 적은 양으로 생리 작용 조절	• 적은 양으로 생리 작용 조절
특징	• 우리 몸의 구성 성분 중 가장 많은 부분을 차지함(66 %) • 비열이 높아 체온을 유지하는 데 중요한 역할을 함	• 철, 칼슘, 나트륨, 칼륨, 인 등 • 체내에서 합성되지 않으므로 반드시 음식물로 섭취해야 함	• 부족 시 결핍증이 생김 • 대부분 체내에서 합성하지 못하므로 음식물로 섭취해야 함 • 몸의 구성 성분이 아님

② 무기 염류의 종류와 역할

종류	역할
나트륨	삼투압 조절, 신경 흥분 전달
칼륨	삼투압 조절, pH 조절
인	뼈와 이의 성분
칼슘	뼈와 이의 성분, 혈액 응고와 근육 수축에 관여
아이오딘	갑상샘 호르몬의 성분
철	적혈구 속 헤모글로빈의 성분

③ 바이타민의 종류와 결핍증

종류		결핍증	증상
수용성 바이타민	B_1	각기병	다리가 붓고 마비됨
	C	ⓓ 병	잇몸에서 피가 나고, 상처가 낫지 않음
지용성 바이타민	A	야맹증	어두운 곳에서 잘 보이지 않음
	D	ⓔ 병	뼈가 약해져 등이나 다리가 굽어짐
	E	불임증, 노화	임신이 잘 안됨
	K	혈액 응고 장애	상처가 났을 때 지혈이 잘 안 됨

4 3대 영양소 검출 방법

	탄수화물		단백질	지방
	녹말	포도당		
검출 시약	아이오딘-아이오딘화 칼륨 용액	베네딕트 용액 (가열)	뷰렛 용액 (5% 수산화 나트륨 용액 + 1% 황산 구리 용액)	수단Ⅲ 용액
반응	ⓐ ______ 반응	ⓑ ______ 반응	ⓒ ______ 반응	수단Ⅲ 반응
	아이오딘-아이오딘화 칼륨 용액, 밥물	베네딕트 용액, 양파즙, 가열	5% 수산화 나트륨 용액, 1% 황산 구리 용액, 달걀흰자	수단Ⅲ 용액, 식용유
색 변화	옅은 갈색 → ⓓ ______ 색	청색 → ⓔ ______ 색	청색 → ⓕ ______ 색	붉은색 → 선홍색
재료	밥물, 녹말풀, 감자	포도즙, 양파즙, 주스	달걀흰자	버터, 식용유, 참기름

[음식물 속의 영양소 검출]

• **탐구 과정**

① 24 홈판에 세로줄 1번 홈에 증류수, 2번 홈에 밥물, 3번 홈에 희석한 달걀흰자, 4번 홈에 사이다, 5번 홈에 식용유, 6번 홈에 우유를 각각 2 mL씩 넣는다.

② 가로줄 A에는 아이오딘-아이오딘화 칼륨 용액, B에는 뷰렛 용액, C에는 수단Ⅲ 용액을 2~3방울 떨어뜨리고 색깔 변화를 관찰한다.

③ 가로줄 D에는 당 검사지를 각각 넣었다가 꺼내어 색깔 변화를 관찰한다.

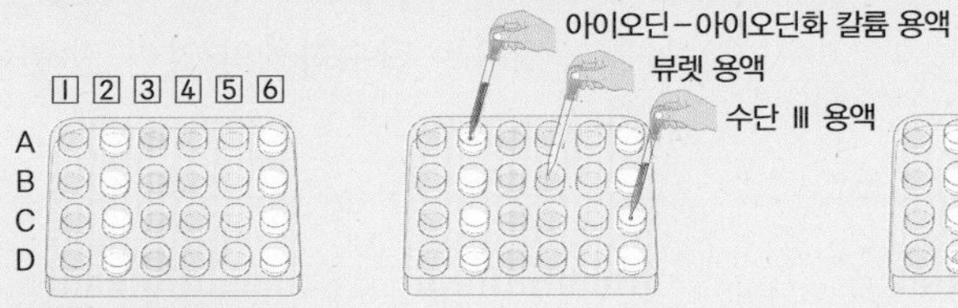

• **탐구 결과 및 해석**

① 반응 결과와 1~6 속에 들어 있을 것으로 예상되는 영양소

구분	1	2	3	4	5	6
A	-	청람색	-	-	-	-
B	-	-	보라색	-	-	보라색
C	-	-	-	-	선홍색	선홍색
D	-	-	-	갈색	-	갈색
영양소	없음	ⓖ ______	ⓗ ______	당	ⓘ ______	단백질, 지방, 당

② 3대 영양소가 모두 들어 있는 음식물은 ⓙ ______ 이다.

플러스 노트

● **베네딕트 반응**

* 베네딕트 반응을 이용하면 포도당뿐만 아니라 엿당, 젖당과 같은 설탕을 제외한 이당류도 검출할 수 있다.
* 베네딕트 용액은 상온에서 반응 속도가 느리기 때문에 짧은 시간 안에 반응 결과를 보기 위해서는 가열해야 한다.

● **당 검사지**

당이 포함된 양에 따라 검사지의 색깔이 다르게 나타난다.

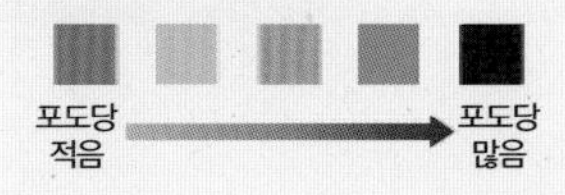

정답

ⓐ 아이오딘 ⓑ 베네딕트
ⓒ 뷰렛 ⓓ 청람 ⓔ 황적
ⓕ 보라 ⓖ 녹말 ⓗ 단백질
ⓘ 지방 ⓙ 우유

Ⅲ 동물과 에너지

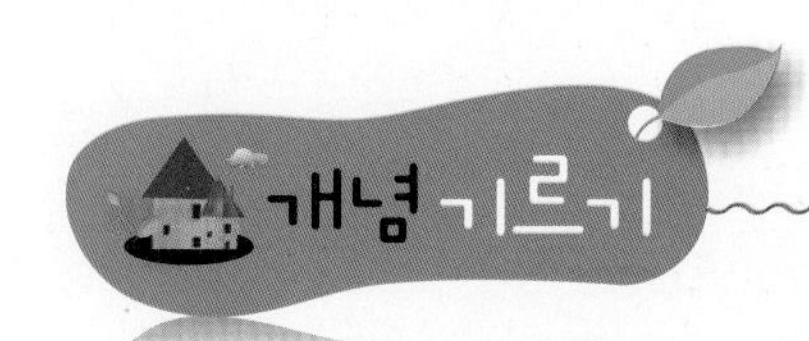

01 다음 동물의 유기적 구성의 구분과 그 예를 바르게 연결하지 못한 것을 모두 고르시오.

	구분	예
①	세포	신경세포, 근육세포, 상피세포 등
②	조직	결합 조직, 근육 조직, 상피 조직 등
③	기관	쥐, 말, 고양이 등
④	기관계	소화계, 순환계, 배설계 등
⑤	개체	심장, 폐, 위, 소장 등

02 동물의 구성 단계를 작은 것부터 순서대로 옳게 나열한 것은?

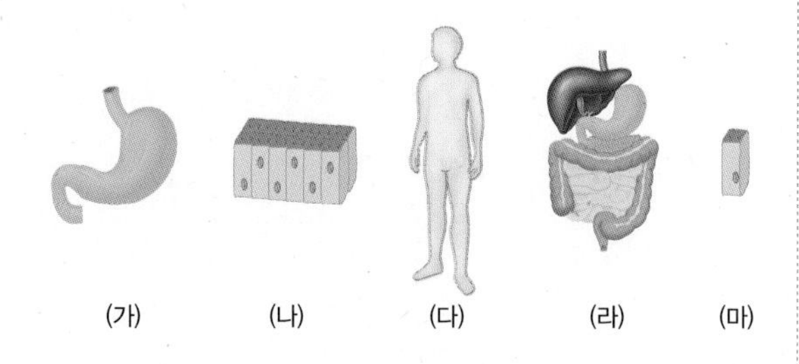

① (가)－(나)－(다)－(라)－(마)
② (나)－(가)－(마)－(다)－(라)
③ (나)－(마)－(가)－(다)－(라)
④ (마)－(가)－(나)－(라)－(다)
⑤ (마)－(나)－(가)－(라)－(다)

중요
03 다음 중 3대 영양소에 해당하지 않는 것을 모두 고르시오.

① 물　② 지방
③ 칼슘　④ 단백질
⑤ 탄수화물

04 다음 중 영양소에 대한 설명으로 옳은 것은?

① 3대 영양소는 모두 우리 몸을 구성한다.
② 바이타민은 우리 몸의 구성 성분이다.
③ 지방은 섭취량에 비해 몸의 구성 비율이 작다.
④ 3부 영양소는 우리 몸의 에너지원으로 이용되기도 한다.
⑤ 몸을 구성하는 영양소 중에서 단백질이 가장 많이 차지한다.

중요
05 다음 그림은 사람의 몸을 구성하는 영양소의 비율을 나타낸 것이다. 이 중 탄수화물이 다른 영양소에 비해 섭취량이 많지만 몸을 구성하는 비율이 매우 낮은 이유로 옳은 것은?

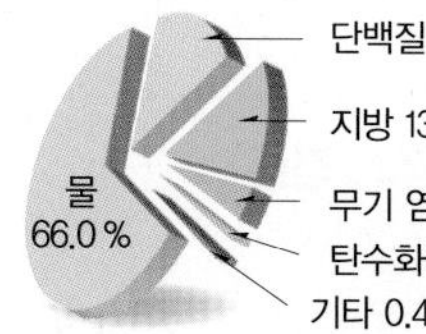

① 주로 에너지원으로 사용되기 때문이다.
② 탄수화물을 잘 흡수하지 못하기 때문이다.
③ 탄수화물이 물로 변하기 때문이다.
④ 탄수화물이 무기 염류로 변하기 때문이다.
⑤ 몸을 구성하는 탄수화물의 양이 정해져 있기 때문이다.

06 지방에 대한 설명으로 옳지 않은 것은?

① 기본 단위는 지방산과 글리세롤이다.
② 1 g당 발생하는 열량은 9 kcal이다.
③ 우리 몸의 생리 작용 조절에 관여한다.
④ 버터, 식용유, 기름, 땅콩 등에 많이 함유되어 있다.
⑤ 많이 섭취할 경우 비만과 고혈압의 원인이 될 수 있다.

07 다음 중 물에 대한 설명으로 옳지 않은 것은?

① 생리 작용을 조절한다.
② 영양소, 노폐물 등을 운반한다.
③ 부족하면 결핍증이 나타난다.
④ 비열이 높아 체온을 유지하는 데 중요한 역할을 한다.
⑤ 우리 몸의 구성 성분 중에 가장 많은 부분을 차지한다.

08 다음 무기 염류 중에서 뼈와 이의 성분으로 혈액 응고와 근육 수축에 관여하는 것은?

① 철 ② 칼슘
③ 칼륨 ④ 나트륨
⑤ 아이오딘

중요

09 다음 중 바이타민의 종류와 결핍증이 잘못 연결된 것은?

① 바이타민 B_1이 부족하면 다리가 붓고 마비될수 있다.
② 바이타민 C가 부족하면 잇몸에서 피가 나고 상처가 잘 낫지 않는다.
③ 바이타민 A가 부족하면 어두운 곳에서 잘 보이지 않는다.
④ 바이타민 D가 부족하면 상처가 났을 때 피가 잘 멎지 않는다.
⑤ 바이타민 E가 부족하면 임신이 잘 되지 않는 불임증이 나타난다.

10 영양소에 대한 설명으로 옳지 않은 것을 모두 고르시오.

① 무기 염류는 몸을 구성하지 않는다.
② 청소년기에는 지방이 가장 많이 필요하다.
③ 무기 염류는 체내에서 합성되지 않는다.
④ 바이타민은 음식물로 섭취해야 한다.
⑤ 음식물을 골고루 먹어야 하는 것은 음식물마다 포함된 영양소의 종류가 다르기 때문이다.

11 다음은 어떤 영양소 검출 방법을 나타낸 그림이다. 이 검출 방법으로 검출할 수 있는 영양소는?

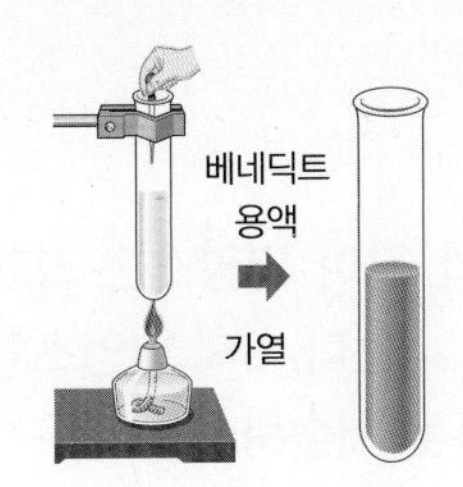

① 녹말 ② 지방
③ 단백질 ④ 포도당
⑤ 바이타민

중요

12 다음은 어떤 음식물의 영양소 검출 결과이다. 이 음식물로 옳은 것은?

반응	아이오딘 반응	수단Ⅲ 반응	뷰렛 반응
색 변화	옅은 갈색	붉은색	보라색

① 밥물 ② 감자
③ 참기름 ④ 포도즙
⑤ 달걀흰자

서술형으로 다지기

정답 ◆10p ◆

01 다음은 어떤 햄버거의 영양 성분을 분석한 표이다. 이 햄버거를 먹었을 때 얻을 수 있는 열량은 몇 kcal인지 풀이 과정과 함께 구하시오.

단백질	지방	녹말	나트륨	칼슘
10 g	20 g	80 g	1400 mg	120 mg

02 다음 표와 같이 영양소는 크게 3대 영양소와 3부 영양소로 나눈다. 3대 영양소와 3부 영양소로 분류하는 기준을 서술하시오.

3대 영양소	3부 영양소
탄수화물, 단백질, 지방	물, 무기 염류, 바이타민

03 한 가지 영양소만 들어 있는 A, B, C 용액을 분석하다가 용액이 서로 섞여 버렸다. 섞인 용액의 영양소 검출 반응 결과가 다음 표와 같을 때 A, B, C 용액 속에 들어 있는 영양소와 그렇게 생각한 이유를 서술하시오.

섞인 용액	아이오딘 반응	수단 Ⅲ 반응	뷰렛 반응
A + B	반응 없음	선홍색	보라색
A + C	청람색	반응 없음	보라색

논술형

04 섬유소는 채소, 과일, 미역, 다시마 같은 해조류와 곡물 껍질 등에 많이 포함되어 있다. 섬유소를 추가하여 현재 6대 영양소에서 7대 영양소가 되어야 한다고 주장하는 사람들이 있다. 우리 몸에서 섬유소의 역할과 기능을 2가지 서술하시오.

융합사고력 키우기

정답 ◆ 11p ◆

STEAM 바이타민 D 부족하면 대사증후군 적신호

바이타민 D는 달걀노른자나 생선, 간 등에도 들어 있지만 대부분은 햇빛을 통해 얻는다. 자외선이 피부에 자극을 주면 바이타민 D 합성이 일어난다.

바이타민 D가 부족하면 대사증후군의 위험이 4.3배 높아진다. 최근 초등학생 1,600명을 대상으로 조사한 결과, 바이타민 D가 부족할수록 복부비만, 비만도, 중성지방, 콜레스테롤, 혈당이 모두 높아 대사증후군에 걸릴 위험이 4배 이상 높은 것으로 나타났다. 대사증후군은 여러 신진대사와 관련된 질환이 함께 동반되는 증상으로, 즉각적인 신체 증상은 없으나, 시간이 흐르면 고농도 혈당과 인슐린으로 인해 신체에 연관된 여러 문제가 발생한다. 모두 심혈관계와 뇌혈관 질환의 위험성을 증가시키고 합병증을 유발하여, 장기적인 생존율을 감소시키기도 한다.

영국 연구팀은 65세에서 85세 사이 성인 2,686명을 무작위로 추출한 후, 한쪽 그룹에만 바이타민 D를 5년간 투여했다. 그 결과 투여한 그룹은 투여하지 않은 그룹보다 골반과 손목, 척추에 골절이 생길 위험이 33 %, 골절로 사망할 위험이 12 % 각각 감소했다. 이 연구에서 보듯이 바이타민 D는 뼈와 아주 밀접한 관계가 있다는 것을 알 수 있다. 바이타민 D가 부족하면 구루병이나 성장 장애가 나타나고, 무기력함과 우울증이 나타나기도 한다.

그러나 바이타민 D는 과다 복용하면 부작용이 나타난다. 고칼슘 혈증이 대표적이다. 고칼슘 혈증은 혈액에 칼슘이 과다하게 나타나는 것으로, 칼슘이 인산염과 결합하면 신장 손상이 나타날 수 있고, 칼슘 침전물이 신장 조직에 달라붙으면 신장 석회증이 발생한다. 바이타민 D의 1일 권장량은 1500~2000 IU이다.

바이타민 D

01 [국가별 바이타민 D 결핍 인구 비율(%)]

0, 10, 20, 30, 40, 50, 60, 70, 80, 90

한국 독일 스페인 영국 프랑스 호주 칠레 태국 스웨덴 브라질

한국인의 바이타민 D 부족은 심각하다. 세브란스병원 내분비내과 교수가 연구한 결과 한국인의 88.2 %가 바이타민 D 결핍 증상을 보였다. 바이타민 D 부족 현상이 일어난 이유를 서술하시오.

02 뼈와 밀접한 관련이 있는 바이타민 D의 부족을 해결할 수 있는 방법을 2가지 서술하시오.

입에서부터 대장까지 이어지는

07 영양소의 소화와 흡수

플러스 노트

● **소화가 필요한 이유**
음식물 속의 단백질, 지방, 녹말(탄수화물) 등은 크기가 커서 세포막을 통과하지 못해 몸 안으로 흡수되지 않는다. 이 영양소들이 몸 안으로 흡수되기 위해서는 세포막을 통과할 정도로 크기가 작은 기본 단위로 분해되어야 한다. 이를 소화라고 한다.

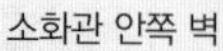

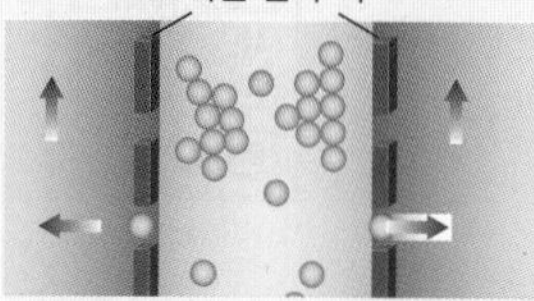

● **소장**
소장은 6.5 m 정도 길의의 관으로, 십이지장, 공장, 회장으로 구별된다. 십이지장은 소장 시작 부분으로부터 길이 20~30 cm쯤 되는 곳으로, 이자를 둘러싸듯이 C자 모양으로 굽어 있으며, 쓸개즙과 이자액이 들어온다.

● **소화관과 소화샘**
* **소화관** : 음식물이 지나가는 통로
* **소화샘** : 소화액을 분비하는 곳, 소화액에 들어 있는 소화 효소는 영양소를 잘게 분해하며, 한 종류의 소화 효소는 한 종류의 영양소만 분해한다.
* **쓸개즙** : 간에서 생성되어 쓸개에 저장되었다가 음식물이 도착하면 십이지장으로 분비된다. 쓸개즙은 생성되는 장소와 저장되는 장소가 다르다.

용어풀이

소화(사라질 消, 될 化) : 섭취한 음식물을 흡수하기 쉬운 형태로 분해하는 일

ⓐ 소화 ⓑ 분절 ⓒ 꿈틀

A 소화

1 ⓐ ______ : 음식물 속에 들어 있는 영양소를 체내로 흡수할 수 있도록 작은 크기로 분해하는 과정

2 소화의 종류

기계적 소화		화학적 소화
• 음식물을 잘게 부수거나 소화액과 섞는 작용 • 씹는 운동, 분절 운동, 꿈틀 운동		소화 효소에 의해 큰 영양소가 작은 영양소로 분해되는 과정
ⓑ ______ 운동	ⓒ ______ 운동	
음식물과 소화액을 고루 섞는 운동	고루 섞인 음식물을 이동시키는 운동	녹말, 단백질, 지방은 각각 서로 다른 소화 효소에 의해 분해된다.

3 소화 기관 : 소화를 담당하는 기관으로 소화관과 소화샘으로 구성된다.

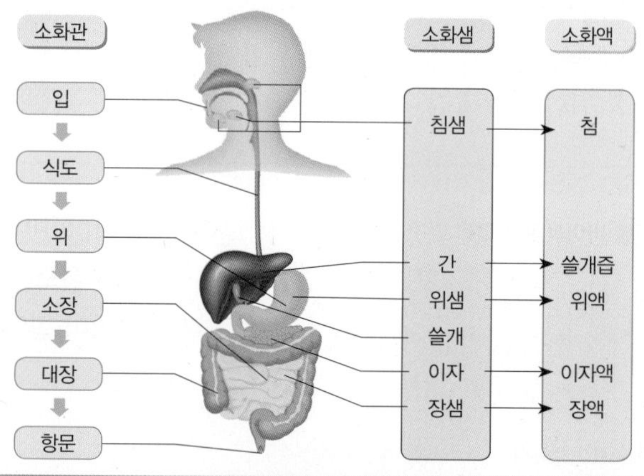

구분	역할
입	음식물을 씹어서 잘게 부순 후 삼킨다.
식도	음식물을 꿈틀 운동을 통해 아래로 내려 보낸다.
위	주머니 모양의 기관으로, 소화 효소의 작용과 근육의 움직임으로 음식물을 소화시킨다.
소장	길고 꼬불꼬불한 관으로, 영양소가 최종 분해되어 흡수된다.
대장	소장에서 흡수되지 않은 물이 흡수된다.
항문	배설물을 몸 밖으로 배출한다.

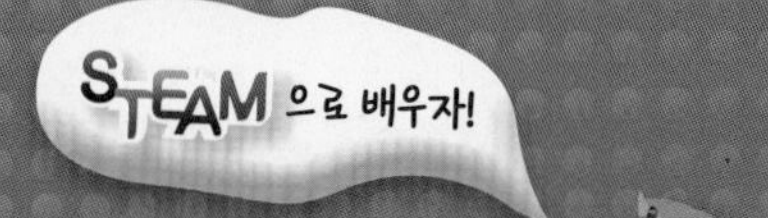

B 소화 과정

1 입에서의 소화 : 녹말의 소화 시작

① 기계적 소화

- 치아로 음식물을 잘게 부순다. ➡ 씹는 운동
- 혀로 침과 음식물을 섞는다. ➡ 분절 운동

② 화학적 소화

- 침 속에 들어 있는 아밀레이스가 ⓐ ______ 을 ⓑ ______ 등 크기가 작은 당분으로 분해한다.

  예 밥을 오래 씹으면 녹말이 분해되어 엿당이 생성되므로 단맛이 난다.

2 위에서의 소화 : 단백질의 소화 시작

① 기계적 소화

- 꿈틀 운동으로 음식물을 십이지장 방향으로 내려 보낸다.
- 위의 근육 운동으로 위액과 음식물을 섞는다 . ➡ 분절 운동

② 화학적 소화

- 위에서 분비된 염산에 의해 펩시노젠이 펩신으로 활성화된다.
- 펩신이 ⓒ ______ 을 단백질 중간 산물로 분해한다.

3 소장에서의 소화 : 지방의 소화 시작, 3대 영양소 최종 분해

① 기계적 소화

- 소장의 근육으로 음식물을 소화 효소와 섞는다.➡ 분절 운동
- 꿈틀 운동으로 음식물을 대장으로 내려 보낸다.

② 화학적 소화

- **쓸개즙의 역할** : 소화 효소는 아니지만, 지방을 유화시켜 작은 덩어리로 만들어 지방의 소화를 돕는다.
- **이자액에 의한 소화**
  - 아밀레이스가 녹말과 크기가 작은 당분을 엿당으로 분해한다.
  - 트립신이 단백질을 단백질 중간 산물로 분해한다.
  - 라이페이스가 지방을 2개의 ⓓ ______ 과 1개의 ⓔ ______ 로 분해한다.
- **장액에 의한 소화**
  - 탄수화물 분해 효소가 엿당을 ⓕ ______ 으로 분해한다.
  - 단백질 분해 효소가 단백질 중간 산물을 ⓖ ______ 으로 분해한다.

4 대장에서의 소화

① 소화 효소가 없어 화학적 소화는 일어나지 않고, 주로 물의 흡수가 일어난다.

② 대장의 꿈틀 운동으로 흡수되지 않은 음식물을 항문 밖으로 배출한다.

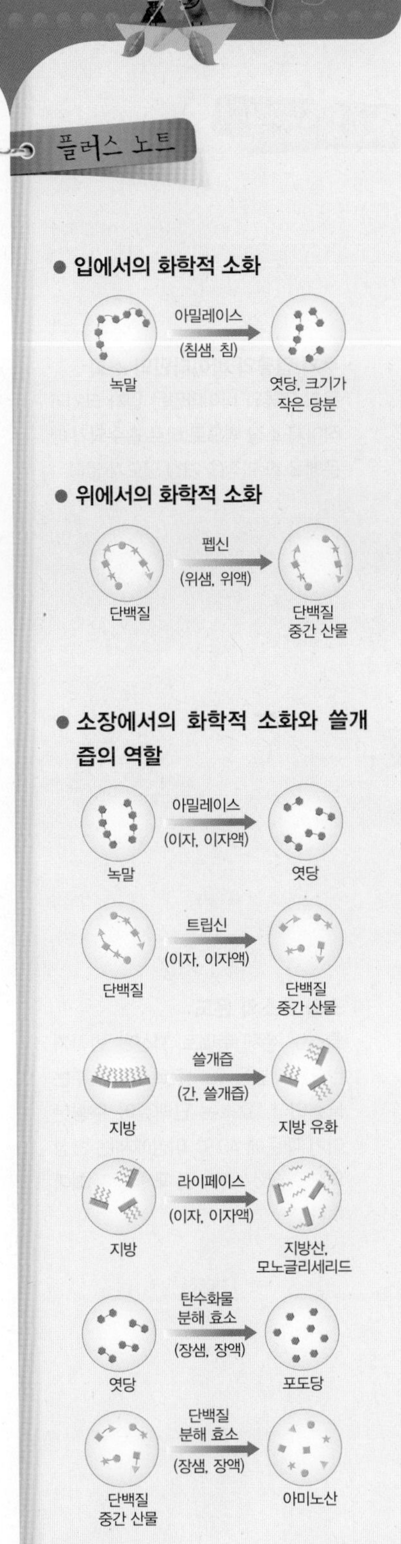

정답

ⓐ 녹말 ⓑ 엿당 ⓒ 단백질 ⓓ 지방산 ⓔ 모노글리세리드 ⓕ 포도당 ⓖ 아미노산

영양소의 소화와 흡수

플러스 노트

● **무기 염류와 바이타민의 소화**
무기 염류와 바이타민은 입자 크기가 작아서 소장 벽으로 바로 흡수되기 때문에 소화 과정을 거칠 필요가 없다.

● **소화 효소와 온도**
효소는 생체 촉매로 자신은 변하지 않으면서 반응 속도를 빠르게 해 주는 물질이다. 효소는 단백질이 주성분이기 때문에 40 ℃ 이상에서는 변성되므로, 35~40 ℃ 일 때 활성이 최대이다.

ⓐ 색 사라짐 ⓑ 청람색
ⓒ 황적색 ⓓ 반응 없음
ⓔ 엿당

[3대 영양소 소화 과정]

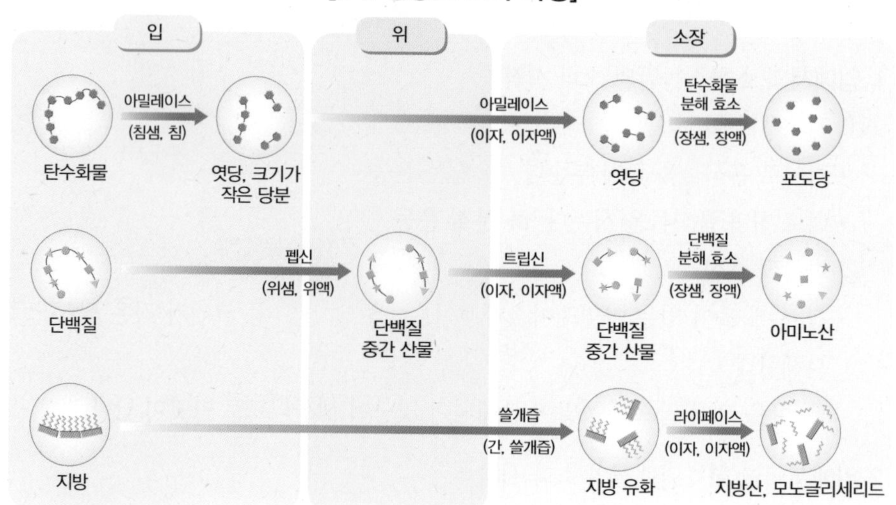

탐구

[침의 소화 작용]

- **탐구 과정**
  ① 시험관 A, B, C, D, E, F에 녹말 용액을 각각 5 mL씩 넣는다.
  ② 시험관 A, B, C에 아이오딘-아이오딘화 칼륨 용액을 한 방울씩 떨어뜨린다.
  ③ 시험관 A, D에는 증류수를 3 mL, 시험관 B, E에는 침 용액을 3 mL, 시험관 C, F에는 끓인 침 용액을 3 mL 넣는다.
  ④ 37 ℃ 정도의 따뜻한 물이 들어 있는 비커에 6개의 시험관을 20분 동안 담가두고 나서, 시험관 A, B, C의 색깔 변화를 관찰한다.
  ⑤ 시험관 D, E, F에 베네딕트 용액을 넣고 가열한 후, 색깔 변화를 관찰한다.

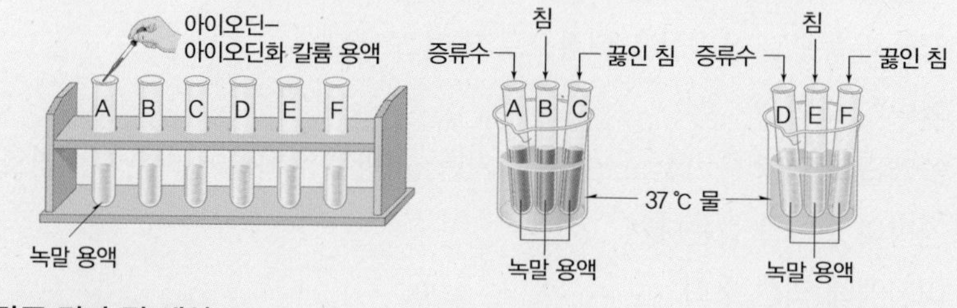

- **탐구 결과 및 해석**
  ① 실험 결과

구분	시험관 A	시험관 B	시험관 C	시험관 D	시험관 E	시험관 F
아이오딘 반응	청람색	ⓐ	ⓑ	-	-	-
베네딕트 반응	-	-	-	반응 없음	ⓒ	ⓓ

  ② 침을 넣은 시험관 B에서는 녹말이 분해되므로 아이오딘 반응색이 사라진다.
  ③ 침을 넣은 시험관 E에서는 녹말이 분해되어 ⓔ ______ 이 생성되므로 베네딕트 반응이 나타난다.
  ④ 끓인 침은 소화 효소가 작용하지 않으므로 끓인 침을 넣은 시험관 C와 F에서는 변화가 없다.

C 영양분 흡수와 이동

1 소장의 구조

① 소장의 내부는 많은 주름으로 되어 있으며, 이 주름은 다시 수많은 ⓐ ____로 덮여 있다. ➡ 소화된 영양소와 접촉하는 ⓑ ____이 넓어서 영양소가 효율적으로 흡수된다.

② 융털은 ⓒ ____ 겹의 세포층으로 되어 있어 소화된 영양소가 쉽게 통과할 수 있다.

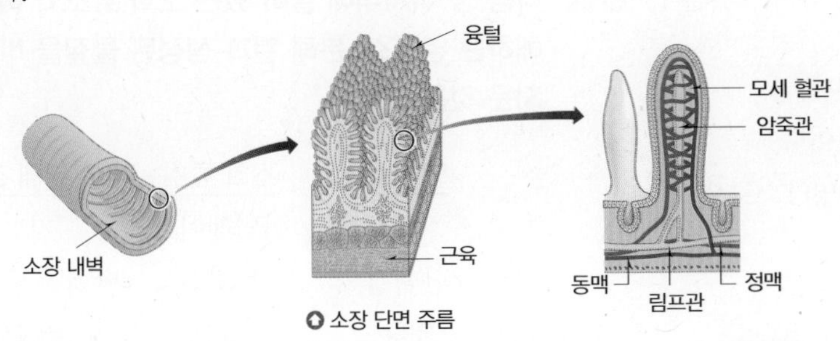

⬆ 소장 단면 주름

2 영양소의 흡수

① 수용성 영양소 : 융털의 ⓓ ____으로 흡수

예 포도당, 아미노산, 무기 염류, 물, 바이타민 B, C

② 지용성 영양소 : 융털의 ⓔ ____으로 흡수

예 지방산, 모노글리세리드, 바이타민 A, D, E, K

3 흡수된 영양소의 이동

① 수용성 영양소 : 융털의 모세 혈관 → 간문맥 → 간 → 심장 → 온몸

② 지용성 영양소 : 융털의 암죽관 → 림프관 → 가슴관 → 심장 → 온몸

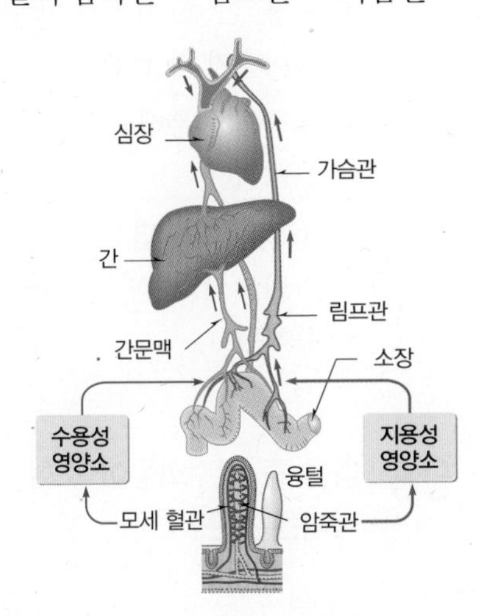

4 대장에서 흡수와 이동 : 흡수되지 않은 음식물에 남아 있는 ⓕ ____의 흡수가 일어난다.

플러스 노트

● **암죽관과 림프관**

* **암죽관** : 소장 내벽에 있는 림프관
* **림프관** : 조직액이 따로 모여 흐르는 것을 림프라고 하고, 림프가 흐르는 관을 림프관이라고 한다.

● **지방의 흡수**

지방산과 모노글리세리드는 융털의 상피세포로 흡수된 후 상피세포 내에서 다시 지방으로 합성되어 암죽관으로 흡수된다.

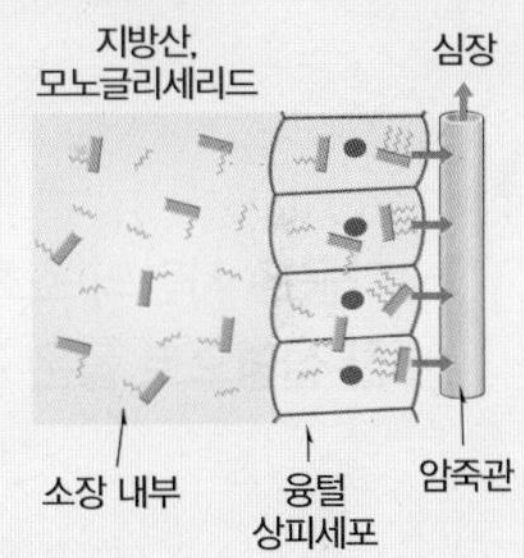

용어풀이

암죽관(죽 粥, 대롱 管) : 지방 성분이 흡수되어 암죽과 같이 뿌옇게 된 액체가 흐르는 관

간문맥(간 肝, 문 門, 줄기 脈) : 간에 영양을 전달해 주는 장과 간 사이의 혈관

ⓐ 융털 ⓑ 면적 ⓒ 한 ⓓ 모세 혈관 ⓔ 암죽관 ⓕ 물

개념 기르기

01 다음 그림은 소화의 한 종류의 모습이다. 이에 대한 설명으로 옳은 것은?

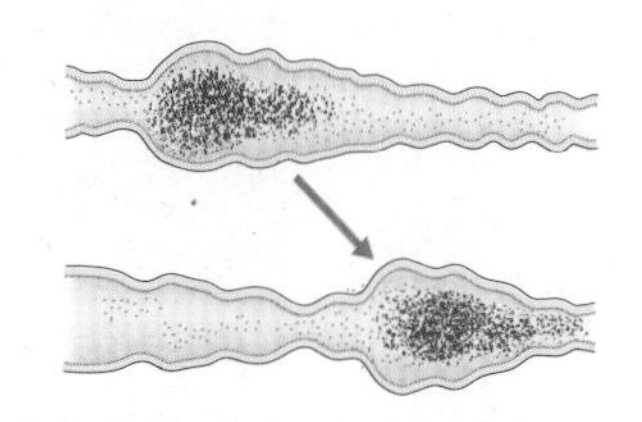

① 분절 운동이다.
② 화학적 소화의 한 모습이다.
③ 음식물과 소화액을 고루 섞는 운동이다.
④ 고루 섞인 음식물을 이동시키는 운동이다.
⑤ 소화 효소에 의해 큰 영양소가 작은 영양소로 분해된다.

02 다음은 사람의 소화 기관을 나타낸 것이다. 이에 대한 설명으로 옳은 것은?

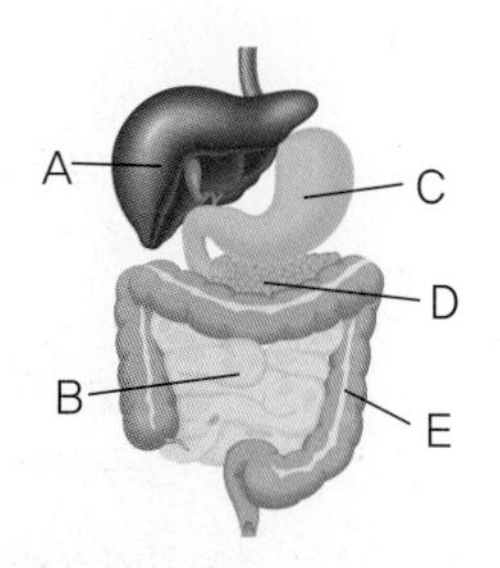

① A에서는 녹말이 최초로 분해된다.
② B에서는 수분이 흡수된다.
③ C에서는 아밀레이스가 분비된다.
④ D에서는 탄수화물, 단백질, 지방을 모두 분해 할 수 있는 소화 효소가 나온다.
⑤ E에서는 3대 영양소가 최종 소화되어 영양분이 흡수된다.

03 다음 중 주머니 모양으로 소화 효소의 작용과 근육 운동으로 음식물을 소화시키는 소화 기관으로 옳은 것은?

① 위 ② 입
③ 식도 ④ 소장
⑤ 대장

04 다음 중 이자액에 들어 있는 소화 효소와 이들이 분해하는 영양소, 분해 결과 생성된 물질을 바르게 짝지은 것은?

	영양소	소화 효소	분해 결과
①	지방	아밀레이스	지방산
②	단백질	트립신	단백질 중간 산물
③	엿당	펩신	글리세롤
④	녹말	라이페이스	엿당
⑤	아미노산	아밀레이스	포도당

05 사람의 몸에서 일어나는 소화 작용에 대한 설명으로 옳은 것은?

① 입에서는 화학적 소화가 일어나지 않는다.
② 지방은 위에서 처음으로 소화가 된다.
③ 소장은 소화 효소를 만들지 못해 영양소의 소화가 일어나지 않는다.
④ 소장에서 분해되지 못한 영양소는 대장에서 최종 분해된다.
⑤ 소장을 지나면서 탄수화물은 포도당, 단백질은 아미노산, 지방은 지방산과 모노글리세리드로 분해된다.

06 다음 중 탄수화물이 소화되는 소화 기관으로 모두 짝지은 것은?

① 위 ② 입, 위
③ 위, 소장 ④ 입, 소장
⑤ 입, 위, 소장

07 **녹말 용액과 포도당 용액을 반투과성 막인 셀로판 튜브에 넣어 물이 담긴 비커에 10분간 담가두었다. 이에 대한 설명으로 옳지 않은 것은?**

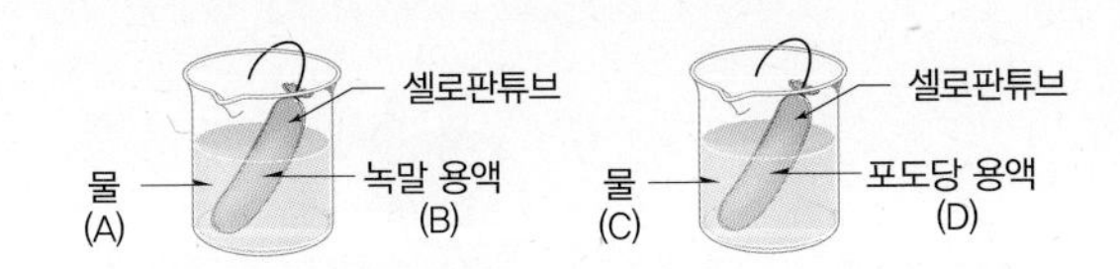

① 셀로판튜브는 세포막에 해당한다.
② 반투과성 막인 셀로판튜브는 포도당 입자만 통과한다.
③ 세포막이 영양소를 흡수하기 위해 모든 영양소를 작은 입자로 분해해야 한다.
④ 아이오딘-아이오딘화 칼륨 용액을 떨어뜨리면 B만 청람색으로 변한다.
⑤ 베네딕트 용액을 넣고 가열하면 D만 황적색으로 변한다.

중요

08 **다음 그림과 같이 6개의 시험관에 녹말 용액을 5 mL씩 넣고 시험관 A, D에는 증류수 3 mL, 시험관 B, E에는 침 3 mL, 시험관 C, F에는 끓인 침 3 mL를 넣었다. A, B, C에는 아이오딘-아이오딘화 칼륨 용액을 한 방울씩 떨어뜨렸고, D, E, F에는 베네틱트 용액을 넣고 가열하였다. 이에 대한 설명으로 옳은 것은?**

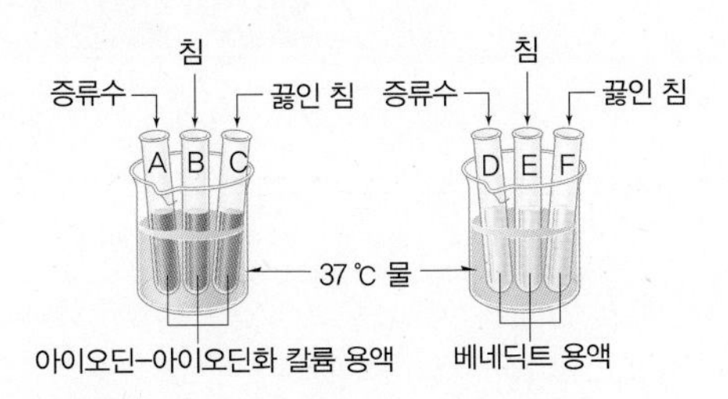

① 청람색이었던 시험관 C의 색이 사라진다.
② 시험관 A와 B는 청람색을 유지한다.
③ 시험관 D는 베네딕트 반응이 나타나지 않는다.
④ 시험관 E는 베네딕트 반응이 나타나지 않는다.
⑤ 시험관 F는 황적색으로 변한다.

09 **소장의 융털에서 흡수되지 않는 영양소는?**

① 물 ② 포도당
③ 지방산 ④ 단백질
⑤ 아미노산

[10~11] 다음 그림은 소장 융털의 내부 구조를 나타낸 것이다. 물음에 답하시오.

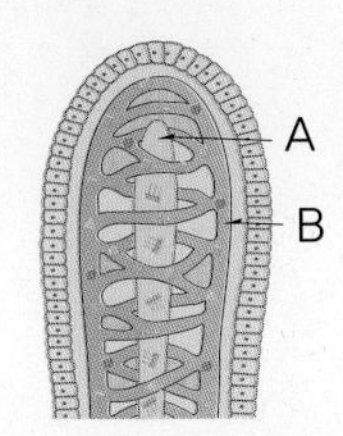

10 **위의 그림 A에서 흡수되는 물질로 바르게 짝지어진 것은?**

① 포도당, 지방산, 바이타민 A
② 아미노산, 무기염류, 바이타민 C
③ 포도당, 모노글리세리드, 바이타민 D
④ 무기 염류, 지방산, 바이타민 E
⑤ 지방산, 모노글리세리드, 바이타민 K

중요

11 **위 그림에 대한 설명으로 옳은 것은?**

① A로 흡수되는 영양소는 물에 잘 녹는다.
② A에서 흡수된 영양소는 간문맥을 거쳐 간으로 이동한다.
③ B로 흡수되는 영양소는 림프관을 거쳐 심장으로 이동한다.
④ A와 B를 통해 흡수된 영양소는 최종적으로 심장에서 합쳐진다.
⑤ 융털에서는 소화 효소에 의해 소화가 일어난다.

서술형으로 다지기

정답 ◆ 11p ◆

01 우리가 먹는 음식물은 다음 그림의 소화 기관을 지나는 동안 잘게 분해되는 소화 과정을 통해 흡수된다. 우리가 먹은 음식물이 소화 과정을 거치는 이유를 서술하시오.

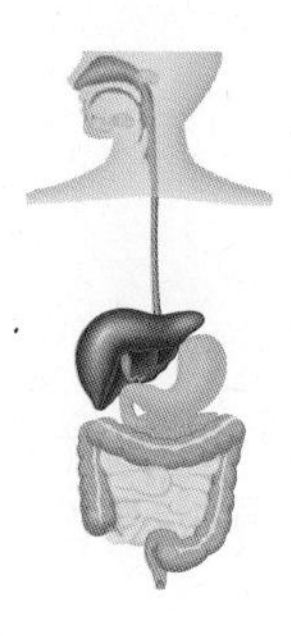

02 유산균은 대장에서 유용한 물질을 만드는 균이다. 위산의 살균 작용이나 소화 효소의 작용에 의해 유산균이 대장까지 이동하지 못하는 경우가 많아서 캡슐에 넣는 방법을 사용한다. 유산균을 보호하는 캡슐은 어떤 물질로 이루어져야 하는지 이유와 함께 서술하시오.

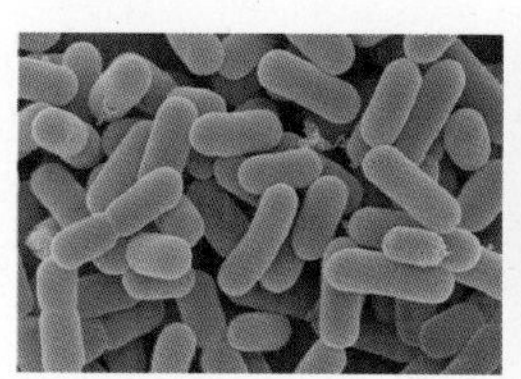

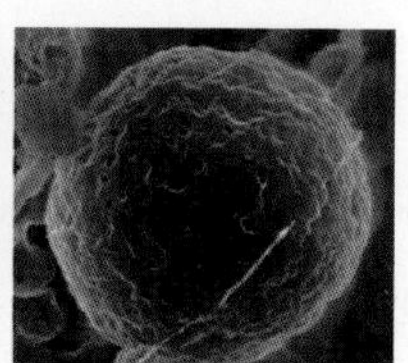

03 다음 그림의 A 기관에 이상이 생겨 소화액이 제대로 만들어지지 못한다면 어떤 영양소를 주의해서 섭취해야 하는지 쓰고, 그렇게 생각한 이유를 함께 서술하시오.

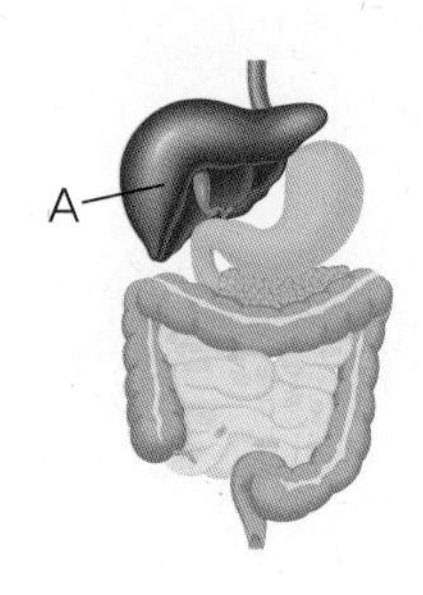

논술형

04 병원에 입원한 환자에게 주사하는 수액의 주성분은 포도당이다. 포도당을 직접 혈관으로 투여하는 이유를 서술하시오.

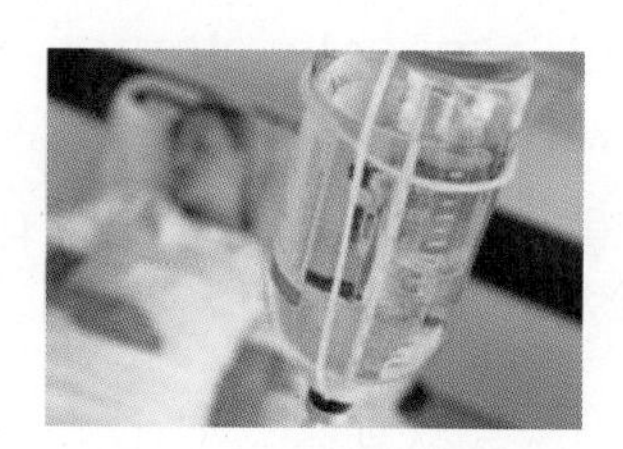

정답 ◆ 12p ◆

STEAM 다이어트에 효과적인 고추 음료수

한국식품연구원은 살을 빼는 데 효과적인 고추 음료수를 개발했다. 이 제품은 다이어트에 도움을 주는 것으로 알려진 고추의 매운맛 성분인 캡사이신을 아주 작은 나노에멀션으로 만들어 음료수나 알약 형태로 먹을 수 있게 한 것이다.

물에 녹지 않는 캡사이신을 식용 계면활성제로 감싸 물에 잘 녹게 만들고, 생체 고분자물질로 된 껍질을 덧붙여 안정성을 높였다. 크기는 50~100 nm(나노미터 : 1 nm=10억분의 1 m)에 불과해 흡수 효과가 뛰어나고 매운맛이 덜하게 조절할 수도 있으며, 2년 동안 보관해도 효능이 변하지 않는다. 고추 음료수를 비만 쥐에게 먹였더니 먹지 않은 쥐보다 혈중 중성 지방이 더 많이 분해되어 몸무게를 줄이는 효과가 나타났다. 이 기술을 활용하면 마늘이나 양파, 생강 등에 있는 유용 성분도 기능성 식품으로 개발할 수 있을 것이다.

미국에서는 소금이나 후추처럼 천연 영양 성분을 뿌려 먹을 수 있도록 포장하는 기술을 개발했다. 카레의 주 성분인 커큐민과 포도에서 나오는 바이타민 레스베라트롤 등을 나노 캡슐화했다. 특히 항암 효과가 있다고 알려진 커큐민을 캡슐로 만들었더니, 물속에서 세 시간에 걸쳐 천천히 분해돼 약효를 오랫동안 유지할 수 있었다.

고추 음료

01 지금까지 고추기름과 같은 고추를 이용한 식품 대부분은 고추를 분쇄한 뒤 캡사이신을 뽑아 만들었다. 이런 방식은 돈과 시간, 에너지가 많이 들고, 열이나 빛, 산소에 노출되면 변질되어 오래 보관할 수도 없다. 소화적인 측면에서 볼 때 이 방식의 문제점을 서술하시오.

02

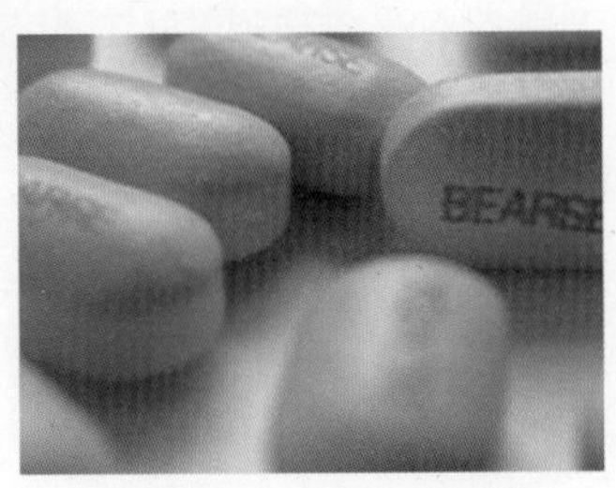

아플 때 먹는 약은 가루약, 물약, 캡슐약, 정제약 등 다양한 형태이다. 약은 원하는 시간에 원하는 장소에서 흡수되어 적절한 혈중 농도에 도달하도록 다양한 형태로 만든다. 코팅되지 않은 정제약은 가루로 만들거나 씹어 먹어도 상관없지만, 소화제와 변비약처럼 표면이 특수 코팅되어 있는 약은 가루로 만들거나 씹어 먹으면 약효가 제대로 나타나지 않는다. 그 이유를 소화제와 변비약의 역할을 바탕으로 이유를 추리하여 서술하시오.

심장과 혈액에 의한

08 영양소와 산소의 운반

A 혈액의 성분과 기능

1 혈액의 구성 : 액체 성분인 혈장(55 %)과 세포 성분인 혈구(45 %)로 구성된다.

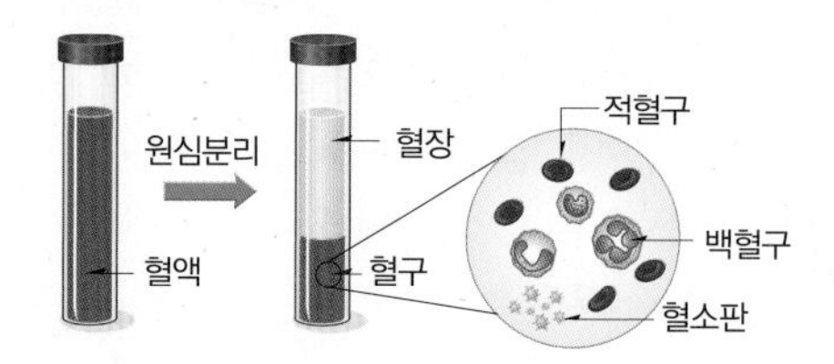

① 혈장

- **구성 :** 약 90 %가 ⓐ____ 이며, 소량의 영양소와 노폐물이 포함되어 있다.
- **기능 :** 세포로 영양소 운반, 세포에서 생긴 노폐물 운반, 체온 조절, 체내의 삼투압과 pH 유지

② **혈구 :** 적혈구, 백혈구, 혈소판으로 구성된다.

구분	적혈구	백혈구	혈소판
모양	핵이 없으며, 둥글고 납작한 원반 모양	핵이 있으며, 모양이 일정하지 않다.	핵이 없고 모양이 불규칙한 세포 조각
기능	헤모글로빈의 작용으로 ⓑ____ 운반	ⓒ____ 작용, 면역 작용	출혈 시 혈액을 굳게 하는 혈액 ⓓ____ 작용
특징	부족하면 산소 공급이 안 되어 빈혈이 발생함	몸에 병균이 침입하면 수가 증가함	부족하면 지혈이 잘 안 됨

더 알아보기

[헤모글로빈의 산소 운반 작용]

적혈구에 있는 헤모글로빈은 산소가 많은 곳에서는 산소와 쉽게 결합하고, 산소가 적은 곳에서는 결합한 산소를 내어 놓는다.

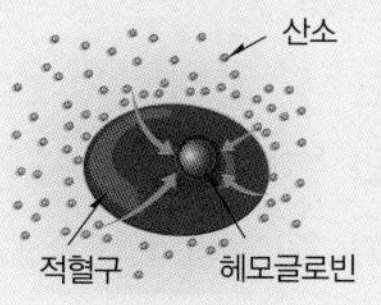

▲ 산소가 많은 곳(폐)

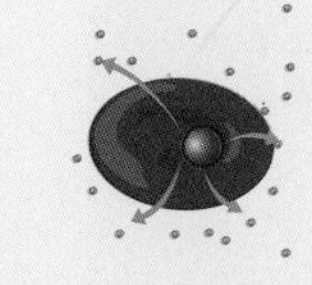
▲ 산소가 부족한 곳(조직세포)

2 혈액의 기능

① **운반 작용 :** 세포에 산소와 영양소를 공급하고, 노폐물을 받아 운반한다.

② **보호 작용 :** 몸속에 침입한 세균을 잡아먹고, 출혈 시 혈액을 응고시킨다.

③ **체온 조절 작용 :** 온몸에 열을 전달해 체온을 일정하게 유지한다.

플러스 노트

- **원심분리**
  용액이 담긴 시험관을 고속으로 회전시켜 용액 내의 물질을 분리하는 방법이다. 혈액을 원심 분리하면 무거운 성분인 혈구는 아래로 가라앉고, 가벼운 성분인 혈장은 위로 뜬다.

- **정상인의 혈구 수**(혈액 1 mm^3당)
  * **적혈구 :** 남자 500만 개, 여자 450만 개
  * **백혈구 :** 6,000~8,000개
  * **혈소판 :** 20만~30만 개

- **고산 지대에 사는 사람의 적혈구 수**
  고산 지대는 평지에 비해 산소가 부족하지만 고산 지대에 사는 사람은 평지에 사는 사람보다 혈액 속에 더 많은 양의 적혈구를 가지고 있어 산소를 조직세포로 정상적으로 공급할 수 있다.

용어풀이

식균(먹을 食, 세균 菌) 작용 : 몸속에 침입한 병원체를 백혈구의 몸속으로 끌어들여 잡아먹는 작용

ⓐ 물 ⓑ 산소 ⓒ 식균
ⓓ 응고

[혈구 관찰]

• **탐구 과정**

① 알코올로 소독한 손가락 끝을 채혈침으로 찌른 후, 혈액 한 방울을 받침 유리에 묻힌다.

② 덮개 유리를 이용하여 받침 유리 위의 혈액을 얇게 편 후 말린다.

③ 혈액 위에 메탄올 한 방울을 떨어뜨리고 말린 후, 김사액을 한 방울 떨어뜨려 5분간 염색한다.

④ 염색한 받침 유리를 흐르는 물에 씻어 김사액을 제거하고 물기를 닦아낸 후, 덮개 유리를 덮어 현미경으로 관찰한다.

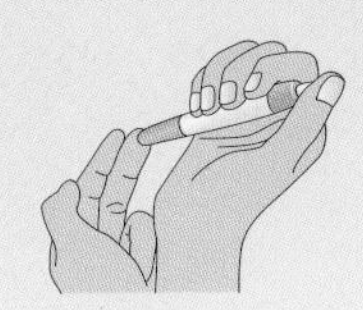
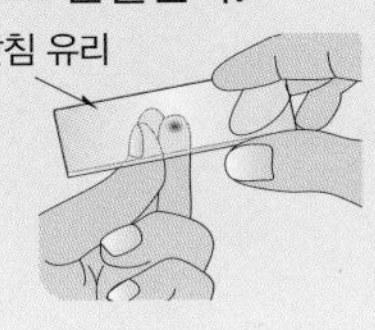

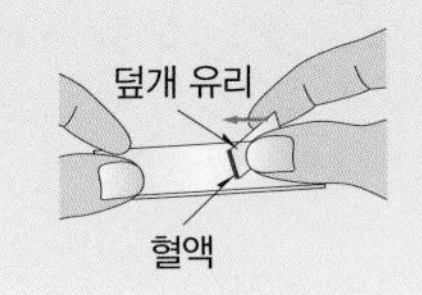

• **탐구 결과 및 해석**

① 핵이 없으며 가운데가 오목한 원반 모양의 ⓐ＿＿＿가 가장 많이 관찰된다.

② 김사액에 염색되어 보라색으로 보이는 핵이 있고, 가장 크기가 큰 ⓑ＿＿＿가 관찰된다.

③ ⓒ＿＿＿은 공기와 접촉하면 파괴되어 현미경 상에서 거의 관찰되지 않는다.

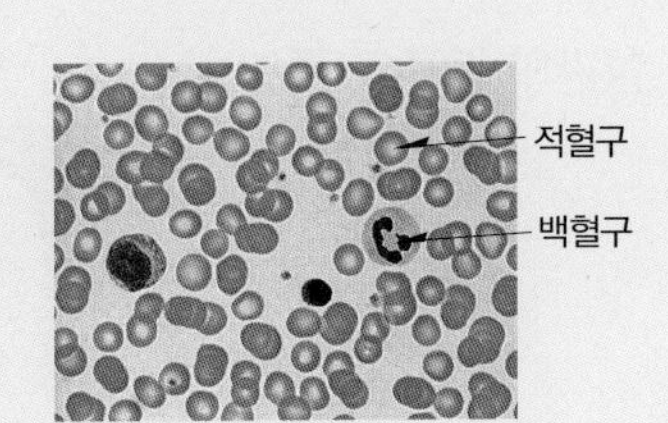

B 심장과 혈관의 구조와 기능

1 심장의 구조 : 2개의 심방과 2개의 심실로 구성

① ⓓ＿＿＿ : 혈액이 심장으로 들어오는 곳으로 정맥과 연결되어 있다.

② ⓔ＿＿＿ : 혈액이 심장 밖으로 나가는 곳으로 동맥과 연결되어 있다.

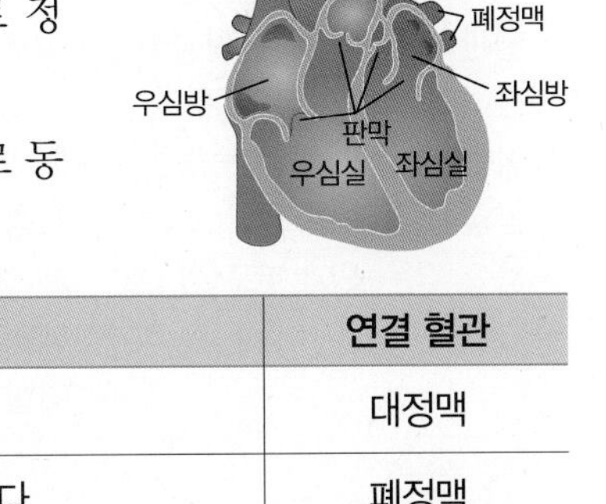

구분	특징	연결 혈관
우심방	온몸을 돌고 온 혈액이 들어온다.	대정맥
좌심방	페에서 산소를 얻은 혈액이 들어온다.	폐정맥
우심실	혈액을 폐로 내보낸다.	폐동맥
ⓕ＿＿＿	• 온몸으로 혈액을 내보낸다. • 심장에서 가장 두꺼운 근육으로 이루어져 있다.	대동맥
ⓖ＿＿＿	• 심방과 심실, 심실과 동맥 사이에 존재한다. • 혈액이 거꾸로 흐르는 것을 막는다.	

플러스 노트

● **김사액**
혈구의 핵을 염색하는 데 사용하는 염색액

● **백혈구의 핵 모양**
백혈구는 종류에 따라 크기와 핵의 모양이 다르다.

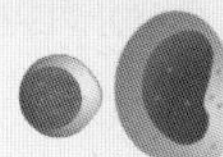

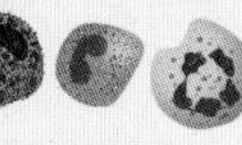

● **심장에서 혈액의 이동**
판막이 혈액이 거꾸로 흐르는 것을 막아 주기 때문에, 혈액은 심방에서 심실로, 심실에서 동맥으로 일정한 방향으로만 흐른다.

ⓐ 적혈구 ⓑ 백혈구 ⓒ 혈소판
ⓓ 심방 ⓔ 심실 ⓕ 좌심실
ⓖ 판막

플러스 노트

● **심장 박동의 자동성**
심장은 동방결절이라는 자체의 박동원의 흥분에 의해 박동한다. 대뇌의 지배를 받지 않으며 혈액 내 이산화 탄소의 농도에 따라 박동 속도가 조절된다.

● **정맥에 판막이 있는 이유**
정맥은 혈압이 낮아 혈액이 거꾸로 흐를 수 있으므로 이를 방지하기 위해 판막이 있다. 혈액이 정상적으로 흐를 때에는 판막이 열리고, 혈액이 거꾸로 흐를 때에는 판막이 닫힌다.

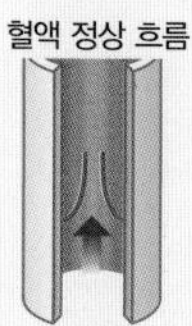

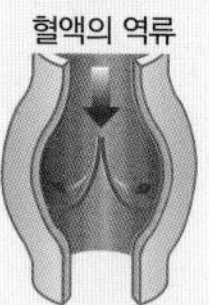

● **모세 혈관 총 단면적과 혈류 속도**
모세 혈관은 그물처럼 퍼져 있어 총 단면적이 넓고, 혈액이 천천히 흐른다. 모세 혈관에서의 혈류 속도가 느리기 때문에 확산 현상에 의해 조직세포와 영양소, 산소, 노폐물 등의 물질 교환이 쉽게 일어날 수 있다.

ⓐ 심방 ⓑ 심방 ⓒ 심실 ⓓ 나가 ⓔ 들어오 ⓕ 한 ⓖ 판막

2 심장 박동 : 심장의 규칙적인 수축과 이완 운동으로 혈액을 온몸으로 순환시킨다.

① ⓐ ___ 이 이완하여 혈액이 정맥을 통해 심장으로 들어온다.

② ⓑ ___ 이 수축하고, 심방과 심실 사이의 판막이 열리면 심방의 혈액이 심실로 이동한다.

③ ⓒ ___ 이 수축하고, 심실과 동맥 사이의 판막이 열리면 혈액이 동맥을 통해 폐와 온몸으로 나간다. 이때 심방과 심실 사이의 판막은 닫힌다.

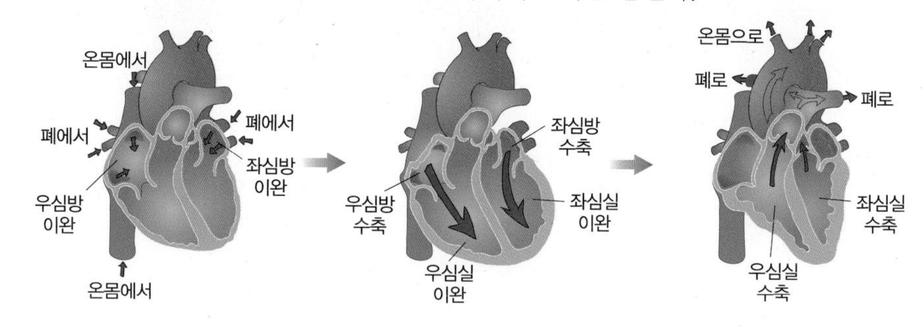

3 혈관의 종류와 특징

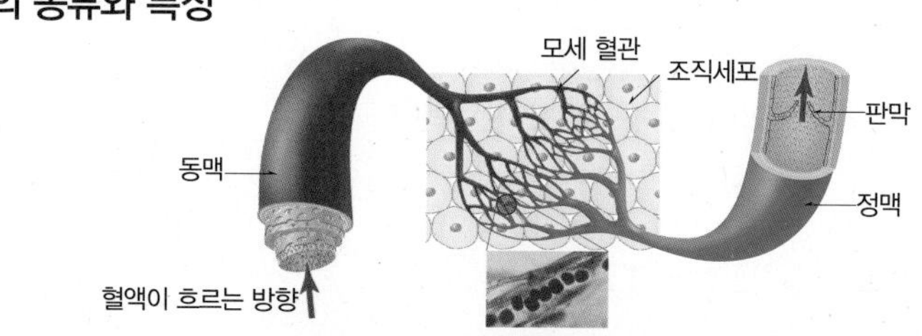

동맥	모세 혈관	정맥
심장에서 ⓓ ___ 는 혈액이 흐르는 혈관	동맥과 정맥을 이어 주며 온몸에 그물처럼 퍼져 있는 혈관	몸의 각 부분에서 심장으로 ⓔ ___ 는 혈액이 흐르는 혈관
• 혈관벽이 두껍고 탄력성이 강하다. ➡ 심장의 수축, 이완에 의해 생기는 높은 혈압을 견딜 수 있다. • 몸속 깊은 곳에 분포한다.	• 적혈구 1개가 겨우 지나갈 정도로 가늘다. • 혈관 벽이 ⓕ ___ 겹의 세포층으로 이루어져 있다. ➡ 혈액과 조직세포 사이에서 물질 교환이 쉽게 일어날 수 있다.	• 동맥보다 얇고 탄성력이 약하다. • ⓖ ___ 이 있다. ➡ 혈액이 거꾸로 흐르는 것을 막는다. • 몸 표면에 분포한다.

4 혈관의 비교

혈관벽의 두께	동맥 > 정맥 > 모세 혈관
혈압	동맥 > 모세 혈관 > 정맥
혈류 속도	동맥 > 정맥 > 모세 혈관
총 단면적	모세 혈관 > 정맥 > 동맥

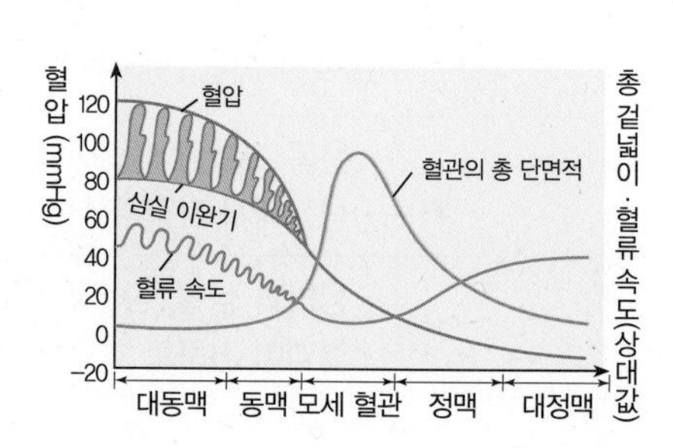

C 혈액의 순환

1 혈액 순환 : 혈액이 온몸을 순환하며 온몸의 조직세포에 산소와 영양소를 공급하고, 조직세포로부터 노폐물과 이산화 탄소를 받아 온다.

① ⓐ______ 순환(체순환) : 좌심실에서 나온 동맥혈이 온몸을 순환한 후 정맥혈이 되어 우심방으로 돌아오는 순환 과정

- 좌심실 → 대동맥 → 온몸(조직세포) → 대정맥 → 우심방
- 조직세포에 산소와 영양소를 주고, 조직세포로부터 이산화 탄소와 노폐물을 받아온다.

② ⓑ______ 순환 : 우심실에서 나온 정맥혈이 폐를 순환한 후 동맥혈이 되어 좌심방으로 돌아오는 순환 과정

- 우심실 → 폐동맥 → 폐 → 폐정맥 → 좌심방
- 기체 교환을 통해 이산화 탄소를 폐로 내보내고 산소를 받아온다.

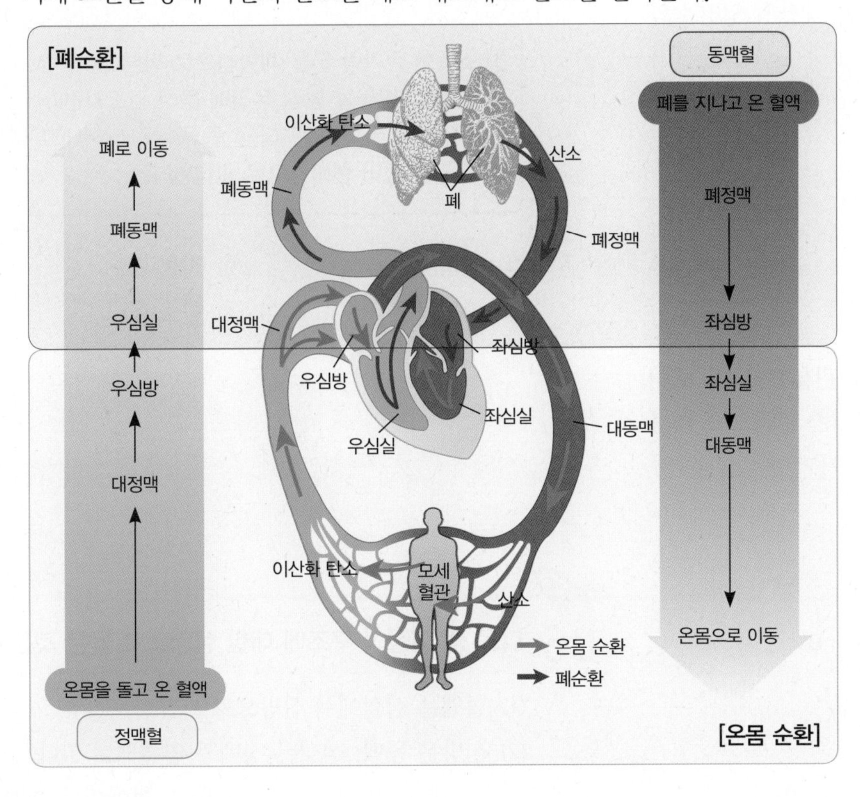

2 동맥혈과 정맥혈

① ⓒ______ 혈 : 폐를 돌고와 산소가 풍부한 혈액으로 선홍색을 띤다.

② ⓓ______ 혈 : 온몸을 돌고와 산소가 부족한 혈액으로 암적색을 띤다.

플러스 노트

● **혈액 순환을 발견한 하비**
영국의 의학자 하비는 심장이 한 시간 동안 내보내는 혈액의 양(245 kg)이 몸 전체의 혈액량(4~5 L)에 비해 너무 많다는 것을 근거로 혈액이 온몸을 순환한다고 주장하였다. 하비의 주장은 모세 혈관이 발견됨으로써 증명되었다.

● **정맥혈과 동맥혈**
동맥에는 동맥혈이, 정맥에는 정맥혈이 흐르는 것은 아니다. 폐동맥에는 온몸에서 받아온 이산화 탄소가 많은 정맥혈이 흐르고, 폐정맥에는 폐에서 받아온 산소가 많은 동맥혈이 흐른다.

ⓐ 온몸 ⓑ 폐 ⓒ 동맥
ⓓ 정맥

개념 기르기

01 **채취한 혈액을 원심 분리하였더니 다음 그림과 같이 두 개의 층으로 나누어졌다. A와 B에 대한 설명으로 옳은 것은?**

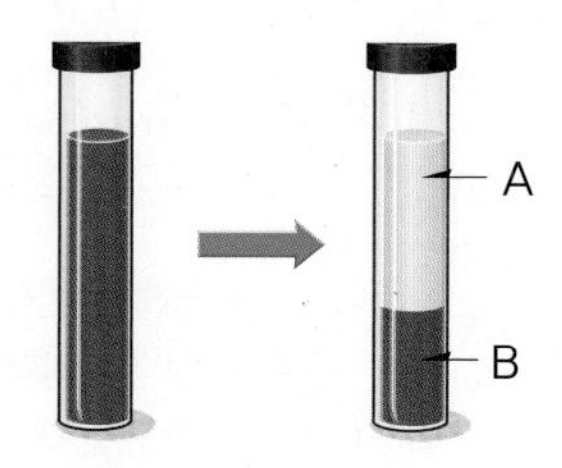

① A는 혈구이고, B는 혈장이다.
② A는 세포 성분이고, B는 액체 성분이다.
③ B의 대부분은 적혈구로 이루어져 있다.
④ A는 핵이 있어서 식균 작용과 운반 작용을 주로 한다.
⑤ B는 대부분 물로 되어 있으며 약간의 영양소와 이산화 탄소가 녹아 있다.

중요

02 **다음 그림은 혈액을 현미경으로 관찰했을 때 보이는 모습을 나타낸 것이다. 이에 대한 설명으로 옳은 것은?**

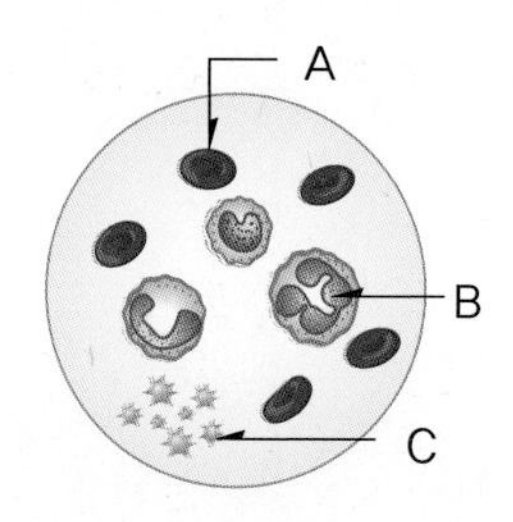

① A는 몸속으로 들어온 세균을 잡아먹는다.
② A는 헤모글로빈이 있어 산소를 운반한다.
③ B는 혈액 응고 작용을 하는 혈액 성분이다.
④ B는 핵이 없고 모양이 일정하며, 병균이 침입하면 수가 줄어든다.
⑤ C는 온몸에 영양소와 산소를 운반한다.

03 **다음 중 상처가 난 부위에 열이 나면서 고름이 생기는 것과 관련 있는 혈액의 구성 성분은?**

① 혈장　② 적혈구
③ 백혈구　④ 혈소판
⑤ 백혈구, 혈소판

04 **다음은 혈구를 관찰하기 위한 실험 과정이다. 이 실험에서 김사액으로 핵이 염색되는 혈액의 구성 성분은?**

> ① 소독한 손가락 끝을 채혈침으로 찌른다.
> ② 혈액 한 방울을 받침 유리에 묻혀 건조시킨다.
> ③ 김사액을 떨어뜨린 다음 증류수로 씻어내고 덮개 유리를 덮어 현미경으로 관찰한다.

① 혈장　② 적혈구
③ 백혈구　④ 혈소판
⑤ 적혈구, 혈소판

05 **다음 중 심장의 구조에 대한 설명으로 옳은 것은?**

① 혈액은 심실에서 심방으로 흐른다.
② 심방은 동맥, 심실은 정맥과 연결되어 있다.
③ 우심방은 폐에서 산소를 얻은 혈액이 들어오는 곳이다.
④ 좌심실은 심장에서 가장 두꺼운 근육으로, 온몸으로 혈액을 내보낸다.
⑤ 심방은 혈액이 심장 밖으로 나가는 곳이고, 심실은 혈액이 심장으로 들어오는 곳이다.

[06~08] 다음 그림은 사람의 심장 구조를 나타낸 것이다. 물음에 답하시오.

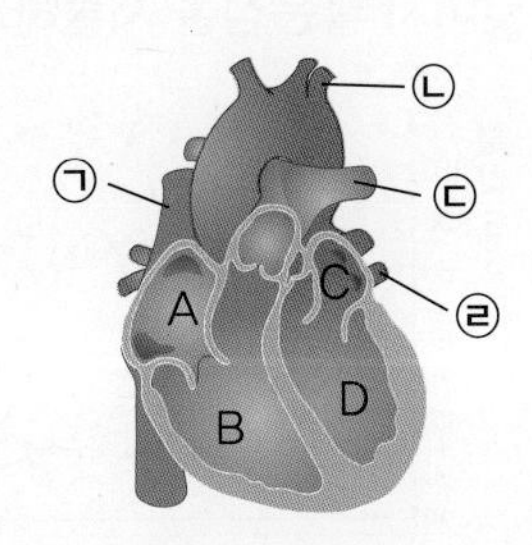

06 위 그림에 대한 설명으로 옳은 것은?

① B는 ㉢으로, D는 ㉣로 혈액을 내보낸다.
② C는 좌심방으로 ㉣로 혈액을 받아들인다.
③ A와 B는 동시에 이완과 수축을 한다.
④ B의 혈관벽이 가장 두껍다.
⑤ 혈액은 A→B→D→C 순으로 흐른다.

07 위의 그림에서 판막이 없는 곳을 모두 고르시오.

① A와 B 사이
② C와 D 사이
③ A와 ㉠ 사이
④ D와 ㉡ 사이
⑤ A와 C 사이

08 위의 그림에서 정맥혈이 흐르는 곳을 바르게 짝지은 것은?

① A, B ② A, C
③ A, D ④ B, C
⑤ C, D

09 다음 중 혈관에 대한 설명으로 옳은 것은?

① 정맥의 혈관벽이 가장 두껍다.
② 모세 혈관에는 판막이 있다.
③ 혈류 속도는 모세 혈관에서 가장 느리다.
④ 혈압은 동맥에서 가장 높고, 모세 혈관에서 가장 낮다.
⑤ 모세 혈관은 피부 가까이에 있어 눈으로 볼 수 있다.

10 다음 그림은 혈관의 종류를 나타낸 것이다. 이에 대한 설명으로 옳지 않은 것은?

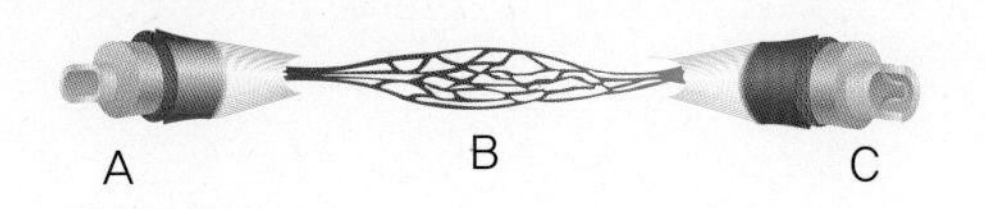

① A는 동맥이다.
② B는 한 겹의 세포층으로 되어 있다.
③ C는 정맥이다.
④ A는 혈액과 조직세포 사이에서 물질 교환이 쉽게 일어난다.
⑤ C는 판막이 있어 혈액이 거꾸로 흐르는 것을 막는다.

11 혈액의 온몸 순환에 대한 설명으로 옳은 것은?

① 우심실에서 나와 좌심방으로 돌아온다.
② 순환하면서 정맥혈에서 동맥혈로 바뀐다.
③ 폐로 이산화 탄소를 내보낸다.
④ 폐에서 산소를 받아오는 순환이다.
⑤ 순환하면서 이산화 탄소와 노폐물을 받아 우심방으로 들어온다.

정답 ◆ 13p ◆

01 마라톤 선수들은 태백산의 높은 산악 지역에서 훈련한다. 높은 지역에서 오랫동안 훈련하면 체력과 심폐 기능이 좋아지는 이유를 서술하시오.

02 다음 (가)와 (나)는 정맥의 판막 모습이다. (가)와 (나)에서 혈액의 흐름과 판막이 있어야 하는 이유를 서술하시오.

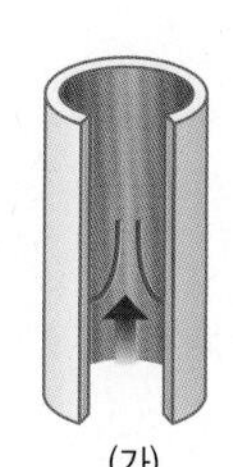

(가)

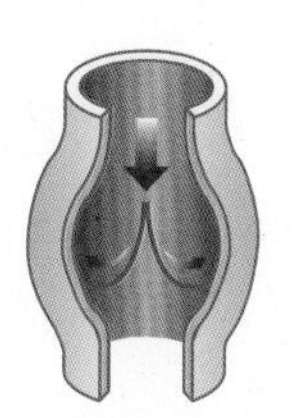

(나)

03 다음은 각 혈관에서 혈압, 혈류 속도, 혈관의 총 단면적을 나타낸 것이다. 모세 혈관의 혈류 속도가 동맥보다 낮아서 좋은점을 서술하시오.

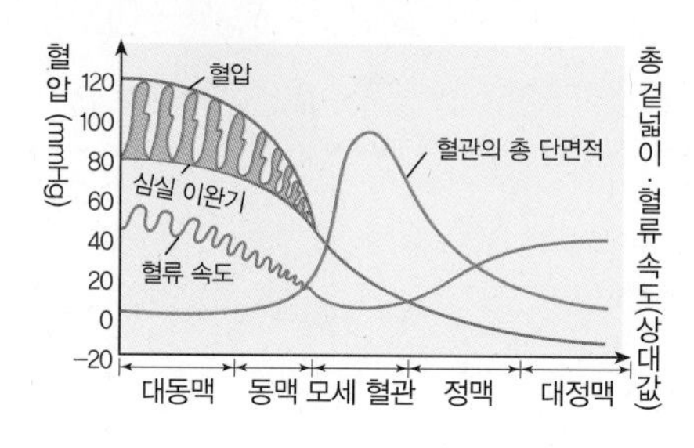

논술형

04 다음 〈보기〉를 읽고 모세 혈관의 총 부피에 비해 모세 혈관에 머무는 혈액의 양이 10 % 정도로 적은 이유를 서술하시오.

보기

- 밥을 먹고 나면 소화 기관에 분포하는 모세 혈관에는 혈액이 많이 공급되고 근육이나 다른 곳에서 분포하는 모세 혈관에는 혈액의 흐름이 차단된다.
- 우리가 편안하게 쉴 때 대부분의 혈액은 정맥, 동맥, 심장에 머물고 나머지 10 % 정도만 모세 혈관에 머문다.

정답 ◆ 13p ◆

STEAM 쌀쌀하면 생기는 안면홍조, 찜질방은 도움 안돼

겨울철 급격한 온도 차이나 난방기의 뜨거운 바람에 노출되면 얼굴이 붉어지는 증상으로 고민하는 사람들이 많다. 이는 안면홍조라는 피부 혈관 이상으로 생기는 질환이다. 안면홍조 질환자는 남보다 더욱 쉽게 얼굴이 붉어지고 오래 지속되는 증상을 보인다. 추운 날씨에 밖에 있다가 실내로 들어갔을 때, 난방기 바람에 피부가 노출될 때, 샤워나 세수 후, 뜨거운 음식을 먹었을 때 얼굴이 쉽게 붉어진다. 심한 경우 고개를 숙였다가 들기만 해도 얼굴이 붉어지기도 한다.

안면홍조의 원인은 다양하다. 피부의 혈관은 자율 신경계의 조절로 확장과 수축을 반복한다. 심리적으로 창피한 상황이 되었을 때는 혈관이 늘어나면서 얼굴이 붉어지고, 충격을 받았을 때는 혈관이 수축하면서 얼굴이 창백해진다. 호르몬의 변화도 안면홍조의 원인이 될 수 있다.

안면 홍조 질환의 증상은 크게 세 가지로 구분할 수 있다. 일시적으로 얼굴이 붉어지는 경우, 붉은 상태가 지속되는 경우, 늘어난 실핏줄이 얼굴에 보이는 경우로, 세 가지 상황이 각각 또는 함께 나타날 수 있다. 보통 일시적으로 얼굴이 붉어지는 증세가 자주 반복돼 혈관의 긴장도가 떨어져서 붉은 얼굴이 지속되고, 시간이 지남에 따라 늘어난 실핏줄이 보이는 단계까지 발전한다.

모세혈관이 비정상적으로 확장되면 피부 표면 온도가 높아져서 표피의 수분이 빠져나가 피부가 쉽게 건조해지고 예민해진다. 따라서 전문적인 치료를 통해 근본적인 문제를 해결하는 것이 좋다.

안면홍조

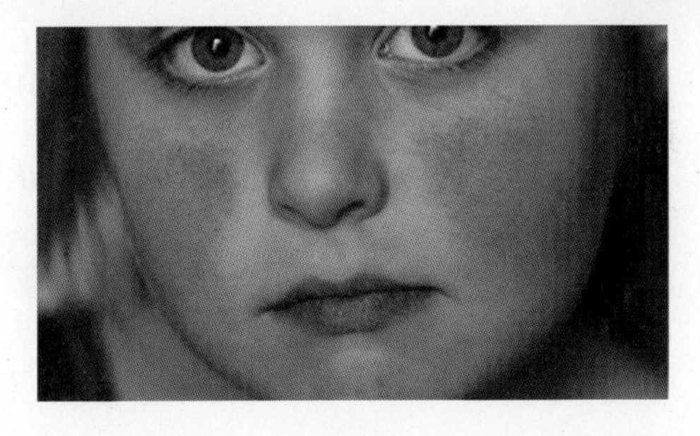

01 겨울철에는 안면홍조를 일으키는 요인이 더욱 많아진다. 기온이 낮은 야외에서 따뜻한 실내에 들어오면 온도 변화로 인해 혈관이 갑자기 늘어나 안면홍조 증상이 심해진다. 안면홍조 증상이 유독 얼굴에 많이 나타나는 이유를 서술하시오.

02 안면홍조를 예방하기 위해서 기온이 낮은 겨울철에 밖에 있다가 실내로 들어갈 때 미리 손바닥으로 볼을 가볍게 비벼서 얼굴 피부의 온도를 높여주는 것이 좋고, 따뜻한 찜질방이나 뜨거운 물로 목욕을 하거나 사우나를 하는 것은 좋지 않다. 찜질방이나 사우나가 안면홍조에 좋지 않은 이유를 서술하시오.

09 포도당과 산소를 이용한 에너지의 생성

플러스 노트

● **세포 호흡에 이용되는 영양소 순서**
3대 영양소 중에서 탄수화물이 가장 먼저 이용되고, 지방은 몸속에 저장되었다가 서서히 이용된다. 단백질은 탄수화물과 지방이 부족할 때 이용된다.

A 생명 활동에 필요한 에너지의 생성

1 세포 호흡 : 생물체 내에서 영양소와 산소가 반응해 물과 이산화 탄소로 분해되면서 살아가는 데 필요한 ⓐ ______ 를 얻는 과정 ➡ 호흡의 궁극적인 의미

2 에너지의 생성 : 호흡 기관에서 흡수한 ⓑ ______ 와 소화 기관에서 소화 흡수한 ⓒ ______ 가 혈액을 통해 조직세포로 운반된 후, 세포 내 미토콘드리아에서 세포 호흡을 거치면서 에너지가 생성된다.

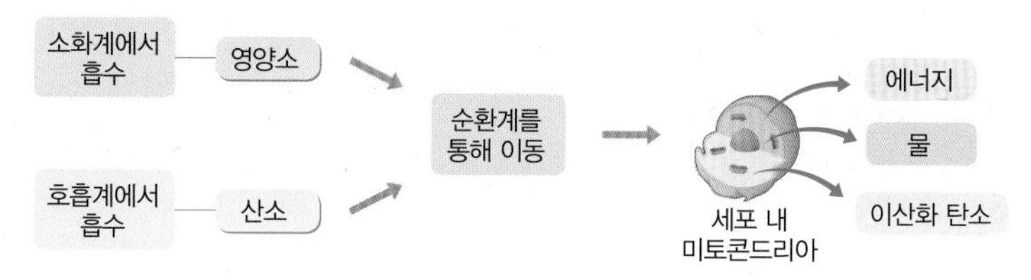

3 에너지의 이용 : 체온 유지(60 %), 근육 운동, 생장 등 다양한 생명 활동에 이용된다.

4 세포 호흡과 연소의 비교

구분	세포 호흡	연소
과정	영양소+산소 → 물+이산화 탄소+에너지	연료+산소 → 물+이산화 탄소+에너지
공통점	산소를 필요로 하는 반응이며, 반응 결과 물, 이산화 탄소, 에너지가 생성된다.	
차이점	• 비교적 저온에서 천천히 일어난다. • 여러 단계의 반응을 거쳐 에너지가 조금씩 단계적으로 방출된다. • 세포의 필요에 따라 반응이 조절된다.	• 고온에서 빠르게 일어난다. • 에너지가 한꺼번에 빠르게 방출된다.

[땅콩의 연소]

• **탐구 과정**

① 물 10 mL가 들어 있는 시험관을 스탠드에 고정하고 물의 온도를 측정한다.
② 페트리 접시 바닥에 클립을 구부려 세우고 클립 끝에 땅콩을 꽂는다.
③ 땅콩에 불을 붙여 물이 들어 있는 시험관을 가열한다.
④ 땅콩이 모두 연소하면 물의 온도를 측정한다.

물
땅콩

• **탐구 결과 및 해석**

① 땅콩을 연소시키면 ⓓ ______ 가 방출되고 방출된 에너지의 일부가 물의 온도를 높이는 데 사용된다.
② 땅콩 속에는 에너지가 저장되어 있다.

용어풀이

미토콘드리아 : 발전소와 같은 역할을 하는 세포 소기관으로 영양소를 분해하여 에너지를 생산한다.

정답
ⓐ 에너지 ⓑ 산소 ⓒ 영양소
ⓓ 에너지

B 호흡 운동

1 호흡 기관 : 코, 기관, 기관지, 폐로 구성

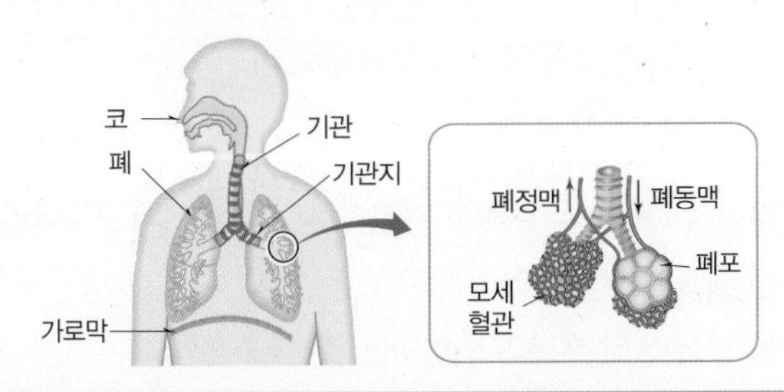

코	• 털과 점액으로 공기 속의 이물질을 제거한다. • 폐로 들어오는 공기의 온도와 습도를 조절한다.
기관과 기관지	• 기관지 안쪽 벽은 섬모가 많이 나 있고 점액질로 덮여 있어 공기 중의 먼지나 세균을 걸러 낸다. • 기관은 폐 입구에서 두 개의 기관지로 갈라져 좌우 폐로 들어간다. • 폐 속에서 더욱 많은 가지로 갈라져 폐포와 연결된다.
폐	• 갈비뼈와 가로막으로 둘러싸인 가슴 속 좌우에 하나씩 존재한다. • 근육이 없어 스스로 호흡 운동을 하지 못한다. • 수많은 ⓐ＿＿로 이루어져 있다. • 폐포 : ⓑ＿＿ 겹의 세포층으로 이루어진 공기 주머니로 모세 혈관에 둘러싸여 있다. ➡ 표면적이 넓어 기체 교환이 효율적으로 일어난다.

2 호흡 운동의 원리 : 폐는 근육이 없어 스스로 호흡 운동을 하지 못하고, 갈비뼈와 가로막의 상하 운동에 의한 가슴 내 부피 변화로 호흡 운동이 일어난다.

들숨	구분	날숨
공기가 들어온다. / 폐 / 갈비뼈 올라감 / 가로막 내려감	모형	공기가 나간다. / 폐 / 갈비뼈 내려감 / 가로막 올라감
ⓒ＿＿감	갈비뼈	내려감
ⓓ＿＿감	가로막	올라감
커짐	가슴 내 부피	작아짐
ⓔ＿＿짐	가슴 내 압력	높아짐
커짐	폐의 부피	작아짐
ⓕ＿＿짐	폐의 압력	높아짐
외부 → 폐 속	공기의 이동	폐 속 → 외부

플러스 노트

● **날숨과 들숨 시 공기의 이동 경로**
* 들숨 : 코 → 기관 → 기관지 → 폐
* 날숨 : 폐 → 기관지 → 기관 → 코

● **보일 법칙과 호흡**
온도가 일정할 때, 기체의 압력과 부피는 반비례한다. 즉, 가슴 내 부피가 커지면 가슴 내 압력이 낮아져 들숨을 쉬게 되고, 가슴 내 부피가 작아지면 가슴 내 압력이 높아져 날숨을 쉬게 된다.

● **숨을 들이마실 때와 내쉴 때 폐의 부피 변화**
숨을 들이마실 때는 폐의 부피가 커지면서 폐 속으로 공기가 들어오고, 숨을 내 쉴 때는 폐의 부피가 작아지면서 폐 속의 공기가 나간다. 공기가 들어와서 폐의 부피가 커지고 공기가 나가 폐의 부피가 작아지는 것이 아니다.

ⓐ 폐포 ⓑ 한 ⓒ 올라
ⓓ 내려 ⓔ 낮아 ⓕ 낮아

Ⅲ 동물과 에너지

09 에너지의 생성

플러스 노트

● **호흡 운동 모형**
페트병은 움직이지 못하므로 갈비뼈가 아닌 가슴에 해당한다.

● **딸꾹질**
가로막이 자신의 의지와 관계없이 갑자기 수축하면, 성대로 들어오는 소리가 막히면서 성대 근육이 부딪히며 내는 소리이다.

● **확산**
농도가 높은 곳에서 낮은 곳으로 물질이 스스로 이동하는 현상 예 음식 냄새가 멀리 퍼지는 현상, 물속에 잉크를 떨어뜨렸을 때 잉크가 물 전체에 퍼지는 현상

용어풀이

확산(넓힐 擴, 흐트러질 散) : 물질이 농도가 높은 곳에서 낮은 곳으로 스스로 퍼져가는 현상

정답

ⓐ 커 ⓑ 작아 ⓒ 가로막
ⓓ 확산 ⓔ 폐포 ⓕ 조직세포
ⓖ 산소 ⓗ 이산화 탄소

탐구

[호흡 운동의 원리]

• **탐구 과정**

① 페트병, Y자 유리관, 고무풍선, 고무막으로 이루어진 호흡 운동 모형을 만든다.

② 고무막을 잡아당겼을 때와 놓았을 때 페트병 속 고무풍선에 나타나는 변화를 관찰한다.

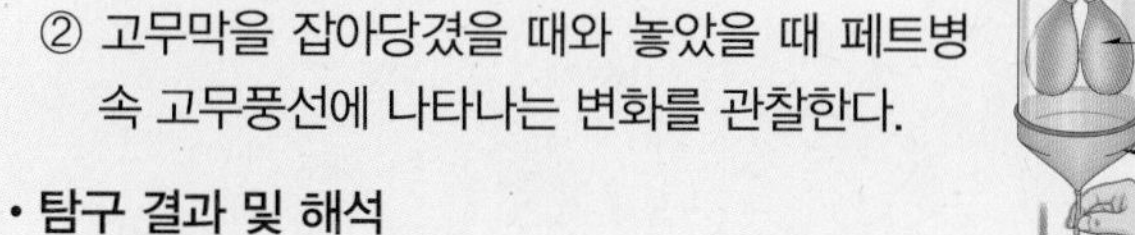

• **탐구 결과 및 해석**

① 호흡 운동 모형의 각 부분이 의미하는 것

호흡 운동 모형	Y자 유리관	페트병 속 공간	고무막	고무풍선
실제 호흡 기관	기관, 기관지	가슴 속 공간	가로막	폐

② 고무막을 당겼을 때는 고무풍선이 ⓐ ____ 지고 공기가 풍선 안으로 들어온다. 고무막을 놓았을 때는 고무풍선이 ⓑ ____ 지고 공기가 풍선 밖으로 빠져나간다.

③ 폐는 근육이 없어 스스로 운동하지 못하고, 갈비뼈와 ⓒ ____ 의 상하 운동에 의해 호흡 운동이 일어난다.

3 호흡 운동을 통한 기체 교환

① 기체 교환의 원리 : 산소와 이산화 탄소의 농도 차이에 따른 ⓓ ____

② 외호흡과 내호흡

구분	외호흡	내호흡
정의	ⓔ ____ 와 모세 혈관 사이의 기체 교환 ➡ 모세 혈관 속의 혈액이 폐포로부터 산소를 받아들이고, 이산화 탄소를 폐포로 내보낸다.	ⓕ ____ 와 모세 혈관 사이의 기체 교환 ➡ 모세 혈관 속의 혈액이 조직 세포에 산소를 공급하고, 이산화 탄소를 받아들인다.
기체 교환 과정	폐포, 산소, 이산화 탄소, 혈액, 모세 혈관, 폐, 동맥혈, 정맥혈	조직세포, 산소, 모세 혈관, 이산화 탄소
기체 교환	• ⓖ ____ 농도 : 폐포 > 모세 혈관 > 조직세포 • ⓗ ____ 농도 : 조직세포 > 모세 혈관 > 폐포 산소 → 폐포 → 모세 혈관 → 조직세포 이산화 탄소 : 조직세포 → 모세 혈관 → 폐포	

4 들숨과 날숨의 성분(수증기 제외)

① 날숨에는 들숨보다 산소량이 줄어들고, 이산화 탄소량이 증가한다.

➡ 호흡을 통해 산소를 흡수하고, 이산화 탄소를 방출하기 때문이다.

구분	질소	산소	이산화 탄소	기타
들숨	78.00 %	21.00 %	0.03 %	0.97 %
날숨	78.00 %	16.54 %	4.49 %	0.97 %

● **호흡할 때 들이마시는 공기**
숨을 쉴 때 산소만 들이마시고 이산화 탄소만 내뱉는 것이 아니라 공기 전체를 들이마시고 내뱉는다. 따라서 들숨과 날숨의 성분 차이가 생긴다.

[들숨과 날숨 성분]

• **탐구 과정**

① 2개의 비커를 준비하여 석회수를 넣는다.
② 비커 A에는 스포이트로 공기를 넣고, 비커 B에는 빨대로 입김을 불어 넣는다.
③ 2개의 비커를 준비하여 녹색 BTB 용액을 넣는다.
④ 비커 C에는 스포이트로 공기를 넣고, 비커 D에는 빨대로 입김을 불어 넣는다.

• **탐구 결과 및 해석**

① 비커 A에서는 변화가 없고, 비커 B에서는 석회수가 뿌옇게 흐려진다.
② 비커 C에서는 변화가 없고, 비커 D에서는 BTB 용액이 황색으로 변한다.
③ 날숨에는 ⓐ ________ 가 포함되어 있다.

● **BTB 용액의 색깔 변화**

이산화 탄소 증가	↔	이산화 탄소 감소
산성	중성	염기성
황색	녹색	청색

ⓐ 이산화 탄소

생활 속 과학

흡연과 질병

담배를 피울 때 발생하는 연기 속에는 약 4,000가지 이상의 화학 물질이 들어 있으며, 이 중 인체에 해를 끼치는 것만 30여 종이 넘는다. 특히 니코틴, 타르, 일산화 탄소는 인체에 심각한 영향을 미친다.

니코틴은 신경계에 작용하여 의존성을 갖게 하므로 습관성 중독을 일으킨다. 담배 한 개피당 1.5 mg의 니코틴이 체내에 흡수되고, 니코틴 60 mg을 뽑아 혈관에 주사하면 곧 사망한다.

타르는 기도와 폐에 쌓여 암을 유발한다.

일산화 탄소는 맛과 냄새가 없는 기체로, 적혈구의 산소 운반 능력을 감소시킨다. 적혈구 속의 헤모글로빈은 산소 농도가 높은 곳에서는 산소와 잘 결합하고, 산소 농도가 낮은 곳에서는 산소와 잘 분리되어 산소를 필요한 곳으로 운반한다. 하지만 일산화 탄소는 산소보다 헤모글로빈과의 결합력이 200~300배 정도 강하다. 따라서 일산화 탄소가 있으면 헤모글로빈이 산소와 결합하지 않고 일산화 탄소와 결합하므로 산소를 운반하지 못한다. 일산화 탄소에 중독되면 조직세포에 산소가 정상적으로 전달되지 않아 메스꺼움, 구토, 혼수 상태, 허약한 증세 등이 나타나고 심하면 생명이 위험해진다. 일산화 탄소 중독을 치료하기 위해서는 대기압보다 높은 압력으로 100 % 산소를 체내에 주입하여 헤모글로빈이 다시 산소와 결합하도록 해준다.

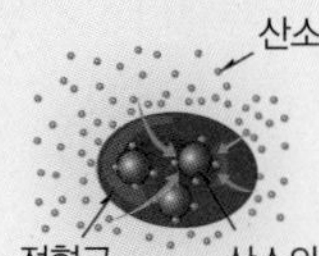

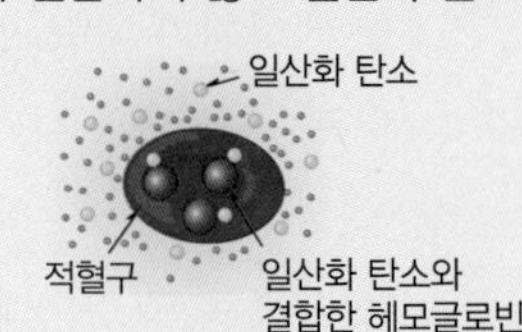

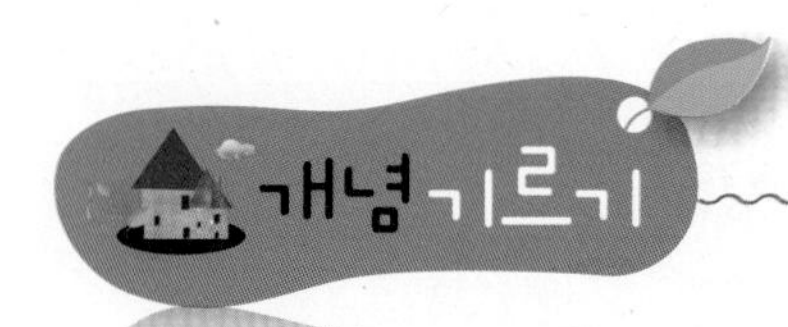

01 다음 중 생물이 호흡을 하는 궁극적인 이유로 옳은 것은?

① 영양분을 얻기 위해서
② 몸의 노폐물을 내보내기 위해서
③ 부족한 영양분을 보충하기 위해서
④ 산소를 얻고 이산화 탄소를 내보내려고
⑤ 살아가는 데 필요한 에너지를 얻기 위해서

02 사람의 호흡과 연소의 공통점을 모두 고르시오.

① 에너지가 발생한다.
② 물과 이산화 탄소를 이용한다.
③ 영양소나 연료, 산소가 필요하다.
④ 여러 단계의 반응을 거쳐 에너지가 조금씩 단계적으로 방출된다.
⑤ 저온에서는 일어나지 않고, 고온에서만 반응이 일어난다.

03 오른쪽 그림은 땅콩에 불을 붙여 시험관 속의 물을 가열하는 모습을 나타낸 것이다. 이에 대한 설명으로 옳지 않은 것은?

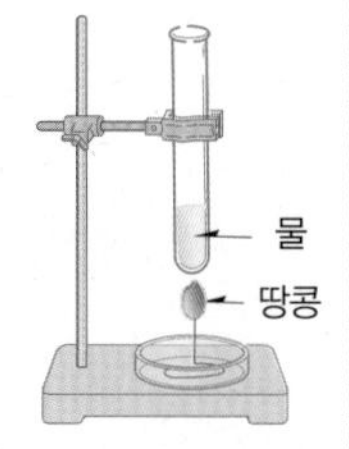

① 물의 온도가 올라간다.
② 고온에서 일어나는 반응이다.
③ 에너지가 조금씩 천천히 방출된다.
④ 땅콩을 연소시키면 물, 이산화 탄소, 에너지가 생성된다.
⑤ 땅콩 속에 저장되어 있는 에너지가 물의 온도를 높이는 데 이용된다.

04 다음 그림은 사람의 호흡 기관을 나타낸 것이다. 이에 대한 설명으로 옳지 않은 것은?

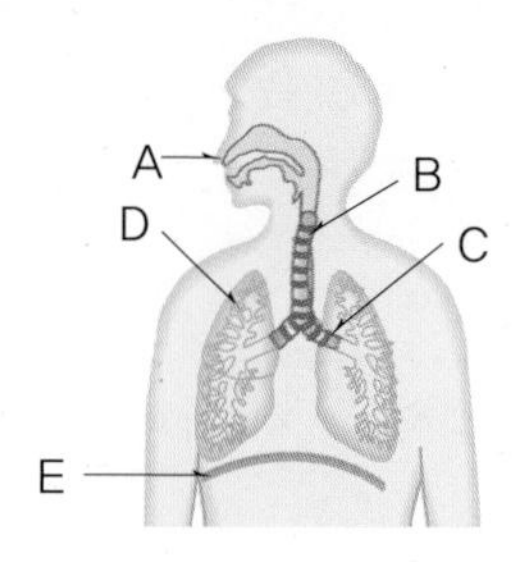

① A는 털과 점액으로 이물질을 제거한다.
② B는 음식과 공기가 함께 이동하는 관이다.
③ C에는 섬모가 나 있고 점액질로 덮여 있다.
④ D는 수많은 폐포로 이루어져 있다.
⑤ E는 상하 운동을 하여 호흡이 일어나게 한다.

05 오른쪽 그림은 폐포의 모습을 나타낸 것이다. A와 B에서 교환되는 물질에 대한 설명으로 옳은 것은?

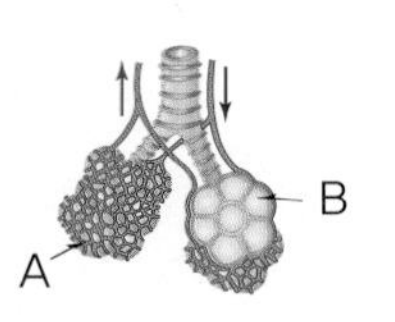

① B는 세 겹의 세포로 구성된 얇은 막이다.
② A의 표면은 B로 둘러싸여 있다.
③ A와 B 사이에서 포도당이 교환된다.
④ A는 폐포, B는 모세 혈관이다.
⑤ B에서 A로 산소가 이동한다.

06 다음 중 호흡 기관에 대한 설명으로 옳은 것은?

① 입, 기관, 기관지, 폐로 구성된다.
② 기관은 폐 입구에서 두 개의 폐포로 갈라진다.
③ 폐는 수축과 팽창 운동을 통해 기체를 마시고 내쉰다.
④ 폐포는 표면적이 넓어 기체 교환이 효율적으로 일어난다.
⑤ 폐는 두 개의 폐포로 이루어져 있다.

정답 ◆ 13p ◆

07 **다음 (가), (나)는 호흡 운동의 원리를 나타낸 것이다. 이에 대한 설명으로 옳은 것은?**

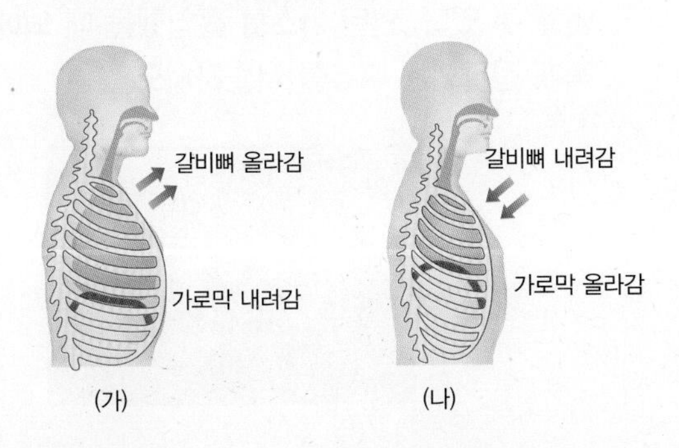

① (가)에서는 공기가 몸 밖으로 나온다.
② (가)의 가슴 속 부피가 줄어든다.
③ (나)에서는 공기가 폐 속으로 들어온다.
④ (가)는 들숨, (나)는 날숨이다.
⑤ (가)와 (나)는 폐의 운동으로 공기가 출입한다.

중요

08 **다음 그림은 호흡 운동의 원리를 알아보기 위한 실험을 나타낸 것이다. 이에 대한 설명으로 옳지 <u>않은</u> 것은?**

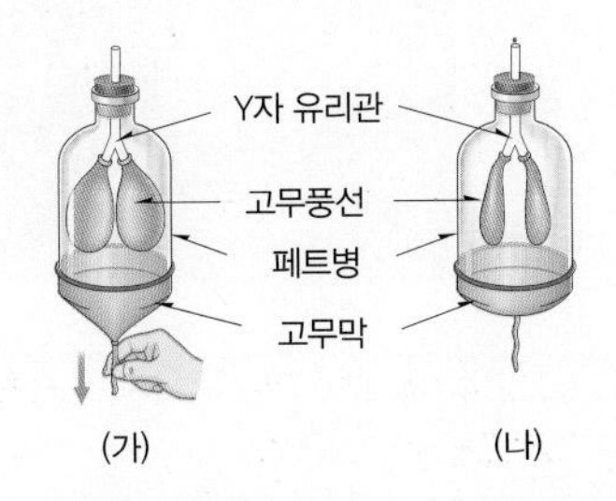

① (가)는 숨을 들이마실 때의 모습과 같다.
② (나)에서는 페트병의 크기가 줄어든다.
③ (가)에서 고무막을 당기면 공기가 고무풍선 안으로 들어온다.
④ (나)에서 고무막을 놓으면 고무풍선 안의 공기가 밖으로 나간다.
⑤ 위 실험에서 고무막은 가로막과 같은 역할로 볼 수 있다.

09 **폐포와 모세 혈관에서 일어나는 기체 교환의 원리로 옳은 것은?**

① 기체의 입자 운동
② 기체의 모세관 현상
③ 기체의 농도 차에 의한 확산
④ 기체의 압력 차에 의한 삼투
⑤ 기체의 입자 크기 차이에 의한 삼투

10 **다음 중 사람의 들숨과 날숨에 포함되어 있는 기체의 성분비에 대한 설명으로 옳지 <u>않은</u> 것은?**

① 들숨보다 날숨의 산소량이 작다.
② 들숨보다 날숨의 이산화 탄소량이 많다.
③ 들숨과 날숨의 질소량은 변화없다.
④ 날숨일 때는 이산화 탄소와 질소만 나온다.
⑤ 호흡 과정에서는 산소를 흡수하고 이산화 탄소를 방출한다.

11 **다음은 녹색의 BTB 용액에 입김과 공기를 불어 넣는 모습이다. 이에 대한 설명으로 옳은 것은?**

① 입김을 넣으면 BTB 용액이 황색이 된다.
② 스포이트로 공기를 넣으면 BTB 용액이 황색이 된다.
③ 입김을 불어 넣을 때 BTB 용액이 변하는 것은 산소 때문이다.
④ 스포이트로 공기를 넣을 때 색깔이 변하는 것은 공기 중의 이산화 탄소 때문이다.
⑤ 이 실험을 통해 들숨보다 날숨에 산소가 더 많이 포함되어 있음을 알 수 있다.

정답 ◆ 14p ◆

01 우리 몸의 폐를 이루는 폐포는 표면적이 넓어서 기체 교환에 유리하다. 우리 주위에서 표면적을 넓혀서 사용하는 경우를 2가지 서술하시오.

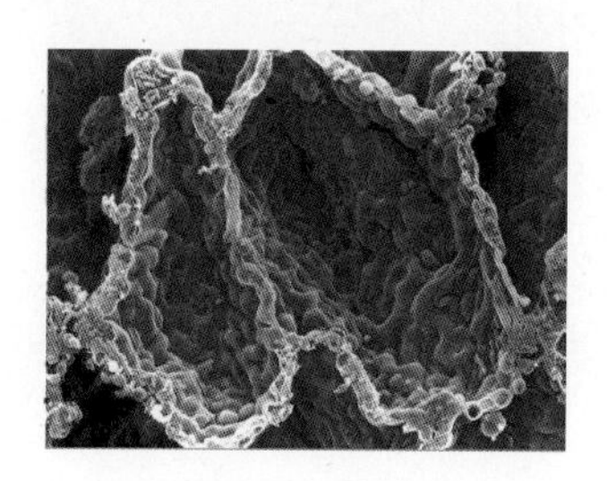

02 다음은 공기 중의 산소 농도와 이산화 탄소 농도에 따른 호흡수를 나타낸 것이다. 호흡 수를 결정하는 요인을 쓰고, 그렇게 생각한 이유를 서술하시오.

산소 농도(%)	이산화 탄소 농도(%)	호흡 수
21	0.03	20
92	8	30
100	0.03	18
21	8	30

03 연탄을 연소시킬 때 발생하는 연탄 가스를 흡입하면 뇌로 전달되는 산소의 양이 줄어 들어 생명에 위협을 받을 수 있다. 연탄 가스를 흡입했을 때 뇌에 산소가 적게 전달되는 이유를 서술하시오.

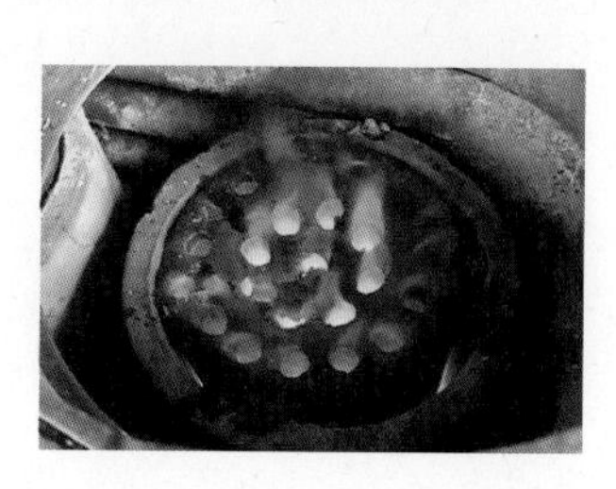

04 과식하면 배가 불러서 숨쉴 때 힘든 경우가 있다. 과식을 하면 호흡이 힘들어지는 이유를 서술하시오.

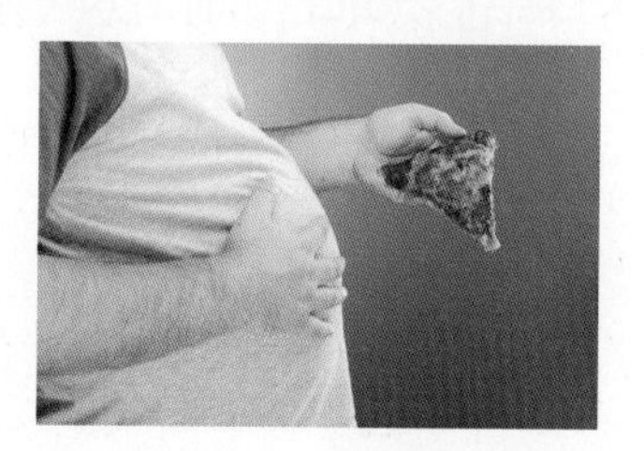

STEAM 수험생에게 엿을 주는 이유

매해 수능이 치러질 때마다 합격을 기원하는 음식을 많이 선물한다. 많은 음식 중에서도 엿을 주는 이유는 무엇일까? 엿은 찰싹 붙으라는 의미를 가지고 있기도 하지만, 실제로 두뇌에도 긍정적인 영향을 미친다. 조선시대 왕들은 새벽에 눈뜨자마자 이부자리 속에서 조청(물엿) 두 숟가락을 먹고 학습을 시작했다는 기록이 있다. 왕뿐만 아니라 일반 양인들 역시 중요한 시험을 앞두고 엿을 먹었다고 한다.

엿은 곡류나 감자류 등의 전분으로 만든다. 먼저 전분에 물을 넣고 가열하여 호화시키고, 당화 효소나 당화제를 넣어 당화시킨 후 농축하거나 정제해서 만든다. 고려시대 기록에 따르면 그 당시에도 곡류를 기름에 튀기고 꿀이나 엿을 사용하여 만든 과자류가 있었다고 하니, 엿은 이미 그 이전부터 사용된 것으로 보인다.

* 호화(糊化) : 전분을 물에서 가열하거나 알칼리 용액과 섞었을 때 팽창되어 점도가 높은 풀로 변하는 과정이다. 전분 식품을 가열하여 호화시켜 먹는 것은 소화가 잘 되기 때문이다.
* 당화(糖化) : 아무 맛도 없는 다당류가 산 또는 효소에 의해 분해되어 단맛이 있는 당으로 변하는 과정이다.

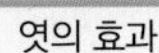
엿의 효과

엿

조청

01 조선시대 왕이 학습하기 전이나 일반 양인들이 중요한 시험을 앞두고 엿을 먹은 이유는 엿이 두뇌에 긍정적인 영향을 미치기 때문이다. 엿이 두뇌에 미치는 긍정적인 영향을 서술하시오.

02 시험을 준비하는 학생들에게 엿뿐만 아니라 찹쌀떡을 선물하기도 한다. 하지만 찹쌀떡을 전하는 풍습은 우리나라가 아닌 일본에서 시작된 것이다. 끈끈하고 찰진 성질로 합격을 기원하는 것은 엿과 비슷하지만, 실제 수험생에게는 찹쌀떡보다는 엿이 더 효과적이라고 한다. 소화 과정을 바탕으로 수험생에게 찹쌀떡보다 엿이 더 효과적인 이유를 서술하시오.

콩팥과 땀샘을 통한

10 노폐물의 배설, 기관계의 상호 작용

A 영양소의 분해와 노폐물의 생성

1 배설 : 세포 호흡 결과 생성된 노폐물을 몸 밖으로 내보내는 과정

2 노폐물의 생성

① 탄수화물+산소 → 에너지+이산화 탄소+물

② 지방+산소 → 에너지+이산화 탄소+물

③ 단백질+산소 → 에너지+이산화 탄소+물+ ⓐ ______

3 노폐물의 배설 방법

① 물 : 몸속에서 다시 사용되거나 날숨, 오줌, 땀을 통해 배설

② 이산화 탄소 : 날숨을 통해 배설

③ 암모니아 : 독성이 강하므로 간에서 독성이 약한 ⓑ ______ 로 전환된 후 오줌과 땀을 통해 배설

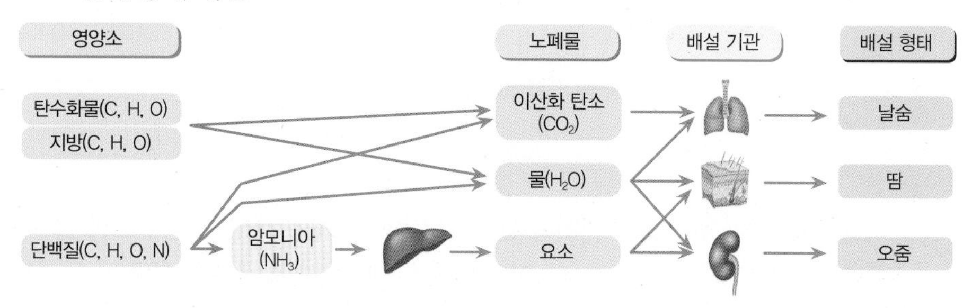

플러스 노트

● **배설과 배출**

* **배설** : 몸속으로 흡수된 영양소의 분해 과정에서 만들어진 노폐물을 몸 밖으로 내보내는 과정
* **배출** : 음식물이 소화관을 따라 내려갈 때 흡수되지 못한 찌꺼기가 항문을 통해 나오는 것

● **간의 기능**

* **해독 작용** : 암모니아, 알코올, 약물 등의 독성 물질 해독
* **쓸개즙 생성**

B 배설 기관의 구조와 기능

1 배설 기관 : 혈액 속의 노폐물을 걸러서 오줌을 생성하고 배설하는 기능을 담당하는 기관

2 배설 기관의 구조와 특징

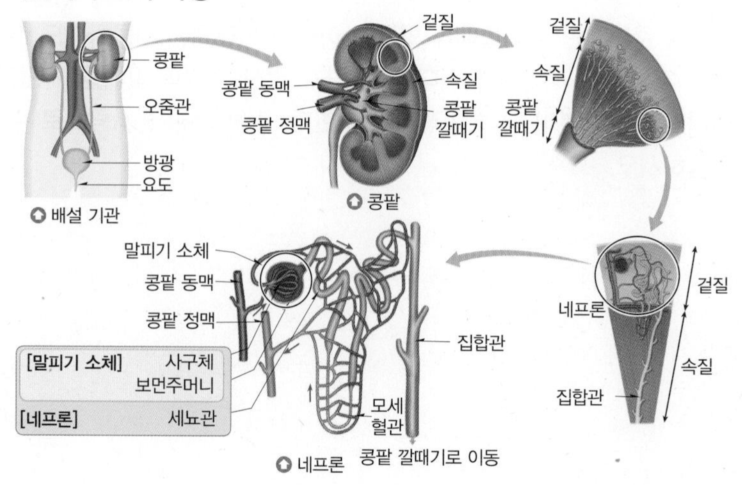

○ 배설 기관

○ 콩팥

○ 네프론

용어풀이

요소(오줌 尿, 바탕 素) : 주로 포유류의 오줌 속에 있는 질소 화합물로, 암모니아보다 독성이 적다.

ⓐ 암모니아 ⓑ 요소

<table>
<tr><th>기관</th><th colspan="3">특징</th></tr>
<tr><td>콩팥 동맥
콩팥 정맥</td><td colspan="3">노폐물이 많은 혈액이 콩팥 동맥을 통해 콩팥으로 들어감
→ 콩팥에서 노폐물이 걸러져 오줌이 만들어짐
→ 노폐물이 적은 혈액이 콩팥 정맥을 통해 나옴</td></tr>
<tr><td rowspan="4">콩팥</td><td colspan="3">• 혈액에서 노폐물을 걸러 오줌을 만드는 기관
• 콩팥 1개당 약 100만 개 정도의 네프론이 존재함</td></tr>
<tr><td>ⓐ</td><td>• 콩팥의 바깥쪽 부분
• 보먼주머니와 사구체가 분포하며 세뇨관 일부가 분포함</td><td rowspan="2">오줌이 생성되는 곳</td></tr>
<tr><td>ⓑ</td><td>• 콩팥의 안쪽 부분
• 세뇨관 분포</td></tr>
<tr><td>콩팥 깔때기</td><td colspan="2">• 콩팥 안쪽 공간
• 생성된 오줌을 잠시 모아두고 오줌관으로 보내는 통로</td></tr>
<tr><td>ⓒ</td><td colspan="3">콩팥에서 만들어진 오줌을 방광으로 내보내는 긴 관</td></tr>
<tr><td>ⓓ</td><td colspan="3">콩팥에서 만들어진 오줌을 몸 밖으로 내보내기 전에 저장하는 장소</td></tr>
<tr><td>요도</td><td colspan="3">방광에 모인 오줌을 몸 밖으로 내보내는 통로</td></tr>
</table>

[네프론]

콩팥에서 오줌을 생성하는 기능적 단위로 사구체, 보먼주머니, 세뇨관으로 구성된다.

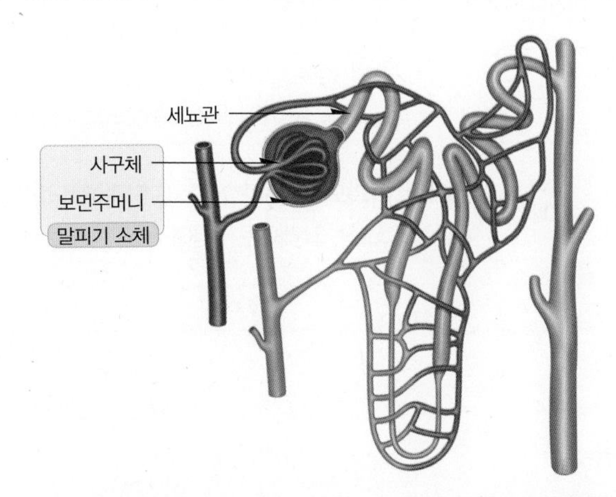

① ⓔ ______ : 실타래처럼 뭉쳐진 모세 혈관 덩어리로 혈액을 걸러준다.

② ⓕ ______ : 사구체를 둘러싸고 있는 주머니로 사구체에서 걸러진 용액이 이동하여 오줌이 만들어진다.

③ ⓖ ______ : 보먼주머니에서 연결되어 길게 나온 관으로 모세 혈관으로 둘러싸여 있다. (세뇨관과 모세 혈관 사이에 물질 교환이 일어난다.)

* 사구체와 보먼주머니를 합쳐서 ⓗ ______ 라고 한다.

플러스 노트

● **콩팥**

강낭콩 모양으로, 가로막 아래 등쪽에 한 쌍이 존재하며 길이 10 cm, 너비 5 cm, 두께 3 cm 정도이다. 콩의 생김새와 팥의 색을 띠고 있어 콩팥이라고 한다. 콩팥은 한 쌍으로 이루어져 있지만, 하나만 있어도 생명 유지에 큰 문제가 되지 않는다. 이때는 콩팥 하나가 둘이 하던 기능을 담당하도록 적응하므로 콩팥의 기능이 향상된다.

용어풀이

사구체(실 絲, 구슬 球, 모양 體) : 콩팥의 겉질에 있는 가는 모세 혈관이 실타래처럼 엉켜서 공 모양을 이룬 작은 조직체

세뇨관(가늘 細, 오줌 尿, 대롱 管) : 콩팥 속에 있는 혈액에서 나오는 여과액을 모으는 작은 관

ⓐ 겉질 ⓑ 속질 ⓒ 오줌관
ⓓ 방광 ⓔ 사구체
ⓕ 보먼주머니 ⓖ 세뇨관
ⓗ 말피기 소체

플러스 노트

● **여과의 원리**

* 사구체로 들어가는 혈관이 나오는 혈관보다 굵어 사구체 내부는 혈압이 높다.

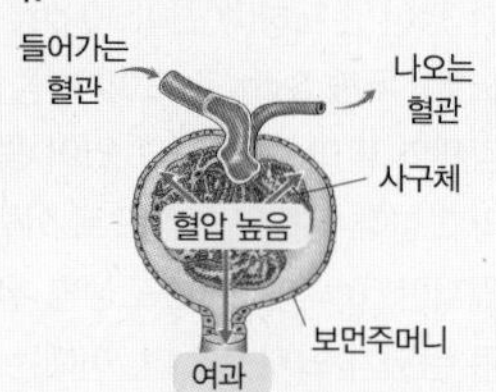

* 사구체에서는 콩팥 동맥으로 들어온 혈액의 약 10 %만 여과되므로 콩팥 정맥의 혈액에도 노폐물의 일부가 포함되어 있다.

● **오줌, 콩팥 동맥, 콩팥 정맥 속 요소의 농도**

여과액 속의 요소는 세뇨관을 지나는 동안 물과 함께 모세 혈관으로 재흡수(약 44 %)된다. 하지만 요소가 재흡수되는 비율보다 물이 재흡수되는 비율이 훨씬 높으므로 세뇨관을 지나는 동안 오줌 속 요소의 농도는 높아지고, 콩팥 동맥보다 콩팥 정맥 속 요소의 농도는 낮아진다.

용어풀이

여과(거를 濾, 지날 過) : 사구체에서 보먼주머니로 혈액 속의 물질 중 일부가 걸러지는 현상

재흡수(다시 再, 마실 吸, 거둘 收) : 세뇨관에서 모세 혈관으로 포도당과 아미노산 등이 다시 흡수되는 현상

ⓐ 작은 ⓑ 포도당 ⓒ 아미노산
ⓓ 사구체 ⓔ 보먼주머니
ⓕ 세뇨관

C 오줌의 생성과 배설 과정

1 오줌의 생성 과정

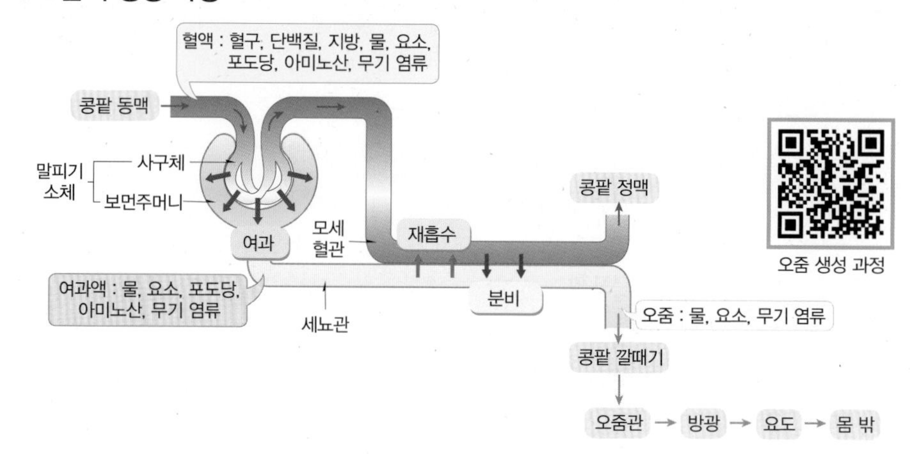

구분	이동 경로	이동 물질	특징
여과	사구체 ↓ 보먼주머니	물, 요소, 포도당, 아미노산, 무기 염류 등	• 사구체의 높은 혈압에 의해 크기가 ⓐ ______ 물질들이 보먼주머니로 여과된다. • 단백질, 지방, 혈구와 같이 크기가 큰 물질은 여과되지 않는다. • 보먼주머니로 여과된 성분을 여과액이라고 한다.
재흡수	세뇨관 ↓ 모세 혈관	물, 포도당, 아미노산, 무기 염류, 요소 등	• 여과액 중 우리 몸에 필요한 영양소가 다시 모세 혈관으로 흡수된다. • ⓑ ______, ⓒ ______ : 100 % 재흡수된다. • 물, 무기 염류 : 필요한 양만큼 재흡수된다. • 요소 : 농도 차이에 의한 확산으로 재흡수된다.
분비	모세 혈관 ↓ 세뇨관	노폐물	미처 여과되지 못하고 모세 혈관에 남아 있던 노폐물(요소, 요산, 크레아틴 등)이 세뇨관으로 분비된다.

2 오줌의 배설 경로

콩팥 동맥 → ⓓ ______ → ⓔ ______ → ⓕ ______ → 콩팥 깔때기 → 오줌관 → 방광 → 요도 → 몸 밖

[혈액의 이동 경로와 오줌의 배설 경로]

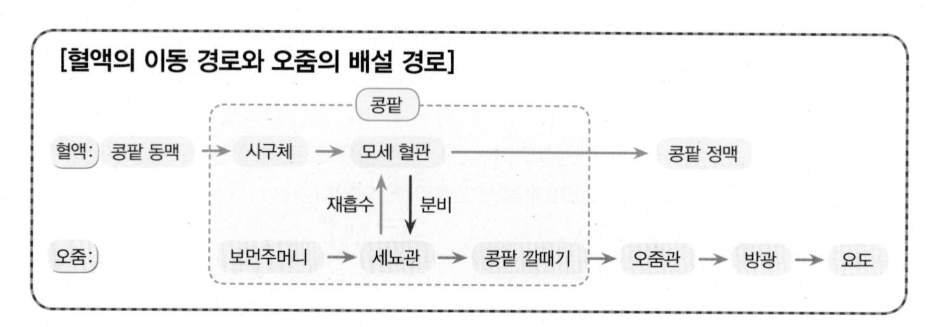

3 배설의 의의

① ⓐ ________ 제거 : 혈액 속의 노폐물을 걸러내어 몸 밖으로 내보낸다.

② ⓑ ________ 유지 : 오줌으로 여분의 물을 내보내어 체내 수분량을 일정하게 유지한다.

상황	체내 수분량	체액의 농도	물의 재흡수	오줌량
물을 많이 마심	많아짐	낮아짐	감소	많아짐
땀을 많이 흘림	적어짐	높아짐	증가	적어짐

D 기관계의 상호 작용

1 소화 · 순환 · 호흡 · 배설의 통합적 관계

소화	순환	호흡	배설
섭취한 영양소를 잘게 분해하고 소장의 융털에서 흡수한다.	조직세포에 영양소와 산소를 공급하고, 이산화 탄소와 노폐물을 운반한다.	호흡 운동으로 산소를 얻고 세포 호흡으로 에너지와 노폐물을 생성한다.	세포 호흡을 통해 생성된 노폐물을 걸러내어 몸 밖으로 내보낸다.

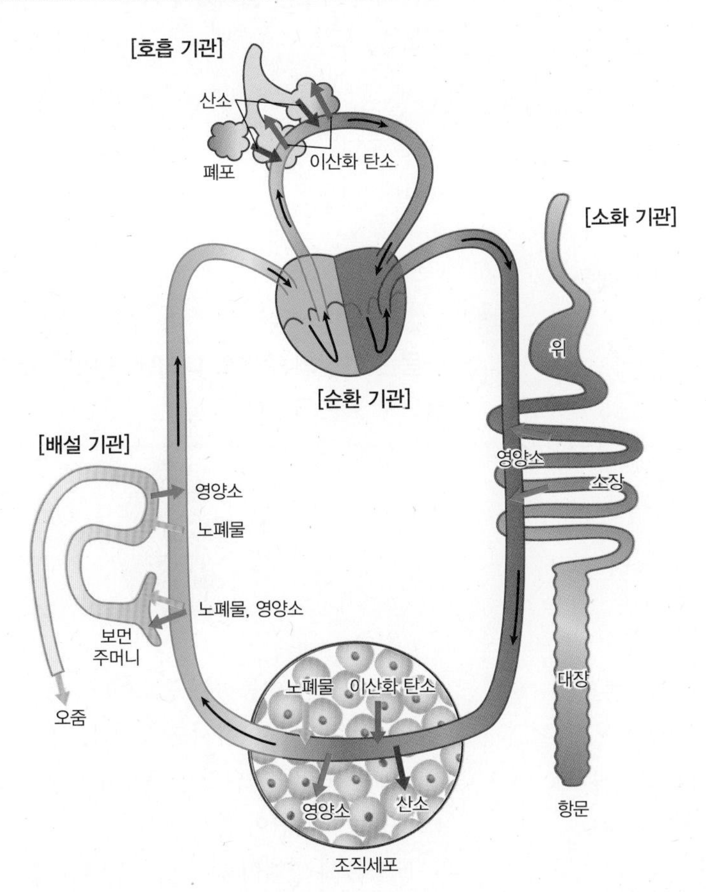

플러스 노트

● **혈액 투석(인공 콩팥)**
콩팥이 제 기능을 못해 체내의 노폐물이 배설되지 않으면 인공 콩팥을 사용한다. 인공 콩팥은 혈액 투석기를 이용하여 외부에서 환자의 혈액 속의 노폐물을 걸러낸다.

용어풀이

항상성(항상 恒, 항상 常, 성질 性) : 주변 환경이 변해도 몸 상태를 일정하게 유지하려는 성질

ⓐ 노폐물 ⓑ 항상성

Ⅲ 동물과 에너지

01 다음 중 배설에 대한 설명으로 옳은 것은?

① 세포 호흡의 결과로 물, 산소, 암모니아 등의 노폐물이 생성된다.
② 소장 안의 노폐물을 걸러 몸 밖으로 내보내는 과정이다.
③ 배설을 통해 노폐물을 걸러낼 뿐만 아니라 체내 수분량을 일정하게 조절한다.
④ 소화되고 남은 찌꺼기를 항문을 통해 내보내는 과정이다.
⑤ 암모니아, 알코올 등 독성 물질을 해독한다.

02 다음 중 3대 영양소의 분해 과정 중에서 공통적으로 생성되는 노폐물을 모두 고르시오.

① 물　　② 산소
③ 포도당　　④ 암모니아
⑤ 이산화 탄소

중요
03 다음 그림은 배설 기관을 나타낸 것이다. 이에 대한 설명으로 옳지 않은 것은?

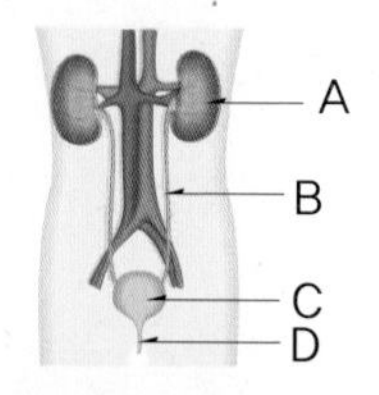

① A는 콩팥으로 요소를 만든다.
② A는 오줌이 생성되는 곳이다.
③ B는 오줌관으로 오줌이 방광으로 이동하는 통로이다.
④ C는 방광으로 오줌을 잠시 저장하는 주머니이다.
⑤ D는 요도로 방광에 모인 오줌을 몸 밖으로 내보내는 통로이다.

04 다음은 암모니아에 대한 설명이다. 빈칸 안에 알맞은 말을 순서대로 고른 것은?

> (㉠)의 분해 결과 만들어진 암모니아는 독성이 강하여 (㉡)에서 독성이 약한 (㉢)로 전환된 후 오줌과 땀을 통해 배설된다.

	㉠	㉡	㉢
①	탄수화물	간	알코올
②	탄수화물	콩팥	요소
③	단백질	간	요소
④	단백질	콩팥	알코올
⑤	지방	콩팥	알코올

05 다음 중 사람의 배설 기관인 콩팥에 들어가는 혈액과 콩팥에서 나오는 혈액에서 가장 차이가 많이 나는 성분은?

① 물　　② 요소
③ 포도당　　④ 아미노산
⑤ 바이타민

06 다음은 콩팥의 구조를 나타낸 것이다. 이에 대한 설명으로 옳은 것은?

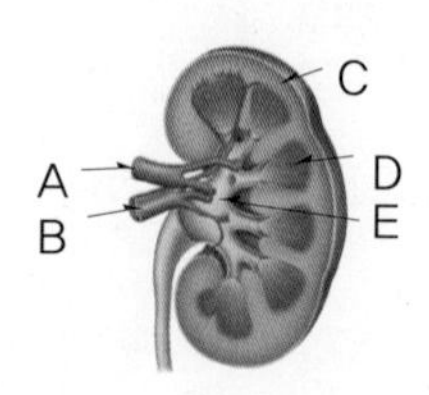

① A는 오줌이 이동하는 통로이다.
② B에서는 오줌이 잠시 저장된다.
③ C에는 보먼주머니와 사구체가 분포한다.
④ D에는 오줌관이 분포한다.
⑤ E를 통해 혈액이 콩팥으로 들어간다.

07 다음 그림은 콩팥의 일부분을 나타낸 것이다. 이에 대한 설명으로 옳은 것은?

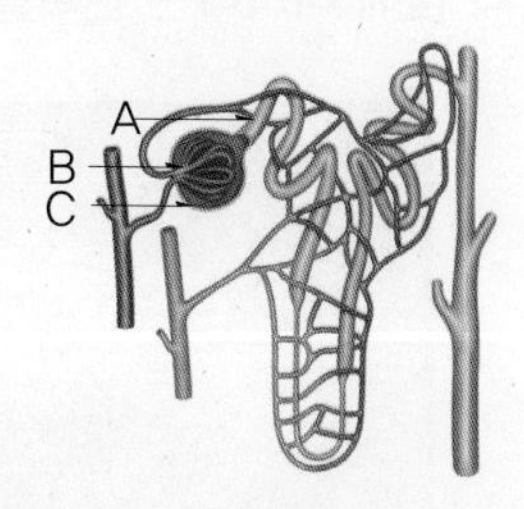

① A는 모세 혈관이 실타래처럼 뭉쳐 있다.
② B는 C와 물질 교환이 일어난다.
③ B는 보먼주머니로 C에서 걸러진 용액이 이동한다.
④ B와 C를 합쳐서 말피기 소체라고 한다.
⑤ A와 B를 합쳐서 네프론이라고 한다.

[08~10] 다음 그림은 오줌의 생성과 배설 과정을 간단히 나타낸 것이다. 물음에 답하시오.

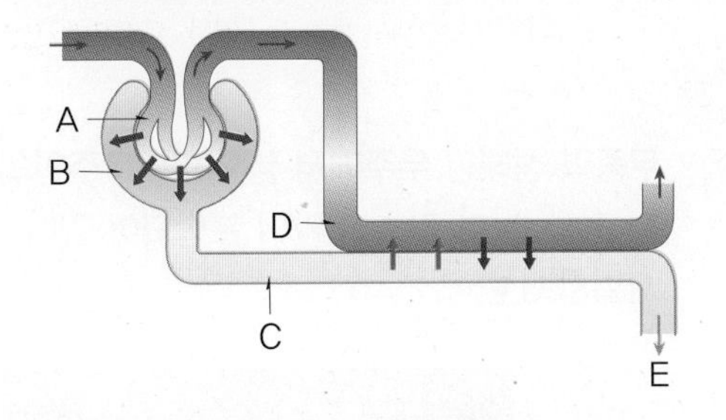

중요

08 위 그림에 대한 설명으로 옳지 않은 것은?

① 요소의 농도가 가장 낮은 곳은 E이다.
② 여과되지 못한 노폐물은 D에서 C로 이동한다.
③ 정상적인 경우 백혈구와 적혈구는 C에서 검출되지 않는다.
④ A에서 B로 물질이 걸러지는 과정을 여과라고 한다.
⑤ 정상적인 경우 E에서는 포도당이 검출되지 않는다.

09 다음 중 B에서는 검출되지만 E에서는 검출되지 않는 물질을 모두 고르시오.

① 요소 ② 포도당
③ 적혈구 ④ 바이타민
⑤ 아미노산

10 다음 설명에 해당하는 과정으로 옳은 것은?

• 입자가 걸러지는 원리가 체와 유사하다.
• 높은 혈압에 의해서 작은 입자들이 빠져 나온다.

① A → B : 분비 ② A → B : 여과
③ C → D : 재흡수 ④ D → C : 분비
⑤ D → E : 여과

11 다음 중 짠 음식을 먹고 난 후 우리 몸에서 일어나는 변화로 옳은 것은?

① 배설되는 오줌의 양이 늘어난다.
② 혈액 순환이 빨라진다.
③ 호흡이 점점 빨라진다.
④ 콩팥에서 물을 더 많이 재흡수한다.
⑤ 오줌에서 요소의 양이 평소보다 증가한다.

12 다음 중 소화, 순환, 호흡, 배설의 통합적 관계에 대한 설명으로 옳은 것은?

① 소화를 통해 영양소와 산소를 조직세포에 공급한다.
② 호흡을 통해 생긴 이산화 탄소는 콩팥에서 몸 밖으로 빠져 나간다.
③ 폐를 이루는 융털에서 산소와 이산화 탄소의 기체 교환이 일어난다.
④ 소화로 흡수한 영양소와 호흡으로 얻은 산소를 순환을 통해 온몸의 조직세포에 공급한다.
⑤ 소화, 순환, 호흡, 배설 중 하나가 잘못되어도 통합 관계에 의해 보완 가능하다.

서술형으로 다지기

정답 ◆ 15p ◆

01 예전에는 오줌을 모아서 농작물의 거름으로 사용하였다. 사람의 몸에서 나온 오줌을 식물의 거름으로 사용할 수 있는 이유를 서술하시오.

02 축구나 농구 등 땀을 많이 흘리는 운동을 하면 오줌의 양이 줄어든다. 땀을 많이 흘리면 오줌량이 줄어드는 이유를 콩팥의 작용과 관련지어 서술하시오.

03 배가 침몰하여 바다에서 표류하게 되면 갈증이 나더라도 바닷물을 마시지 말아야 한다. 만약 바닷물을 마셨을 때 몸에 나타나는 변화를 서술하시오.

논술형

04 무중력 상태인 우주에서 생활하는 우주인의 오줌에는 지구에서보다 칼슘이 많이 포함되어 있다. 그 이유를 서술하시오.

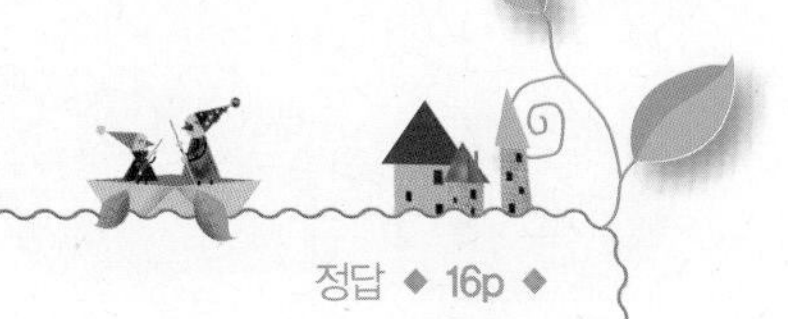

융합사고력 키우기

정답 ◆ 16p ◆

STEAM 라면을 먹으며 건강을 챙기려면

라면을 먹는 것이 건강에 도움이 되지 않는다는 사실을 모르는 사람은 없지만, 이를 끊기란 쉽지 않다. 세계라면협회 조사 결과, 우리나라는 세계에서 가장 라면을 많이 먹는 나라로 선정되었는데, 그 양은 1인당 1년에 84개에 달한다.

짧은 시간에 간단히 먹을 수 있어 매 끼니를 라면으로 먹는 경우도 있지만, 이는 건강에 매우 해롭다. 라면은 열량은 높지만 영양은 낮으므로 건강을 지키는 데 부족함이 많기 때문이다.

짠 음식에 들어 있는 나트륨 성분은 몸속의 칼슘 배출을 촉진해 골다공증의 위험을 높이고, 고혈압, 비만, 동맥경화증 등 성인병을 유발한다. 세계보건기구가 권장하는 하루 나트륨 섭취 최대 기준량은 성인 기준으로 1일 2,000 mg이다. 하지만 우리나라 성인의 하루 평균 나트륨 섭취량은 3,871 mg으로 약 2배에 가깝다. 보통 라면 한 개에 나트륨이 일일권장량의 90 % 가량이 들어 있다. 게다가 김치와 먹으면 맛은 좋겠지만, 나트륨 섭취량은 하루치 이상을 거뜬히 넘는다.

라면 국물에 나트륨이 많이 포함되어 있으므로 가급적 라면 국물은 먹지 않는 것이 좋다. 라면 국물에 밥을 말아 먹거나 라면과 김치를 함께 먹는 경우가 많은데 이 역시 좋은 방법이 아니다. 밥을 말아 먹으면 자연스럽게 국물 섭취량이 늘기 마련이고 짠 라면에 짠 김치를 먹는다면 건강에 해로울 수밖에 없다. 한 끼를 라면으로 먹었다면 다른 한 끼는 면 종류를 피하는 것이 좋고, 가급적 식사 후에 간식으로 우유나 멸치 등을 섭취하는 것이 좋다. 또한, 양파나 파를 많이 먹으면 소변을 통해 나트륨을 배출하게 하므로 짠 음식으로 인해 혈압이 오르는 등의 피해를 줄일 수 있다.

라면

01 

라면을 먹는 사람의 가장 큰 문제는 지나친 나트륨 섭취이다. 라면을 꼭 먹어야 한다면 어떻게 해서 먹어야 건강을 지키는 데 도움이 될지 서술하시오.

논술형

02 콩팥은 혈액 내 노폐물을 제거하는 일뿐만 아니라, 체내 수분량을 조절하고, 나트륨, 칼슘, 인과 같은 무기 염류와 영양 물질의 균형을 유지하는 중요한 기관이다. 콩팥이 정상일 때는 식사에서 초과된 나트륨이나 칼륨이 소변으로 배설되지만, 콩팥 기능이 떨어진 만성콩팥질환 환자는 초과된 나트륨, 칼륨, 물을 배설하지 못한다. 만성콩팥질환 환자가 나트륨이 많이 함유된 라면을 자주 먹는다면 어떻게 될지 서술하시오.

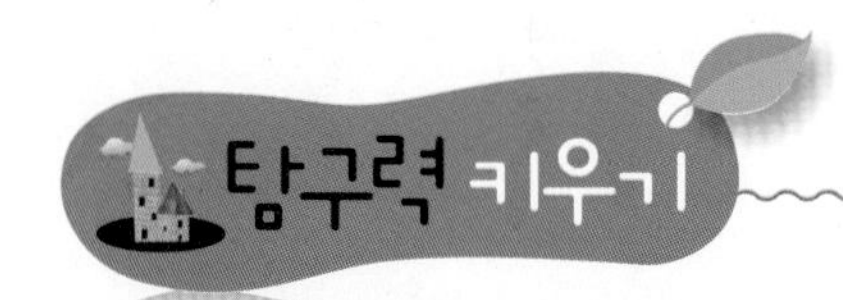

정답 ◆ 16p ◆

STEAM 녹말의 소화

녹말의 화학적 소화를 일으키는 물질을 알아보자.

[준비물] 녹말 가루, 물, 컵 4개, 소화제, 무, 강판, 포비돈 용액, 나무 젓가락, 큰 그릇, 따뜻한 물

실험

① 녹말 가루를 따뜻한 물에 녹여 녹말물을 만든다.
② 녹말물을 4개의 컵에 동일하게 나누어 담는다.
③ 녹말물이 든 4개의 컵에 포비돈 용액을 2~3방울 떨어뜨리고 골고루 섞어준다.
④ 컵 A에는 녹말물만 넣고, 컵 B에는 침을 5 mL 섞고, 컵 C에는 소화제를 넣고, 컵 D에는 강판에 간 무즙을 넣고 골고루 섞어준다. 알약으로 된 소화제를 사용할 경우 가루로 만들어서 사용한다.
⑤ 각 컵을 40 ℃ 정도의 따뜻한 물이 담긴 큰 그릇 안에 넣어둔다.
⑥ 2~3 시간이 지난 후 각 컵의 색을 비교한다.

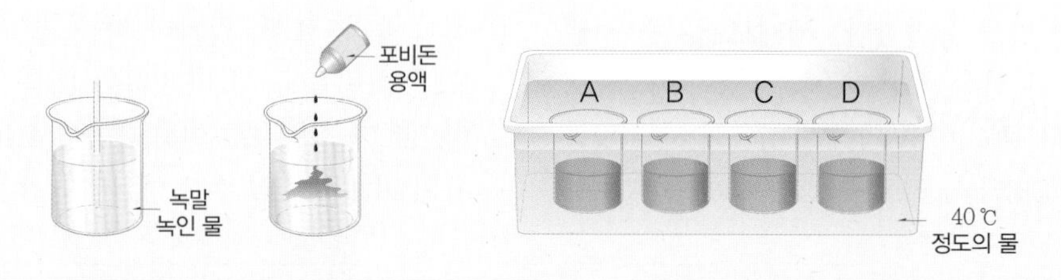

01 각 컵에서 일어나는 색 변화를 비교하시오.

구분	컵 A (녹말물)	컵 B (녹말물+침)	컵 C (녹말물+소화제)	컵 D (녹말물+무즙)
실험 전				
실험 후				

02 각 컵에서 변화가 생긴 이유를 서술하시오.

03 각 컵을 찬물에 담가놓으면 어떻게 될지 서술하시오.

04 먹다 남은 음식이 빨리 상하는 이유를 실험 결과를 바탕으로 서술하시오.

Ⅳ 자극과 반응

2015 개정 교육과정 교과서

중학교 1~3학년 군 : 3학년 4단원 자극과 반응

다른 학년과의 연계

5~6학년 군 : 우리 몸의 구조와 기능
생명과학 Ⅰ : 항상성과 몸의 조절

11

눈, 귀, 코, 혀, 피부

감각 기관

플러스 노트

● **눈이 2개인 이유**
일정한 간격으로 떨어진 두 눈이 하나의 물체를 각각 다른 각도에서 보고, 이 상들이 뇌에서 하나로 조합되어 거리감과 입체감을 느낀다. 물체와 눈이 이루는 각(광각)이 작을수록 물체가 멀리 있다고 느낀다.

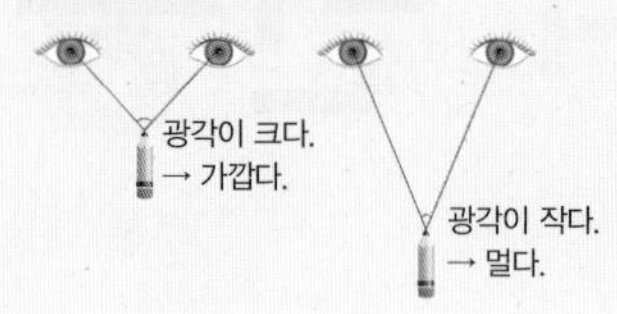

● **황반과 맹점**
* **황반** : 시각세포가 밀집되어 있어 상이 맺히면 가장 뚜렷하게 보인다.
* **맹점** : 시각 신경이 지나는 곳으로 시각세포가 없어 상이 맺혀도 보이지 않는다.

● **사진기와 눈의 구조 비교**

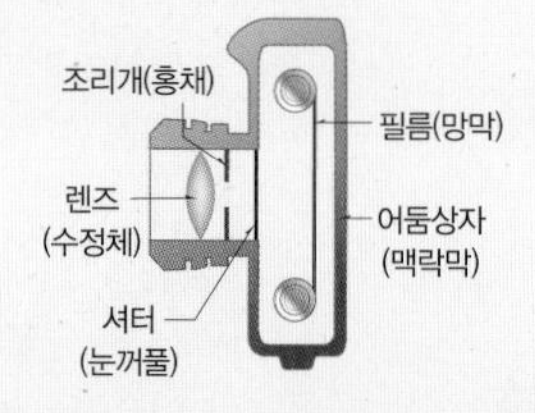

용어풀이

자극(찌를 刺, 창 戟) : 생물에 작용하여 어떤 반응을 일으키는 환경 변화

홍채(무지개 虹, 색 彩) : 각막과 수정체 사이에 있는 부분으로 눈으로 들어오는 빛의 양을 조절한다.

ⓐ 홍채 ⓑ 수정체 ⓒ 섬모체
ⓓ 망막 ⓔ 수정체 ⓕ 망막

A 감각 기관

1 자극 : 외부 환경 변화가 생물에 작용하여 특정한 반응을 일으키는 변화

2 감각 기관 : 자극을 받아들이는 기관 예 눈, 귀 ,코, 혀, 피부 등

B 눈의 구조와 기능

1 눈의 구조와 기능

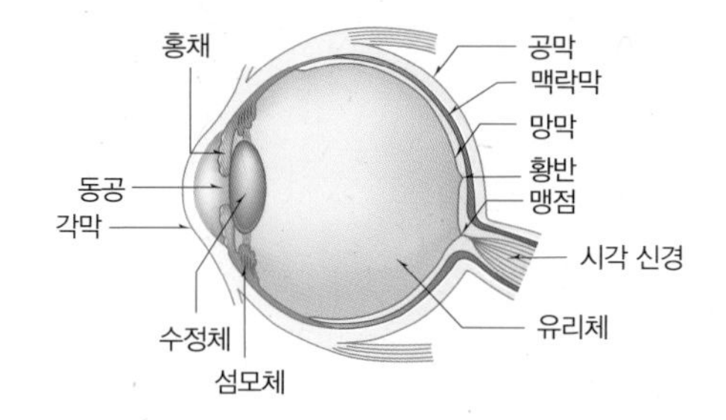

눈의 구조

각막	눈의 가장 앞쪽을 덮고 있는 얇고 투명한 막으로, 수정체를 보호한다.
동공	눈으로 빛이 들어오는 구멍이다.
ⓐ	동공의 크기를 조절하여 눈으로 들어오는 빛의 양을 조절한다.
ⓑ	볼록 렌즈와 같이 빛을 굴절시켜 망막에 정확히 상이 맺히도록 한다.
ⓒ	수정체의 두께를 조절한다.
유리체	눈 속을 채우는 투명한 젤리 상태의 액체로, 눈의 형태를 유지한다.
공막	흰자위에 해당하는 곳으로 안구를 둘러싸서 보호하며, 눈의 형태를 일정하게 유지한다.
맥락막	빛을 차단하는 검은색 색소(멜라닌)가 있어서 눈 속을 어둡게 한다.
ⓓ	상이 맺히는 곳으로, 시각세포가 있어서 빛을 자극으로 받아들인다.
시각 신경	시각세포에서 받아들인 자극을 대뇌로 전달한다.

2 시각의 성립 경로

빛 → 각막 → ⓔ ______ → 유리체 → 망막(시각세포) → 시각 신경 → 대뇌

3 눈과 사진기 비교

구분	빛의 차단	빛의 굴절	빛의 양 조절	상 맺힘	암실 기능
눈	눈꺼풀	수정체	홍채	ⓕ	맥락막
사진기	셔터	렌즈	조리개	필름	어둠상자

STEAM으로 배우자!

4 눈의 조절 작용

① 빛의 양 조절 : ⓐ ______ 에 의해 동공의 크기가 변하여 눈으로 들어오는 빛의 양을 조절한다.

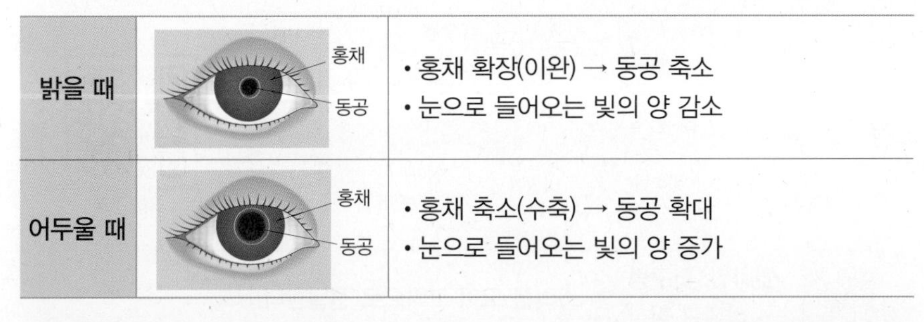

밝을 때	홍채, 동공	• 홍채 확장(이완) → 동공 축소 • 눈으로 들어오는 빛의 양 감소
어두울 때	홍채, 동공	• 홍채 축소(수축) → 동공 확대 • 눈으로 들어오는 빛의 양 증가

② 초점 조절 : ⓑ ______ 에 의해 수정체의 두께가 변하여 상이 망막에 정확히 맺히도록 조절한다.

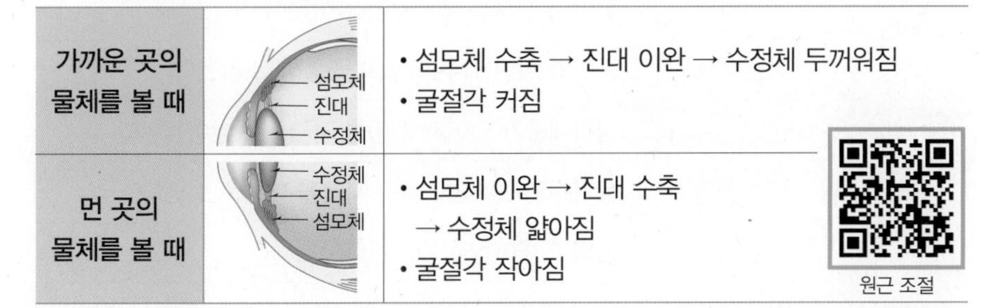

가까운 곳의 물체를 볼 때	섬모체, 진대, 수정체	• 섬모체 수축 → 진대 이완 → 수정체 두꺼워짐 • 굴절각 커짐
먼 곳의 물체를 볼 때	수정체, 진대, 섬모체	• 섬모체 이완 → 진대 수축 → 수정체 얇아짐 • 굴절각 작아짐

원근 조절

5 눈의 이상과 교정

구분	근시	원시
원인	• 수정체가 두꺼울 때 • 수정체와 망막 사이의 거리가 길 때	• 수정체가 얇을 때 • 수정체와 망막 사이의 거리가 짧을 때
증상	상이 망막 앞에 맺혀 먼 곳의 물체를 잘 볼 수 없다.	상이 망막 뒤에 맺혀 가까운 곳의 물체를 잘 볼 수 없다.
교정	ⓒ ______ 렌즈로 빛을 퍼트려서 교정한다. 오목렌즈	ⓓ ______ 렌즈로 빛을 모아서 교정한다. 볼록렌즈

플러스 노트

● **시력 교정 수술**

* **라식** : 각막 상피와 각막 실질 일부를 분리하여 각막 절편을 만들어 젖힌 후 각막 실질을 깎아 내어 시력을 교정하고 다시 각막 절편을 덮어준다.

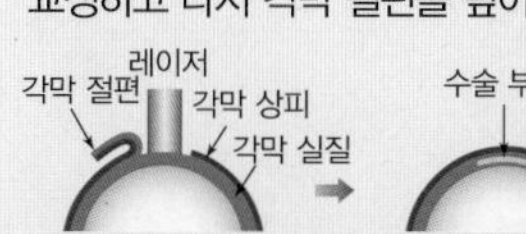

* **라섹** : 각막 절편을 만들지 않고 각막 상피만을 젖히고 각막 실질을 깎아 내어 시력을 교정한다. 각막 상피가 회복되는 데 3~4일 정도 걸리며 통증이 있다.

● **노인성 원시(노안)**

나이가 들면 수정체의 탄력이 떨어져 수정체의 두께가 잘 조절되지 않아 가까운 곳의 물체를 볼 때 망막 뒤쪽에 상이 맺히는 원시가 생긴다.

● **난시**

각막이 매끄럽지 않아 상이 여러 개로 겹쳐 보인다.

ⓐ 홍채 ⓑ 섬모체 ⓒ 오목
ⓓ 볼록

Ⅳ 자극과 반응

플러스 노트

● **나이와 청각**
나이가 들수록 청각세포가 손상되므로 높은 음의 소리부터 잘 듣지 못하게 된다.

● **평형 감각**
* **회전 감각(반고리관)** : 림프액이 들어 있는 3개의 반원 모양의 관이다. 몸이 회전하면 관성에 의한 림프액의 움직임으로 감각세포가 몸의 회전을 감지한다.
* **위치 감각(전정 기관)** : 감각세포 층 위에 이석이라는 작은 알갱이가 있다. 몸이 기울어지면 이석이 움직여 감각세포를 자극하므로 몸의 기울어짐을 감지한다.

● **붙이는 멀미약**
멀미는 눈에서 감지한 시각 정보와 귀에서 감지한 평형 감각 정보를 뇌가 받아들일 때 이들이 서로 일치하지 않으면 나타난다. 귀 밑에 붙이는 멀미약은 반고리관과 전정 기관을 마비시켜 평형 감각을 느끼지 못하도록 하므로 멀미가 나타나지 않는다.

ⓐ 고막 ⓑ 귓속뼈 ⓒ 달팽이관 ⓓ 고막 ⓔ 후각 상피

C 귀의 구조와 기능

1 귀의 구조와 기능

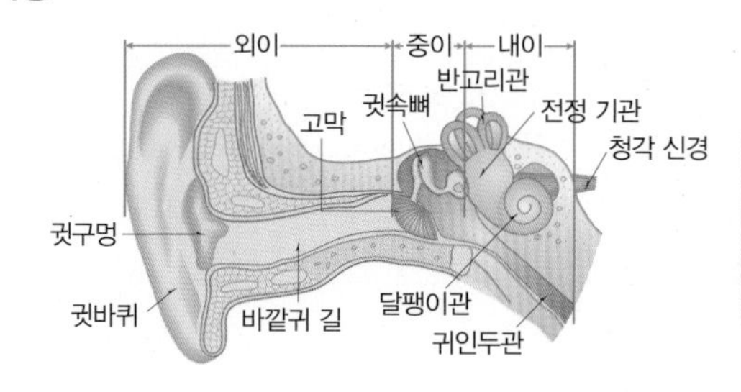

귀의 구조

겉귀 (외이)	귓바퀴, 귓구멍, 바깥귀 길	소리를 모아 고막으로 전달한다.
가운데귀 (중이)	ⓐ	소리에 의해 진동하는 얇은 막이다.
	ⓑ	고막의 진동을 증폭시키는 작은 뼈이다.
	귀인두관	중이와 외이(외부)의 압력을 같게 조절한다.
속귀 (내이)	ⓒ	청각세포가 있어서 진동을 자극으로 받아들인다.
	청각 신경	청각세포에서 받아들인 자극을 대뇌로 보낸다.
	전정 기관	몸의 기울어짐을 감지한다.
	반고리관	몸의 회전을 감지하며, 세 개의 고리가 서로 직각이다.

2 청각의 성립 경로

소리 → 귓구멍 → ⓓ ______ → 귓속뼈 → 달팽이관(청각세포) → 청각 신경 → 대뇌

D 코의 구조와 기능

1 코의 구조와 기능

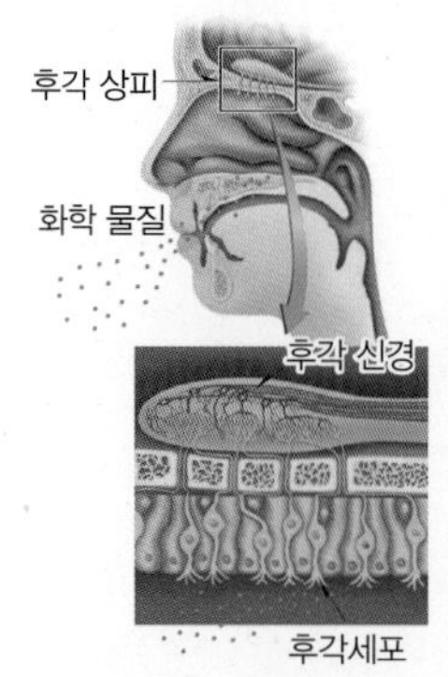

후각 상피	코 천장이 점액으로 덮여 있으며, 냄새를 감지하는 후각세포가 분포한다.
후각세포	• 기체 상태의 화학 물질을 자극으로 받아들인다. • 후각세포의 종류가 많기 때문에 다양한 냄새를 받아들일 수 있다. • 가장 예민하지만 쉽게 피로해져서 같은 냄새를 계속 맡으면 냄새에 둔해진다.
후각 신경	후각세포에서 받아들인 자극을 대뇌로 전달한다.

2 후각의 성립 경로

기체 상태의 화학 물질 → 콧속 → ⓔ ______ (후각세포) → 후각 신경 → 대뇌

E 혀의 구조와 기능

1 혀의 구조와 기능

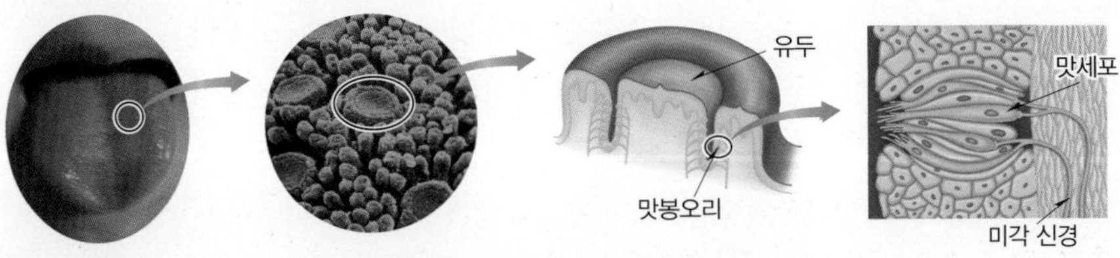

유두	혀의 표면에는 좁쌀 모양의 돌기가 나 있다.
맛봉오리	유두 옆면에 존재하며, 맛을 감지하는 맛세포가 분포한다.
맛세포	• 액체 상태의 화학 물질을 자극으로 받아들인다. • 맛세포는 종류에 따라 혀에 고르게 분포되어 있다. • 혀가 느끼는 기본 맛 : 단맛, 짠맛, 신맛, 쓴맛, 감칠맛
미각 신경	맛세포에서 받아들인 자극을 대뇌로 전달한다.

2 미각의 성립 경로

액체 상태의 화학 물질 → 유두 → ⓐ ________ (맛세포) → 미각 신경 → 대뇌

3 음식의 맛 : 혀를 통한 미각뿐만 아니라 코를 통한 후각이 함께 작용하여 느낀다.

F 피부의 구조와 기능

1 피부의 구조와 기능

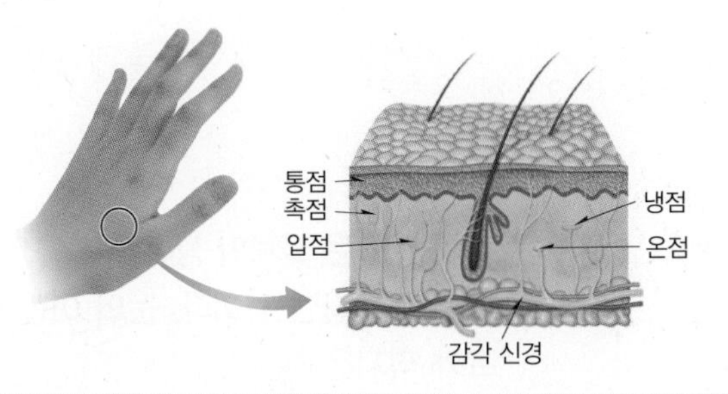

촉점	접촉하는 것을 느낀다. ➡ 촉각
압점	누르는 것을 느낀다. ➡ 압각
통점	아픔을 느낀다. ➡ 통각
냉점	낮은 온도로의 변화를 느낀다. ➡ 냉각
온점	높은 온도로의 변화를 느낀다. ➡ 온각

2 피부 감각의 성립 경로

자극 → 피부의 감각점(피부 감각세포) → 감각 신경 → 대뇌

플러스 노트

● **나이와 미각**
나이가 들수록 맛세포의 수가 감소하므로 미각이 둔해지고 맛을 잘 느끼지 못하게 된다.

● **감칠맛**
아미노산의 하나인 글루탐산의 맛으로, 고기나 치즈, MSG와 같은 조미료에서 느낄 수 있다.

● **미각이 아닌 맛**
매운맛과 떫은맛은 미각이 아니라 혀와 입속의 피부를 통해 느끼는 피부 감각이다. 매운맛은 통각이고, 떫은 맛은 압각이다.

● **감각점**
* 한 감각점에서는 한 가지 감각만 감지한다.
* 몸의 부위에 따라 분포하는 정도가 다르다.
* 감각점 중 통점이 가장 많다.
* 감각점이 많이 분포할수록 예민하여 작은 자극도 감지한다.
* 압각, 냉각, 온각은 자극의 정도가 심하면 통각으로 느낀다.
* 내장 기관에도 감각점이 분포한다.

정답 ⓐ 맛봉오리

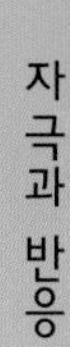
Ⅳ 자극과 반응

01 다음 그림은 눈의 구조를 나타낸 것이다. 이에 대한 설명으로 옳은 것은?

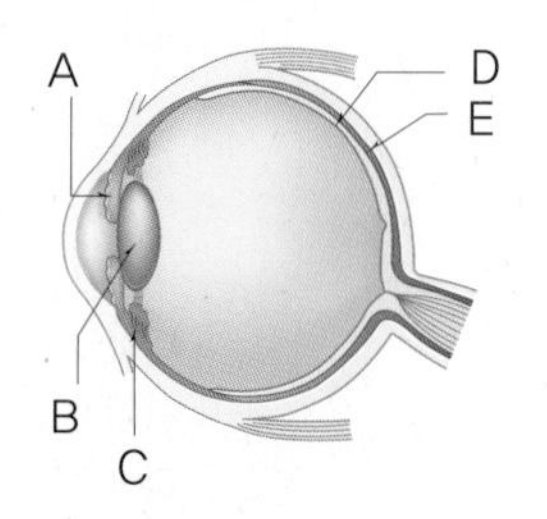

① A는 수정체의 두께를 조절한다.
② B는 눈의 가장 앞쪽을 덮고 있는 얇고 투명한 막이다.
③ C는 눈으로 들어오는 빛의 양을 조절한다.
④ D는 젤리 상태로 눈의 형태를 유지한다.
⑤ E는 빛을 차단하는 색소가 있어 눈 속을 어둡게 한다.

02 다음 그림은 수정체의 두께 변화를 나타낸 것이다. 이에 대한 설명으로 옳은 것은?

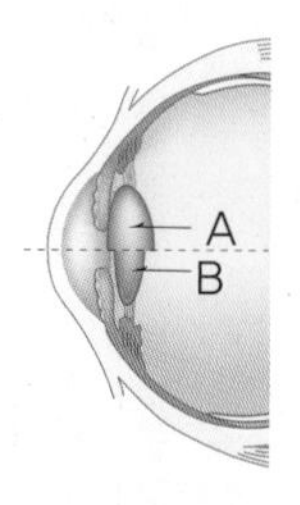

① A는 먼 곳, B는 가까운 곳을 볼 때이다.
② 수정체가 A에서 B로 변할 때 섬모체가 이완한다.
③ 수정체가 B에서 A로 변할 때 굴절각이 작아진다.
④ 수정체가 A에서 B로 변하면 빛의 양이 감소한다.
⑤ 수정체가 B에서 A로 변할 때 홍채가 수축한다.

03 다음 중 눈의 구조와 사진기의 구조를 비교했을 때 비슷한 기능을 하는 것끼리 잘못 짝지어진 것은?

① 렌즈 – 수정체 ② 홍채 – 조리개
③ 망막 – 광원 장치 ④ 눈꺼풀 – 셔터
⑤ 맥락막 – 어둠상자

04 다음 중 시각의 성립 경로를 바르게 연결한 것은?

① 각막 → 망막 → 수정체 → 유리체
② 각막 → 수정체 → 유리체 → 망막
③ 수정체 → 유리체 → 망막 → 각막
④ 수정체 → 각막 → 유리체 → 망막
⑤ 망막 → 각막 → 유리체 → 수정체

05 다음은 눈의 명암 조절 작용을 나타낸 그림이다. 이에 대한 설명으로 옳은 것은?

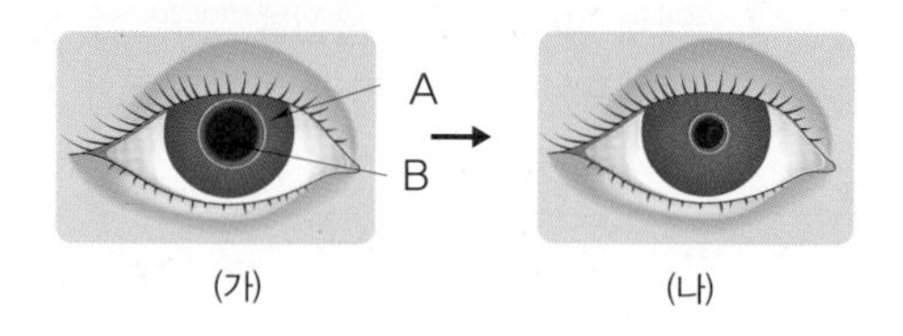

① A가 수축하면 B가 작아진다.
② A가 수축하면 눈으로 들어오는 빛의 양이 줄어든다.
③ 어두운 곳에서 밝은 곳으로 들어가면 (가)에서 (나)로 변한다.
④ 눈으로 들어오는 빛의 양이 적어지면 (가)에서 (나)로 변한다.
⑤ 가까운 곳의 물체를 볼 때 (나)에서 (가)로 변한다.

06 다음 그림은 물체의 상이 망막의 앞쪽에 맺히는 눈의 이상을 나타낸 것이다. 눈의 이상과 교정 렌즈를 바르게 짝지은 것은?

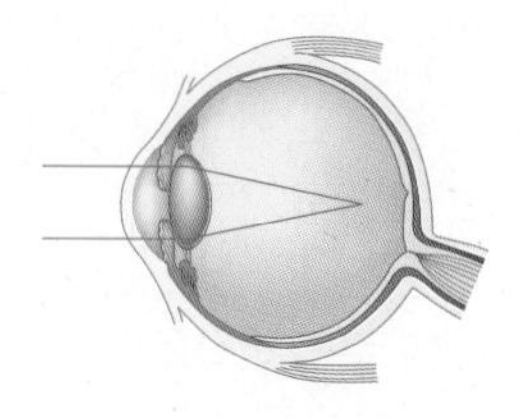

① 근시, 오목 렌즈 ② 근시, 볼록 렌즈
③ 원시, 오목 렌즈 ④ 원시, 볼록 렌즈
⑤ 난시, 오목 렌즈

[07~09] 다음 그림은 귀의 구조를 나타낸 것이다. 물음에 답하시오.

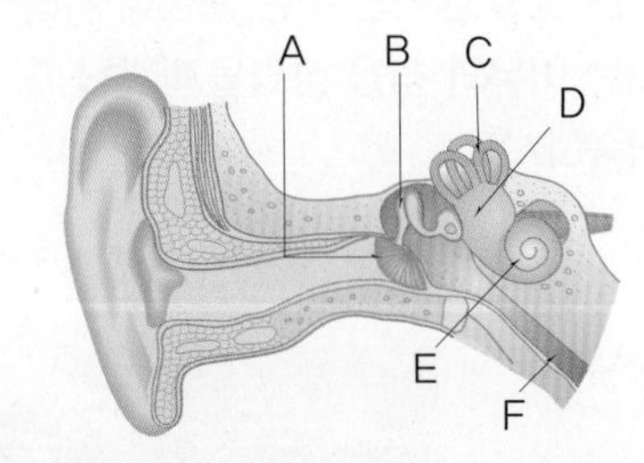

07 위 그림에 대한 설명으로 옳지 않은 것은?

① A는 소리에 의해 진동하는 얇은 막이다.
② B는 중이와 외이의 압력을 같게 하는 작은 뼈이다.
③ C는 몸의 회전을 감지하는 곳이다.
④ D는 몸의 기울어짐을 감지하는 곳이다.
⑤ E에는 청각세포가 있어 진동을 자극으로 받아들인다.

중요

08 다음 중 청각의 성립 경로를 순서대로 바르게 나열한 것은?

① A → B → E
② A → B → C → E
③ A → B → D → E
④ A → B → C → D → E
⑤ A → B → C → D → E → F

09 배를 타면 멀미가 심하게 나고 제자리에서 여러 바퀴 돌고 나면 계속 어지럽다. 이와 관련된 구조를 고른 것은?

① A, B ② B
③ C, D ④ E
⑤ F

중요

10 다음 그림은 코의 구조와 코 속의 천장 부분을 나타낸 것이다. A에 대한 설명으로 옳은 것은?

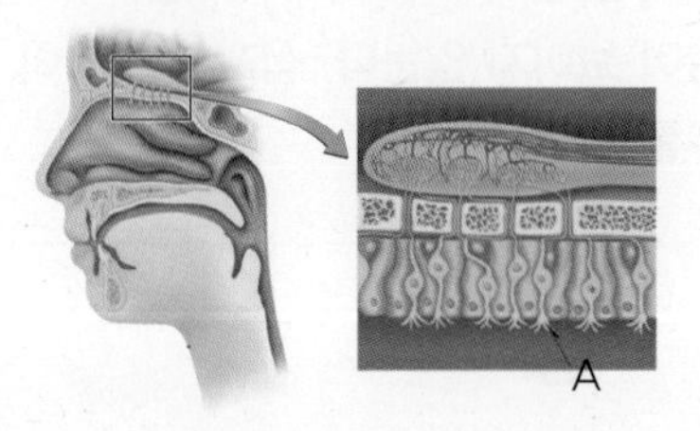

① 빛에 반응한다.
② 액체 상태의 화학 물질에 자극한다.
③ 쉽게 피로해져서 같은 냄새를 계속 맡으면 그 냄새에 둔해진다.
④ 5종류가 있어 각각 다른 냄새를 맡는다.
⑤ 미각세포로 쓴맛을 감지한다.

11 미각에 대한 설명으로 옳지 않은 것은?

① 맛세포에서 받아들인 자극은 대뇌로 전달된다.
② 맛세포가 모여 있는 곳은 미각 신경이다.
③ 단맛, 짠맛, 신맛, 쓴맛, 감칠맛을 기본적으로 느낄 수 있다.
④ 액체 상태의 화학 물질을 감지한다.
⑤ 음식의 맛은 미각뿐만 아니라 후각도 함께 작용하여 느낀다.

12 손끝이나 입술 등이 다른 부위에 비해 자극에 민감한 이유로 옳은 것은?

① 피부가 얇기 때문이다.
② 촉점이 피부 가까이에 있기 때문이다.
③ 감각점이 다른 부위보다 많기 때문이다.
④ 대뇌까지 이어진 감각 신경이 짧기 때문이다.
⑤ 통점이 촉점과 압점보다 많기 때문이다.

서술형으로 다지기

정답 ◆ 17p ◆

01 왼쪽 눈을 가린 다음 약 30 cm 거리에서 오른쪽 눈으로 동그라미를 본다. 이 상태에서 그림을 들고 천천히 얼굴쪽으로 가까이하면 어느 순간 십자가 모양이 보이지 않는다. 십자가 모양이 보이지 않는 이유를 서술하시오.

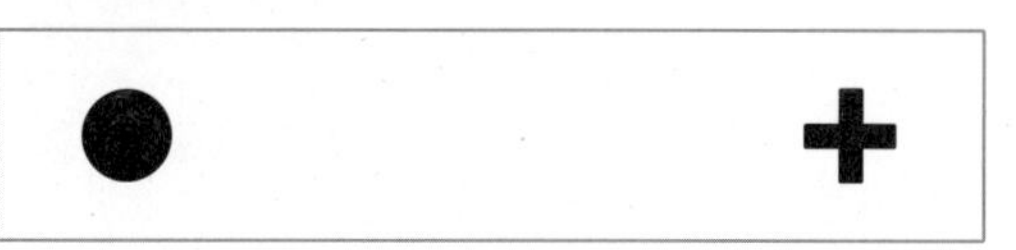

02 다음 그림은 피부에 있는 감각점을 나타낸 것이다. 우리는 피부에 있는 감각점에 의해 아픔을 느끼거나 차가움, 뜨거움 등을 느낀다. 그런데 위장이나 폐와 같은 내장 기관은 피부와 달리 통증을 거의 느끼지 못한다. 그 이유를 서술하시오.

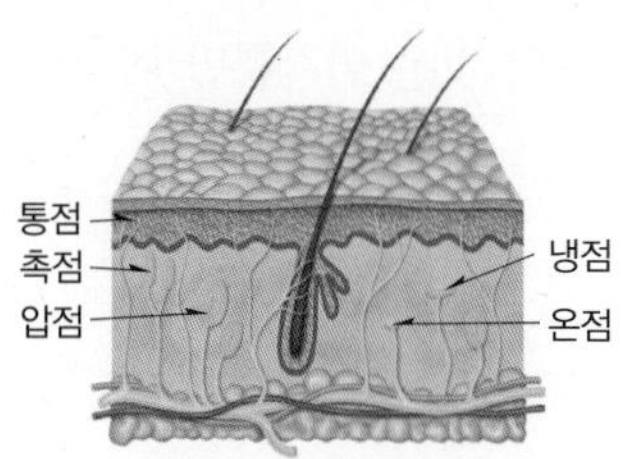

03 차를 타고 높은 산을 오를 때나 비행기가 이륙할 때 귀가 먹먹해진다. 이때 입을 크게 벌리거나 하품, 또는 침을 삼키면 이런 증상이 사라진다. 귀가 먹먹해지는 이유와 침을 삼켰을 때 증상이 사라지는 이유를 서술하시오.

논술형

04 청소년기에 안경을 쓰는 경우는 대부분 근시이기 때문이다. 근시는 성장기에 시력이 점점 나빠지므로 주기적으로 도수가 더 높은 안경으로 바꿔주어야 한다. 성장할수록 근시가 점점 심해지는 이유를 서술하시오.

정답 ◆ 18p ◆

STEAM 돼지가 돼지처럼 먹는 이유

돼지처럼 사람에게 봉사하면서도 업신여김을 당하는 동물도 없는 것 같다. 사람이 먹다 남긴 음식뿐만 아니라 과거에는 변소에서 변을 받아먹기도 했다. 좁은 우리에서 꼼짝 못 하게 만들어 놓고 "돼지처럼 게으르다."고 말하는가 하면 "돼지처럼 먹어댄다.", "돼지처럼 탐욕스럽다.", "돼지처럼 뚱뚱하다." 등 아무튼 좋은 얘기가 없다. 문학에서도 마찬가지다. 서유기의 저팔계는 사람 몸에 돼지머리가 달린 모습으로 식탐이 엄청나고 여자를 밝히는 데다 게으르고 심술궂다.

돼지를 비하하는 건 동양 문학만이 아니다. 조지 오웰의 '동물농장'은 혁명가가 권력을 잡으면 어떻게 독재자로 변해 가는지를 지도자인 돼지 나폴레옹을 통해 보여주고 있다.

그러나 돼지는 사람과 매우 밀접한 관계를 맺고 있는 동물이다. 일단 머리끝부터 발끝까지 버리는 부분이 없다.

돼지는 소보다 훨씬 경제적이고 친환경적이다. 돼지고기 1 kg을 얻는 데 드는 사료가 소의 30 % 정도밖에 안 된다. 그뿐만 아니라 미래에는 망가진 사람의 장기를 돼지 장기로 대신할 가능성도 크다. 인류는 앞으로도 돼지 덕을 보면 봤지 손해를 보지는 않을 것 같다.

01 사람들은 정말 많이 먹거나 뚱뚱한 사람을 보면 돼지 같다고 한다. 이것은 돼지의 왕성한 식욕 때문이다. 돼지는 사람처럼 잡식 동물인데 사람보다 왕성한 식욕으로 많은 양의 음식을 먹는다. 그 이유를 맛을 느끼는 맛세포와 관련지어 서술하시오.

02

돼지의 후각 능력은 사람의 1만 배를 넘는다. 프랑스에서는 돼지의 후각을 이용하여 땅속 깊이 묻혀 있는 송로버섯을 찾았다. 돼지에게서 발견된 1,300여 개 후각 수용체 단백질의 기능이 밝혀진다면 다양한 바이오 센서를 개발할 수 있을 것이다. 후각 바이오 센서를 어떻게 사용하면 좋을지 고안하시오.

뉴런으로 구성된

12 신경계, 호르몬과 항상성 유지

A 신경계의 구조와 기능

1 신경계

① 감각 기관과 그에 대한 반응이 뇌를 중심으로 연결되어 있는 체계이다.

② 중추 신경계와 말초 신경계로 구성된다.

2 중추 신경계 : 자극에 대해 판단하고 필요한 명령을 내린다.

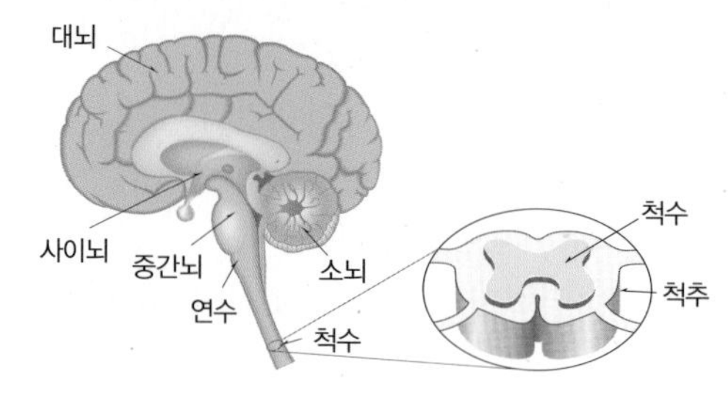

① **뇌 :** 두개골로 싸여 있어서 외부 충격으로부터 보호받는다.

ⓐ ____	• 좌우 2개의 반구로 이루어져 있으며 표면에 주름이 많다. • 기억, 추리, 판단, 감정 등 고등 정신 작용을 담당한다.
ⓑ ____	• 체온, 혈당량, 체내 수분량을 일정하게 유지한다.
중간뇌	• 안구 운동, 홍채 작용 조절한다.
소뇌	• 몸의 균형 유지, 근육 운동 조절한다.
ⓒ ____	• 좌우 신경의 교차가 일어난다. • 소화 운동, 심장 박동, 호흡 운동의 중추이다. • 재채기, 하품, 기침, 눈물 분비 등 반사 중추이다.

② ⓓ ____ : 연수와 연결되며, 척추 속에 뻗어 있다.

- 뇌와 말초 신경의 연결 통로이다.
- 무릎 반사 중추이다.

3 말초 신경계 : 중추 신경계에서 뻗어 나와 온몸의 조직과 기관에 연결되어 있다.

B 뉴런과 자극의 전달 과정

뉴런의 구조

1 뉴런 : 자극을 전달하는 신경계의 기본 단위

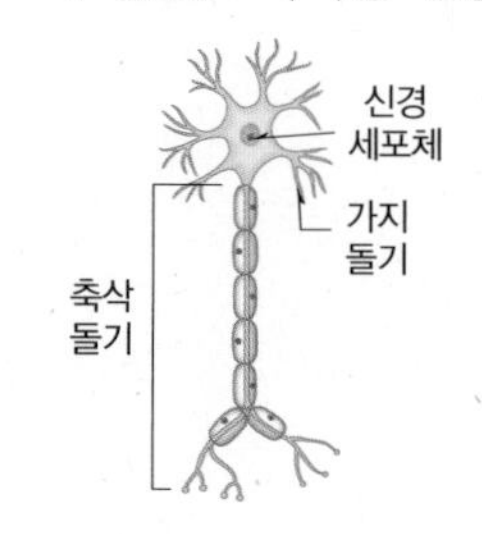

신경세포체	• 핵과 대부분의 세포질이 모여 있는 부분이다. • 생명 활동이 일어난다.
ⓔ ____ 돌기	다른 뉴런이나 기관으로부터 자극을 받아들인다.
ⓕ ____ 돌기	인접한 뉴런이나 운동 기관으로 자극 전달한다.

플러스 노트

● **중추 신경계와 말초 신경계**

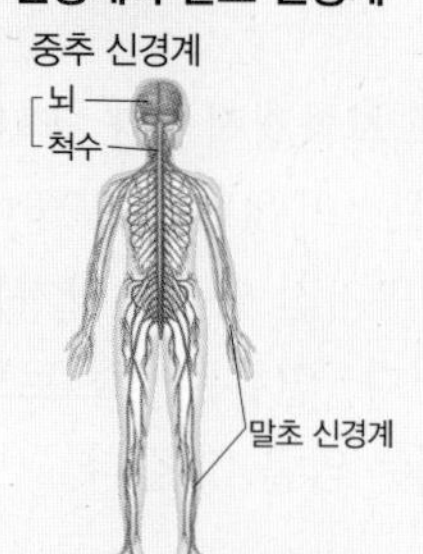

* **중추 신경계 :** 정보 전달의 중심으로 감각 기관에서 받아들인 자극을 통합하여 적절하게 반응하도록 통제한다.
* **말초 신경계 :** 중추 신경계에서 뻗어 나와 몸의 각 부분에 그물처럼 퍼져 있는 신경으로 중추 신경계와 몸의 각 부분을 연결한다.

● **말초 신경계**

말초 신경계는 체성 신경계와 자율 신경계로 나누어진다.

* **체성 신경계 :** 감각 기관에서 받아들인 자극을 중추 신경계로 전달하고 중추 신경계의 명령을 운동 기관으로 전달하며, 대뇌의 지배를 받는다.
* **자율 신경계 :** 내장 기관에 분포하는 신경으로 대뇌의 지배를 받지 않고 우리 몸의 기능을 자율적으로 조절한다. 소화, 순환, 호흡 등 생명 유지와 관련 있다. 교감 신경과 부교감 신경으로 구분된다.

용어풀이

신경계(정신 神, 지날 經, 이을 系) : 자극을 전달하고 해석하여 그에 대한 반응이 일어나도록 하는 부분

정답

ⓐ 대뇌 ⓑ 사이뇌 ⓒ 연수 ⓓ 척수 ⓔ 가지 ⓕ 축삭

2 뉴런의 종류

ⓐ ______ 뉴런	ⓑ ______ 뉴런	ⓒ ______ 뉴런
• 감각 신경을 구성한다. • 감각 기관에서 받은 자극을 뇌나 척수로 전달한다.	• 뇌와 척수를 구성한다. • 자극을 종합하고 판단하여 적절한 명령을 내린다.	• 운동 신경을 구성한다. • 뇌와 척수의 명령을 운동 기관에 전달한다.

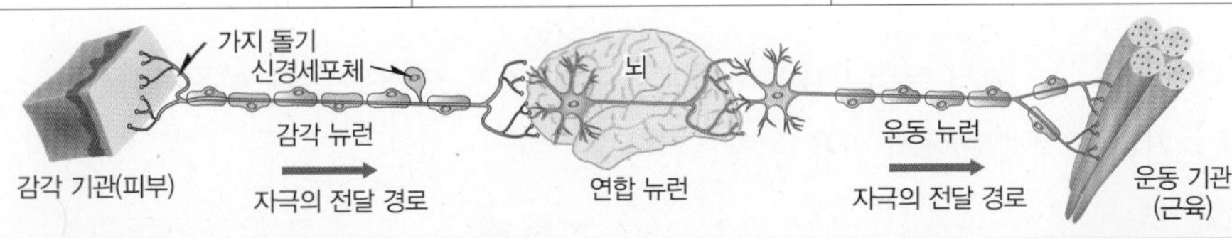

3 자극의 전달 경로

자극 → 감각 기관 → ⓓ ______ 신경 → ⓔ ______ 신경 → ⓕ ______ 신경 → 운동 기관 → 반응

뉴런의 기능

C 의식적인 반응과 무의식적인 반응

1 의식적인 반응 : 자신의 의지와 판단(대뇌)에 따라 나타나는 반응

① 신호등을 보고 건널목을 건너는 것, 날아다니는 파리를 보고 잡는 것 등

② 반응 경로 : 자극 → 감각 기관 → 감각 신경 → (척수) → 대뇌 → (척수) → 운동 신경 → 운동 기관 → 반응

2 무의식적인 반응 : 자신의 의지와 관계없이 일어나는 반응

① 조건 반사 : 과거의 경험을 바탕으로 ⓖ ______ 의 판단과 명령에 의한 반응

• 귤을 보거나 귤을 떠올리면 침이 나오는 현상, 파블로프의 실험 등

• 반응 경로 : 자극 → 감각 기관 → 감각 신경 → (척수) → 대뇌 → (척수) → 운동 신경 → 운동 기관 → 반응

• 후천적인 경험이나 학습에 의해 형성된다.

② 무조건 반사 : ⓗ ______ 나 연수의 명령으로 대뇌가 관여하기 전에 나타나는 반응

척수 반사	무릎 반사, 배변, 뜨거운 것에 손이 닿았을 때 자신도 모르게 손을 떼는 행동
연수 반사	재채기, 하품, 침 분비, 구토, 딸꾹질, 눈 앞에 물체가 날아올 때 순간적으로 눈을 감는 행동
중간뇌 반사	동공 반사

• 반응 경로 : 자극 → 감각 기관 → 감각 신경 → 척수, 연수, 중간뇌 → 운동 신경 → 운동 기관 → 반응

• 선천적으로 나타나며, 반응 속도가 빨라 위기 상황에서 몸을 보호할 수 있게 한다.

플러스 노트

● **자극에서 반응이 나타나기까지 시간이 걸리는 이유**
자극은 감각 신경, 연합 신경, 운동 신경을 거쳐 반응으로 나타나기 때문에 자극을 받아들인 후 반응이 일어나기까지 시간이 필요하다. 걸리는 시간은 신경의 종류나 사람에 따라 차이가 난다.

● **파블로프의 실험**
개에게 음식을 줄 때마다 종을 울리면 음식을 주지 않고 종만 울려도 침을 흘린다.

● **대뇌가 관여하는 의식적인 반응과 조건 반사의 반응 경로**

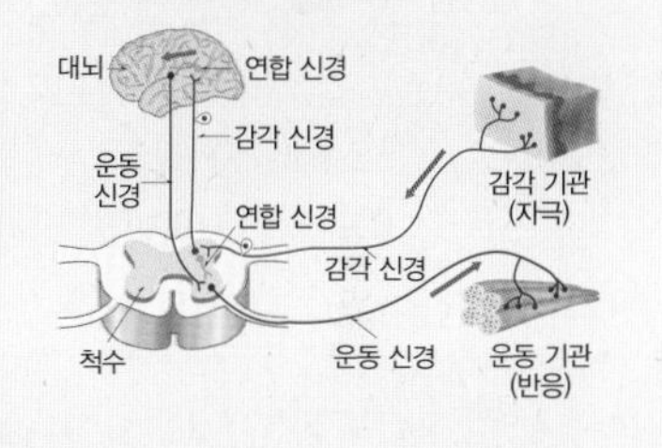

● **대뇌가 관여하지 않는 무조건 반사의 반응 경로**

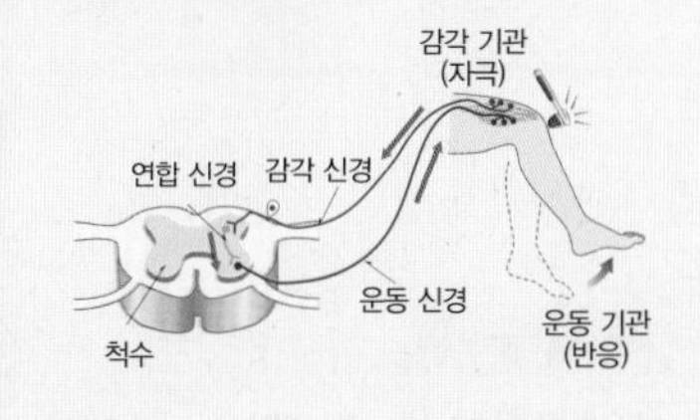

ⓐ 감각 ⓑ 연합 ⓒ 운동
ⓓ 감각 ⓔ 연합 ⓕ 운동
ⓖ 대뇌 ⓗ 척수

플러스 노트

● **내분비샘과 외분비샘**

* **내분비샘 :** 호르몬을 만들어 혈관으로 직접 분비하는 기관으로 분비관이 따로 없다.
* **외분비샘 :** 특정한 분비관을 통해 물질을 분비하는 기관 예 침샘, 땀샘, 눈물샘, 소화샘 등

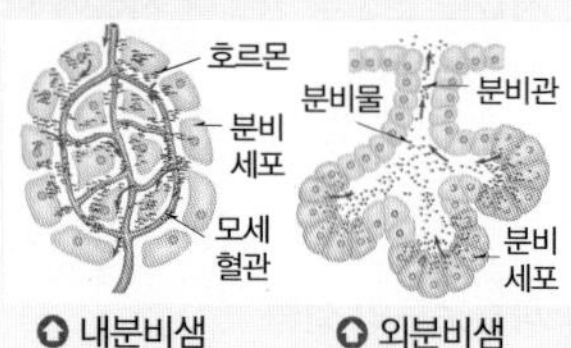

▲ 내분비샘 ▲ 외분비샘

● **사람의 내분비샘**

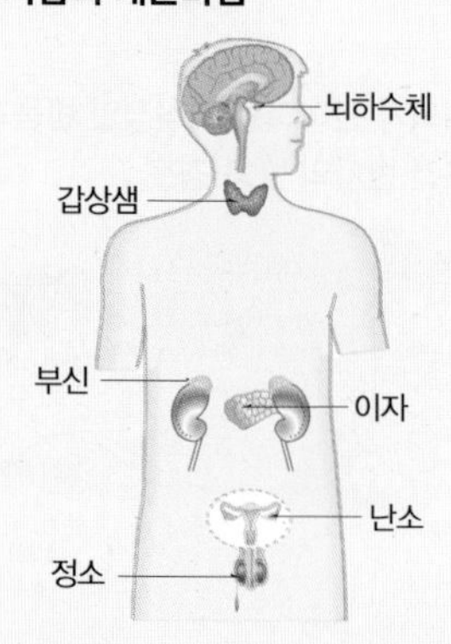

용어풀이

배란(물리칠 排, 알 卵) : 난소에서 성숙한 난자가 배출되는 현상

ⓐ 호르몬 ⓑ 내분비샘 ⓒ 인슐린 ⓓ 글루카곤

D 호르몬

1 ⓐ ______ : 세포에서 분비되어 몸에서 일어나는 여러 가지 작용을 조절하는 물질

2 호르몬의 특징

① **적은 양으로 생리 작용 조절 :** 부족하면 결핍증이 나타나고, 지나치면 과다증이 나타난다.

② ⓑ ______**에서 분비 :** 내분비샘에서 분비된 후 혈액을 통해 이동하다가 표적 기관(표적세포)에서 반응을 일으킨다.

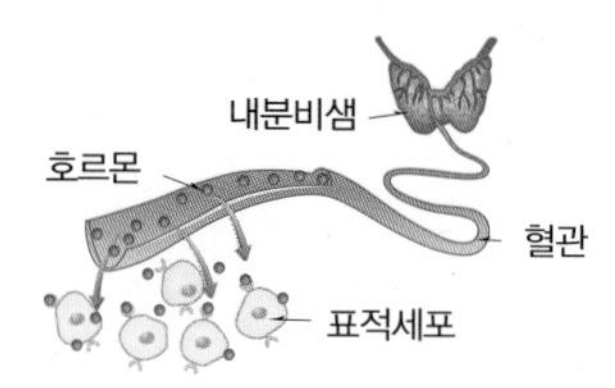

③ 신경계보다 반응을 일으키는 속도는 느리지만, 오래 지속되고 작용 범위가 넓다.

3 사람의 내분비샘과 호르몬

뇌하수체	• 생장 호르몬 : 뼈와 근육의 생장을 촉진한다. • 갑상샘 자극 호르몬 : 갑상샘을 자극하여 티록신 분비를 촉진한다. • 생식샘 자극 호르몬 : 생식샘을 자극하여 성호르몬 분비를 촉진한다. • 항이뇨 호르몬 : 콩팥에서 수분 재흡수를 촉진하여 오줌양을 감소시킨다.
갑상샘	티록신 : 세포 호흡을 촉진한다.
이자	• ⓒ ______ : 혈당량을 감소시킨다. • ⓓ ______ : 혈당량을 증가시킨다.
부신	아드레날린 : 심장 박동을 빠르게 하고 혈당량을 증가시킨다.
난소	여성 호르몬(에스트로젠) : 여성의 2차 성징을 일으킨다.
정소	남성 호르몬(테스토스테론) : 남성의 2차 성징을 일으킨다.

4 호르몬과 청소년기의 신체 변화

① **2차 성징 :** 청소년기에 성호르몬의 분비가 활발해지면서 남성과 여성으로서의 특징이 나타나는 현상

② **청소년기 신체 변화**

남성의 2차 성징	여성의 2차 성징
• 수염이 나고 목소리가 굵어진다. • 근육과 골격이 발달한다. • 정자가 형성된다.	• 가슴이 발달하고 골반이 넓어진다. • 배란과 월경이 시작되어 임신이 가능해진다.

E 신경과 호르몬에 의한 조절 작용

1 신경과 호르몬의 작용에 의한 항상성 유지

① ⓐ ______ : 외부 환경이 변하더라도 내부 환경을 일정하게 유지하려는 특성

② 신경과 호르몬의 작용을 조절하여 항상성을 유지한다.

- 혈액 내 티록신 분비량이 많을 때 : 뇌하수체의 작용 억제 → 갑상샘 자극 호르몬 분비 억제 → 갑상샘에서 티록신 분비 억제 → 혈액 내 티록신 농도 감소
- 혈액 내 티록신 분비량이 적을 때 : 뇌하수체의 작용 촉진 → 갑상샘 자극 호르몬 분비 증가 → 갑상샘에서 티록신 분비 증가 → 혈액 내 티록신 농도 증가

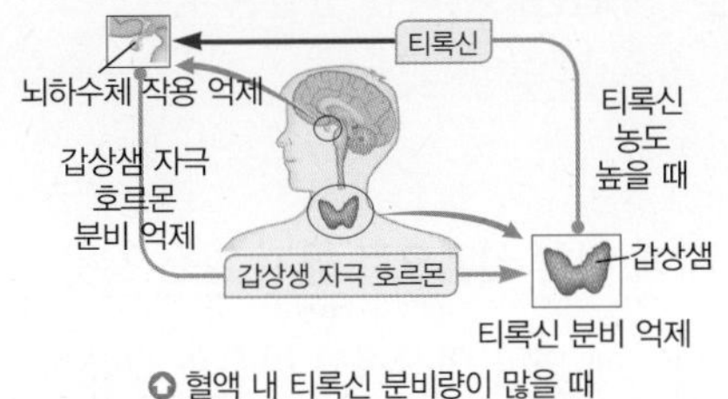

◆ 혈액 내 티록신 분비량이 많을 때

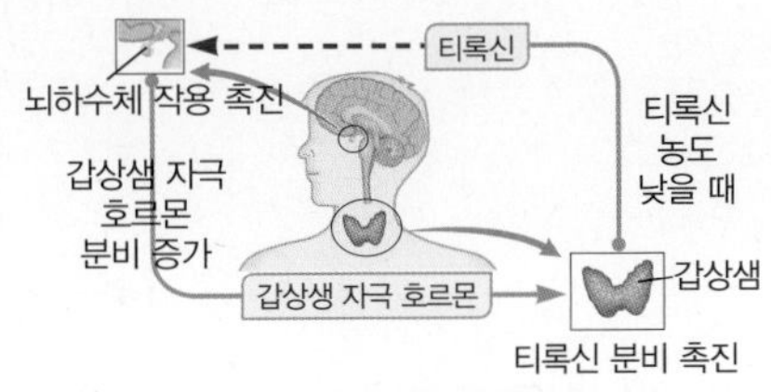

◆ 혈액 내 티록신 분비량이 적을 때

2 혈당량 조절 : 인슐린과 글루카곤의 작용으로 혈당량이 약 0.1 %로 유지된다.

① 혈당량이 높아졌을 때 : 이자에서 ⓑ ______ 분비 → 혈액 속 포도당이 세포로 흡수, 간에서 포도당을 글리코젠으로 합성 촉진 → 혈당량 감소

② 혈당량이 낮아졌을 때 : 이자에서 ⓒ ______ 분비 → 간에서 글리코젠을 포도당으로 분해 촉진(포도당을 혈액 속으로 방출) → 혈당량 증가

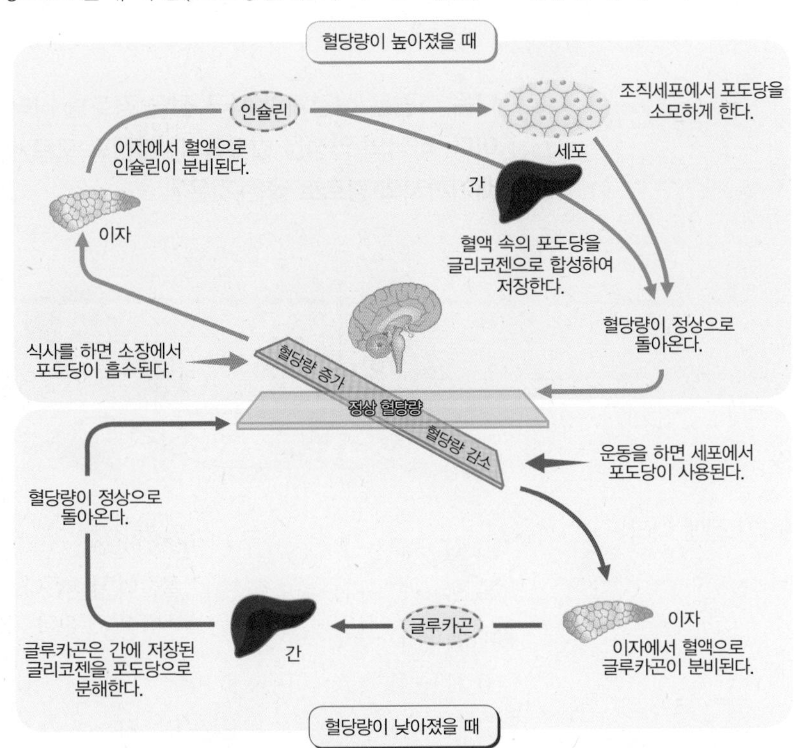

플러스 노트

● **길항 작용**
어떤 현상에 대해 두 가지 요인이 반대로 작용하면서 그 효과를 상쇄시키는 작용이다.
예 인슐린과 글루카곤

● **호르몬에 의한 체내 수분량 조절**
* **체내 수분량이 적을 때(삼투압 높을 때)** : 뇌하수체에서 항이뇨 호르몬 분비 촉진 → 콩팥에서 물 재흡수 촉진 → 오줌양 감소, 체내 수분량 증가 → 체내 수분량 정상 회복
* **체내 수분량이 많을 때(삼투압 낮을 때)** : 뇌하수체에서 항이뇨 호르몬 분비 억제 → 콩팥에서 물 재흡수 억제 → 오줌양 증가, 체내 수분량 감소 → 체내 수분량 정상 회복

● **당뇨병**
혈당량이 지나치게 높아져 포도당이 오줌에 섞여 배설되는 병으로, 이자에서 인슐린이 제대로 분비되지 않으면 당뇨병에 걸리게 된다.

용어풀이

항상성(항상 恒, 항상 常, 성질 性) : 외부 환경이 변해도 내부 환경을 일정하게 유지하는 성질

정답

ⓐ 항상성 ⓑ 인슐린
ⓒ 글루카곤

01 다음 중 사람의 신경계의 구조와 기능에 대한 설명으로 옳은 것은?

① 중추 신경계는 뇌로만 이루어져 있다.
② 중추 신경계는 몸의 각 부분에 그물처럼 퍼져 있다.
③ 중추 신경계는 감각 신경과 운동 신경으로 구성된다.
④ 말초 신경계는 척수와 연수로 구성된다.
⑤ 말초 신경계는 감각 기관이나 운동 기관에 연결되어 있다.

02 다음 그림은 뇌의 구조를 나타낸 것이다. 이름과 기능을 잘못 연결한 것은?

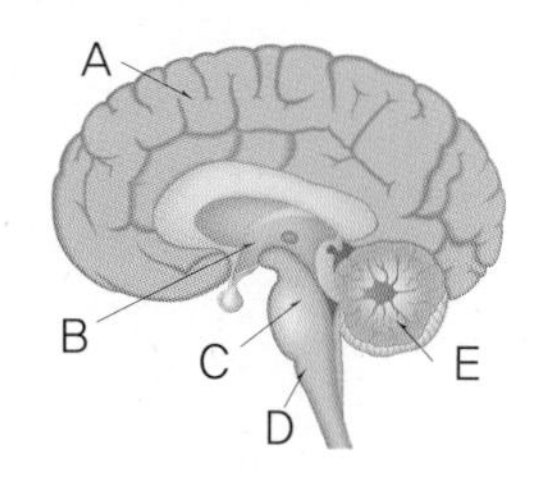

① A : 대뇌 – 고등 정신 작용
② B : 사이뇌 – 체온, 혈당량 조절
③ C : 중간뇌 – 안구, 홍채 작용 조절
④ D : 척수 – 무릎 반사의 중추
⑤ E : 소뇌 – 몸의 균형 유지

03 다음 중 연수의 명령으로 대뇌가 관여하기 전에 나타나는 반응이 아닌 것은?

① 하품 ② 딸국질
③ 침 분비 ④ 재채기
⑤ 동공 반사

04 다음 그림의 뉴런에 대한 설명으로 옳은 것은?

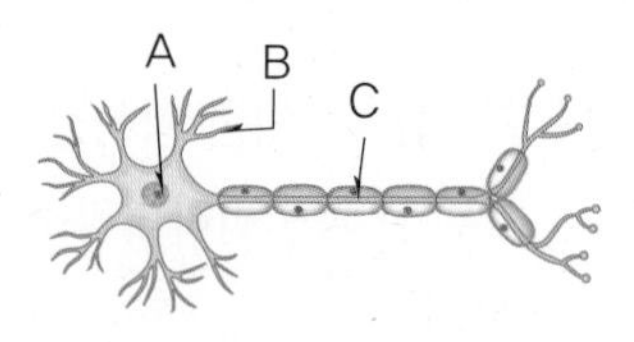

① A는 핵이 없이 세포질만 모여 있다.
② B는 가지 돌기로 자극을 전달한다.
③ C는 축삭 돌기로 자극을 받아들인다.
④ 뉴런 내에서 자극은 B에서 C로 전달된다.
⑤ 여러 개의 뉴런은 C끼리만 연결된다.

05 다음 중 반사에 대한 설명으로 옳지 않은 것은?

① 대뇌의 판단에 의한 의식적인 반응과 구분된다.
② 의지와 관계없이 일어나는 무의식적인 반응이다.
③ 조건 반사는 후천적, 무조건 반사는 선천적이다.
④ 조건 반사는 과거의 경험이 조건이 되어 일어난다.
⑤ 조건 반사의 중추는 연수, 무조건 반사의 중추는 척수이다.

06 다음 그림은 신경계의 자극 전달 경로를 나타낸 것이다. 바닥의 압정을 밟았을 때 자신도 모르게 발을 떼기까지의 경로로 옳은 것은?

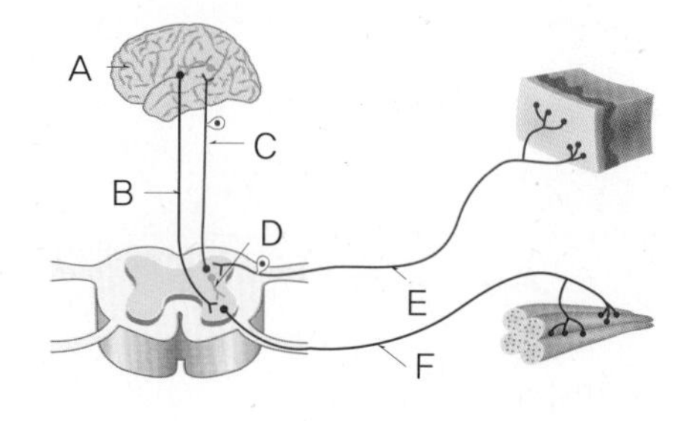

① E → D → F
② E → C → D → F
③ E → D → C → A
④ E → C → A → B → F
⑤ E → D → C → A → B → D → F

07 다음 중 호르몬에 대한 설명으로 옳지 않은 것은?

① 분비량이 많을수록 좋다.
② 사람의 내분비샘에서 분비된다.
③ 매우 적은 양으로 생리 기능을 조절한다.
④ 혈액을 통해 이동하다가 표적 기관에 도달하면 반응을 일으킨다.
⑤ 신경계의 조절 작용에 비해 반응을 일으키는 속도는 느리지만 오래 지속된다.

[08~09] 다음 그림은 사람의 내분비샘을 나타낸 것이다. 물음에 답하시오.

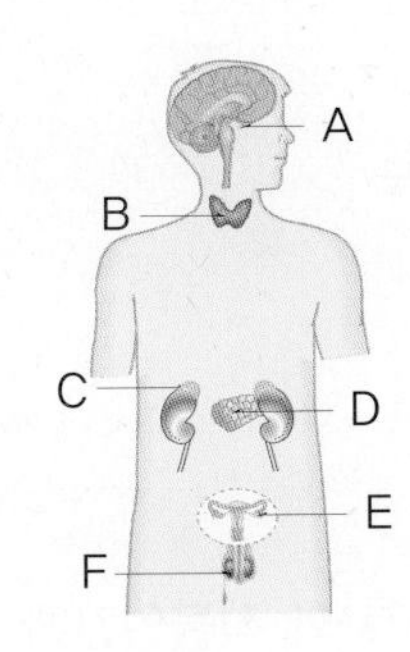

08 위 그림에 대한 설명으로 옳은 것은?

① A에서 티록신이 분비된다.
② B에서 생장 호르몬이 분비된다.
③ C에서는 인슐린이 분비된다.
④ D에서는 아드레날린이 분비된다.
⑤ E와 F에서 나오는 호르몬에 의해 2차 성징이 일어난다.

09 위의 그림에서 체내 수분량이 적을 때 분비가 촉진되어 오줌양을 줄이는 호르몬이 나오는 내분비샘은?

① A　② B
③ C　④ D
⑤ E

10 다음 중 2차 성징에 의한 청소년기의 신체 변화로 옳지 않은 것은?

① 여자는 근육과 골격이 발달한다.
② 남자는 수염이 나고 목소리가 굵어진다.
③ 여자는 가슴이 발달하고 골반이 넓어진다.
④ 여자는 배란과 월경이 시작된다.
⑤ 남자는 정소에서 정자가 만들어진다.

11 다음 중 항상성이 유지되는 현상으로 옳은 것은?

① 레몬을 보면 입에 침이 고인다.
② 축구를 했더니 몸에서 땀이 났다.
③ 신나는 음악을 들으면 기분이 좋아진다.
④ 날카로운 곳에 찔렸더니 통증을 느낀다.
⑤ 높은 곳에서 아래를 보았더니 어지러웠다.

12 다음 중 혈당량 조절에 관여하는 호르몬에 대한 설명으로 옳지 않은 것은?

① 혈당량이 낮아지면 글루카곤이 분비된다.
② 인슐린과 글루카곤은 간에 작용한다.
③ 인슐린과 글루카곤은 서로 반대 작용을 한다.
④ 글루카곤은 글리코젠이 포도당으로 분해되는 과정을 촉진한다.
⑤ 인슐린이 정상적으로 분비되지 않으면 혈당량이 낮게 유지된다.

정답 ◆ 18p ◆

01 다음 그림은 대뇌가 관여하지 않는 무조건 반사의 반응 경로를 나타낸 것이다. 무조건 반사의 장점을 조건 반사와 비교하여 서술하시오.

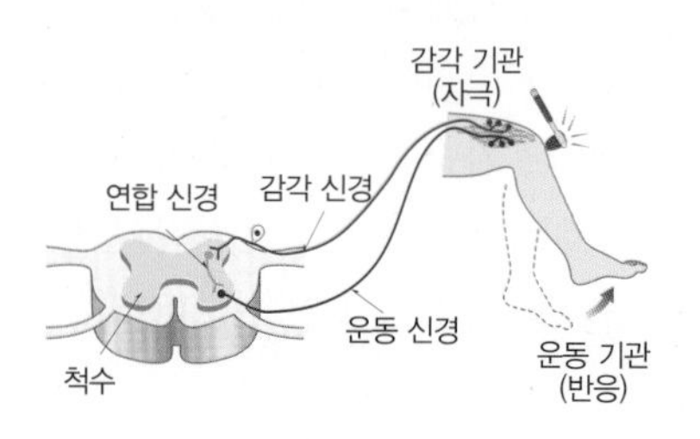

02 생장 호르몬 주사는 왜소증 환자를 치료하기 위한 목적이었으나 최근에는 생장 호르몬이 노화를 방지하는 효과가 있음이 알려지면서 노화 치료제로도 사용되고 있다. 생장 호르몬을 노화 치료제로 무분별하게 사용했을 때의 부작용을 서술하시오.

03 교통사고로 머리를 다쳐 병원에 입원한 환자에게 며칠 후 갑자기 앞이 보이지 않는 증상이 나타났다. 진찰 결과 눈과 시각 신경에는 아무 이상이 없었다. 이 환자가 앞이 보이지 않는 증상이 나타난 이유를 뇌의 구조와 관련지어 서술하시오.

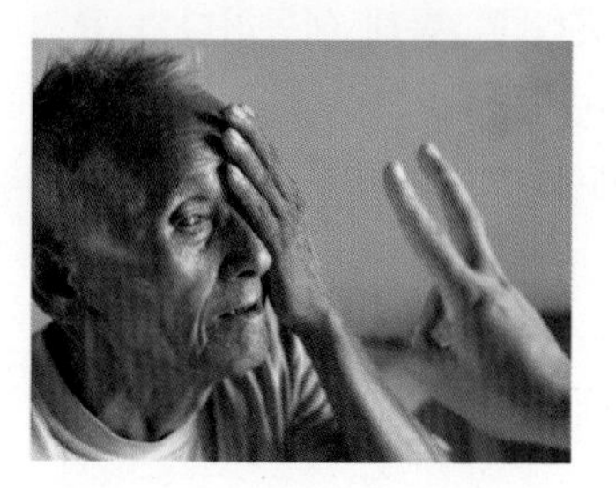

논술형

04 다음은 뇌사와 식물인간에 대한 내용이다. 뇌사와 식물인간의 차이점을 서술하시오.

- 뇌사와 식물인간은 움직이지 못한다.
- 식물 인간은 호흡, 심장 박동, 위장 운동 등을 할 수 있고, 무조건 반사 반응이 나타난다.
- 뇌사는 자발적인 호흡이 불가능하고 뇌파가 나오지 않는 깊은 혼수 상태를 보인다.

정답 ◆ 19p ◆

STEAM 먹으면 기분 좋아지는 떡볶이의 비밀

"스트레스 쌓일 땐 이게 최고지요!"
식당 앞에 길게 줄이 늘어섰다. 사람들이 기다리는 것은 다름 아닌 떡볶이. 하나같이 "한 입 먹으면 기분이 좋아진다."라며 떡볶이의 맛을 평가한다. 하지만 사람들이 이렇게 느끼는 것은 단순히 기분 탓이 아니다. 떡볶이처럼 매운 음식을 먹으면 실제로 기분을 좋게 만드는 생리 현상이 일어난다.
최근 매운맛을 찾는 사람의 수는 점점 늘어나고 있다. 이 추세에 맞춰 식품 회사에서도 매운맛에 주목하고 있다. 매운맛 피자도 등장했고 라면도 마찬가지다. 청양고추를 통째로 넣은 라면에 이어 청양고추보다 5배나 매운 하늘초고추를 사용한 라면도 등장했다.
한 식품팀에서는 "지속되는 불황으로 빨간 국물 라면 중에서도 맵고 강렬한 맛과 푸짐한 양에 대한 선호도가 높게 나타나고 있다."라고 설명했다.
인간은 혀를 통해 맛을 느끼는데, 맛세포가 느낄 수 있는 맛은 단맛, 신맛, 짠맛, 쓴맛, 감칠맛의 다섯 가지이며 이 다섯 가지 맛과 후각이 복합되어 다른 여러 가지 맛을 느낀다. 매운맛은 이 맛들이 복합되는 것이 아니라 미각 신경을 강력하게 자극, 즉 아프게 함으로써 느끼게 되는 것으로, 미각이라기보다는 통각에 속한다고 할 수 있다.
매운맛은 식욕을 촉진시킴과 동시에 소화를 돕는 효과가 있다고 알려져 있어, 대부분의 요리에 재료에 적합한 매운맛 성분을 함유하는 향신료를 이용하고 있다.

매운 음식

01 매운 음식을 먹으면 머리가 맑아지는 듯한 기분 또는 속이 시원해지는 기분을 느끼는 경우가 있다. 이는 매운맛이 말초 신경계 중 자율 신경계를 자극하기 때문에 나타나는 현상이다. 매운맛은 말초 신경계의 교감 신경과 부교감 신경 중 어떤 것을 자극하는지 각 신경의 작용을 바탕으로 서술하시오.

교감 신경	동공 확대	침 분비 억제	호흡 운동 촉진	심장 박동 촉진	소화액 분비와 소화관 운동 억제	방광 확장
부교감 신경	동공 축소	침 분비 촉진	호흡 운동 억제	심장 박동 억제	소화액 분비와 소화관 운동 촉진	방광 수축

논술형

02 우리 몸은 매운맛을 맛이 아닌 통증으로 받아들인다. 그런데도 매운 음식을 먹으면 기분이 좋아지는 이유를 매운맛을 내는 성분과 관련하여 서술하시오.

정답 ◆ 19p ◆

STEAM 자극에서 반응까지 걸리는 시간

감각 기관에서 받아들인 자극이 반응으로 나타나기까지 어느 정도의 시간이 걸리는지 실험을 통해 측정해 보자.

[준비물] 50 cm 이상의 플라스틱 자

실험 ①

① 두 사람이 짝을 지어 보조자는 자의 끝을 잡고, 실험자는 자의 눈금이 0인 부분에 엄지와 검지를 벌려 자를 잡을 준비를 한다.
② 실험자는 자를 보고, 보조자는 '준비'라고 말한 다음 5초 이내에 자를 떨어뜨린다.
③ 실험자는 떨어지는 자를 잡은 다음, 손 밑으로 내려간 자의 길이를 측정한다.
④ 이 과정을 5회 반복하여 자가 떨어진 평균 거리를 구한다.

실험 ②

① [실험 1]의 과정 ①과 같이 준비한 후 실험자는 머릿속으로 100부터 숫자를 거꾸로 센다.
② 보조자는 예고 없이 자를 떨어뜨리고 실험자는 자를 잡는다.
③ 이 과정을 5회 반복하여 자가 떨어진 평균 거리를 구한다.

01 [실험 1]과 [실험 2]의 결과를 표에 기록하고 자가 떨어진 평균 거리를 구하시오. (단위 : cm)

구분	1회	2회	3회	4회	5회	평균
실험 1						
실험 2						

02 [실험 1]과 [실험 2]에서 반응이 일어난 경로를 차례대로 서술하시오.

03 [실험 1]과 [실험 2]에서의 반응 속도를 반응 경로와 관련지어 비교하여 서술하시오.

04 차를 운전하면서 통화할 경우 위험성을 반응 속도와 관련지어 서술하시오.

중학교 1~3학년 군 : 3학년 5단원 생식과 유전

다른 학년과의 연계

3~4학년 군 : 동물의 한살이
생명과학 Ⅰ : 유전
생명과학 Ⅱ : 유전자의 발현과 조절

생물이 자손을 번식시키는

13 생식 방법과 DNA

플러스 노트

A 생식

1 생식 : 생물이 살아 있는 동안 자신과 닮은 자손을 만들어 남기는 과정

2 생식의 종류

구분	무성 생식	유성 생식
방법	암수 구별 없이 자신의 몸을 구성하는 세포 중 일부가 분열하여 자손을 만든다.	암수가 각각 생식 세포를 만든 후, 이들의 결합으로 자손을 만든다.
특징	• 번식 속도가 ⓐ ______다. • 모체와 유전자 구성이 동일하다. ➡ 급격한 환경 변화에 적응하기 어렵다.	• 번식 속도가 느리다. • 부모의 유전 물질을 절반씩 물려받아 유전자 구성이 ⓑ ______하다. ➡ 환경 변화에 잘 적응할 수 있다.
예	세균과 곰팡이와 같은 미생물	대부분의 동물과 식물

3 무성 생식의 종류

구분	ⓒ ______법	ⓓ ______법
방법	몸의 일부가 자라서 떨어져 나가 새로운 개체가 된다.	하나의 세포가 둘로 나뉘어 각각 새로운 개체가 된다.
특징	모체와 자손의 유전자 구성이 동일하다.	세포 분열이 생식이므로 번식 속도가 빠르다.
예	효모, 히드라, 산호, 말미잘 등	아메바, 짚신벌레, 세균 등
구분	포자법	ⓔ ______
방법	포자를 만들어 새로운 개체가 된다.	뿌리, 줄기, 잎과 같은 영양 기관의 일부가 새로운 식물체로 자란다.
특징	포자는 크기가 매우 작고 가벼워 멀리 퍼져나갈 수 있으며, 단단한 세포벽으로 싸여 있어 나쁜 환경에서도 살아남을 수 있다.	모체의 우수한 형질이 자손에게 그대로 전달되므로 우수한 품종을 유지할 수 있다.
예	고사리, 이끼, 곰팡이, 버섯 등	산세비에리아, 고구마, 딸기 등

● **영양 생식의 이용**
식물의 영양 생식을 이용하면 부모의 우수한 형질을 자손에게 쉽게 전달할 수 있다. 이 때문에 영양 생식은 오래 전부터 농업이나 원예 분야에서 농작물의 품질을 우수하게 유지하거나 원하는 농작물을 대량으로 번식시키는 데 이용하였다.

용어풀이

출아법(날 出, 싹 芽, 법 法) : 몸에서 눈(싹)이 나와서 번식하는 방법

포자(세포 胞, 아들 子) : 곰팡이 등이 무성 생식을 위해 만드는 세포

ⓐ 빠르 ⓑ 다양 ⓒ 출아
ⓓ 분열 ⓔ 영양 생식

[효모의 무성 생식 관찰]

• **탐구 과정**

① 생막걸리를 물에 10배 희석한 후 30 ℃ 정도 되는 곳에 놓아둔다.
② 희석액을 받침 유리에 한 방울 떨어뜨리고, 메틸렌블루 용액을 한 방울 떨어뜨린 후 2~3분 정도 놓아둔다.
③ 덮개 유리를 덮고 거름종이로 여분의 용액을 흡수한 후 현미경으로 관찰한다.

• **탐구 결과 및 해석**

① 둥근 모양 또는 타원형의 효모를 관찰할 수 있다.
② 혹과 같은 돌기가 있는 효모를 관찰할 수 있다.
③ 효모는 ⓐ ______ 법으로 번식한다.

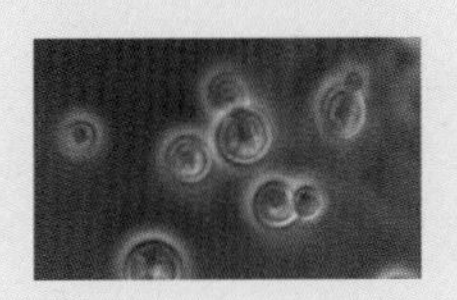

B 유전 물질(DNA)

1 ⓑ ______ (DNA)

① 세포가 분열할 때 부모로부터 자손에게 전해지는 물질이다.
② 세포의 핵 속에 존재한다.

2 ⓒ ______

① 유전 정보의 단위로 어떻게 생물체를 만들고 생명 활동을 할 것인지에 대한 정보를 저장하고 있다.
② DNA에 여러 개의 유전자가 존재한다.

3 ⓓ ______

① 세포가 분열하지 않을 때 유전 물질이 가느다란 실과 같은 형태로 존재하는 것
② DNA와 단백질로 구성되어 있다.

4 ⓔ ______

① 세포가 분열하기 직전에 염색사가 뭉쳐져서 만들어진 막대 모양의 물질
② 자손에게 부모의 유전자를 전달하는 운반체 역할을 한다.

5 ⓕ ______ : 세포가 분열할 때 DNA가 복제된 후 각각 독자적으로 응축되어 각 염색 분체 가닥을 형성한다. 1개의 염색체는 2개의 염색 분체로 되어 있다.

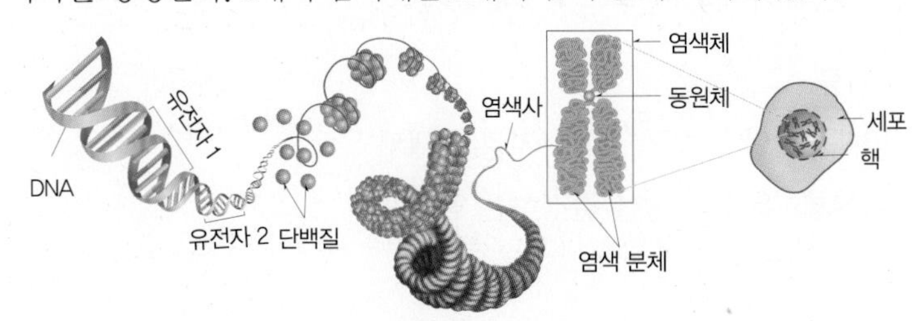

플러스 노트

● **효모**
발효 식품을 만들 때 이용되는 미생물이다.

● **DNA와 유전자**
염색체를 이루는 DNA 전체가 유전자는 아니라, DNA의 특정한 영역을 유전자라고 한다. 따라서 한 DNA에 수많은 유전자가 있을 수 있다.

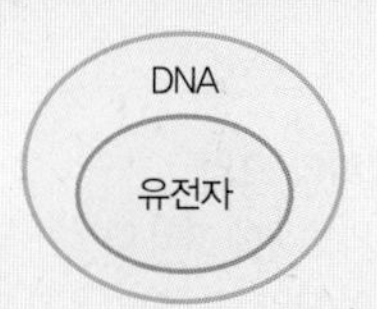

용어풀이

유전 물질(DNA) : 생물의 형태나 성질을 결정하는 정보를 담고 있는 물질

염색체(물들일 染, 색 色, 몸 體) : 염기성 색소에 의해 염색이 잘 되는 막대 모양의 물질로, 세포 분열 시 나타난다.

ⓐ 출아 ⓑ 유전 물질
ⓒ 유전자 ⓓ 염색사 ⓔ 염색체
ⓕ 염색 분체

플러스 노트

C 염색체

1 염색체

① 유전 물질(DNA)과 단백질로 구성되어 있다.

➡ 부모의 형질을 자손에게 전달한다.

② 염색체는 세포 분열 직전에 실 모양의 염색사가 응축되어 형성된다.

③ 생물의 종류에 따라 염색체의 수와 모양이 다르다.

④ 같은 종류의 생물에서는 몸을 구성하는 염색체의 수와 모양은 같다.

더 알아보기

[여러 생물의 염색체 수]

동물	초파리	개	소	사람	코알라	침팬지
	8개	78개	60개	46개	16개	48개
식물	벼	감자	옥수수	완두	토마토	양파
	24개	48개	20개	14개	24개	16개

- 염색체의 수가 같다고 해서 같은 종은 아니다.
- 염색체 수가 많다고 해서 고등한 생물은 아니다.
- 몸집이 클수록 염색체 수가 많은 것은 아니다.
- 동물이 식물보다 염색체 수가 많은 것은 아니다.
- 염색체의 양보다는 다양한 정보를 저장한 유효 유전자의 양이 중요하다.

2 염색체의 구조

① 염색체 : 1개의 염색체는 2개의 ⓐ ______ 가 동원체에 의해 연결되어 있다.

➡ 2개의 염색 분체는 유전 정보가 동일하다.

② ⓑ ______ 염색체 : 모양과 크기가 같은 한 쌍의 염색체

➡ 상동 염색체는 부모로부터 각각 하나씩 물려받은 것으로, 유전 정보가 동일하지 않다.

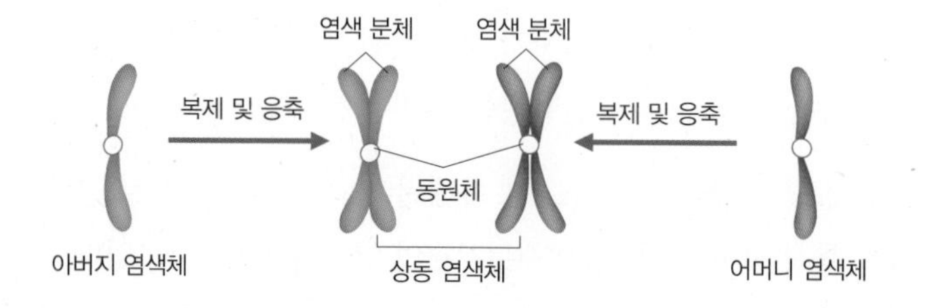

3 염색체의 종류

① ⓒ ______ 염색체 : 암수 공통으로 가지는 염색체

② ⓓ ______ 염색체 : 암수의 성을 결정하는 염색체

● **염색체의 모양**
생물의 종류에 따라 다르며, 막대 모양, 알갱이 모양, J자 모양, L자 모양, V자 모양 등 다양하다.

용어풀이

응축(엉길 凝, 오그라들 縮) : 꼬이고 엉겨 크기와 모양이 줄어드는 현상

정답

ⓐ 염색 분체 ⓑ 상동 ⓒ 상
ⓓ 성

4 염색체 수의 표현

① 부모 중 한쪽으로부터 받은 한 벌의 염색체를 n으로 표시한다.

② 체세포는 아버지로부터 한 벌(n), 어머니로부터 한 벌(n)을 받아 상동 염색체가 쌍을 이루므로 ⓐ ______ 으로 표시한다.

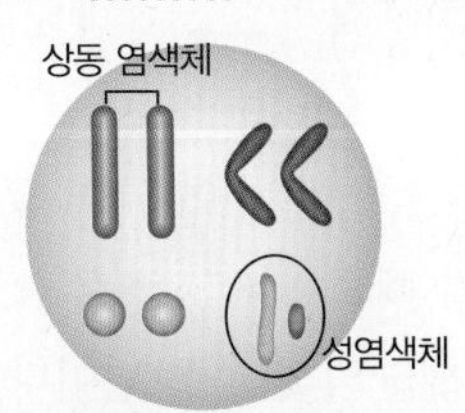

- 염색체 수 : 8개, 4쌍, $2n=8$
- 상염색체 수 : 6개, 3쌍
- 성염색체 수 : 2개, 1쌍

5 사람의 염색체 : 상염색체 22쌍+성염색체 1쌍

남성의 염색체	여성의 염색체
상동 염색체 / 1 2 3 4 5 6 7 8 9 10 11 12 13 14 15 16 17 18 19 20 21 22 23 / 성염색체	상동 염색체 / 1 2 3 4 5 6 7 8 9 10 11 12 13 14 15 16 17 18 19 20 21 22 23 / 성염색체
• $2n=44+$ⓑ ______ • 성염색체는 아버지로부터 Y염색체, 어머니로부터 X염색체를 각각 물려받았다.	• $2n=44+$ⓒ ______ • 성염색체는 아버지와 어머니로부터 각각 X염색체를 하나씩 물려받았다.

플러스 노트

● 염색체의 수는 짝수
체세포 속의 염색체 중 절반은 어머니로부터, 나머지 절반은 아버지로부터 물려받았기 때문에 대부분 생물은 염색체 수가 짝수이다.

● 남성의 성염색체(XY)도 상동 염색체
X염색체와 Y염색체는 서로 모양과 크기가 다르지만 짝을 이루고 생식세포 분열 시 상동 염색체처럼 행동하므로 상동 염색체로 보기도 한다.

ⓐ $2n$ ⓑ XY ⓒ XX

생활 속 과학

생명의 설계도, DNA

DNA(deoxyribonucleic acid)는 핵산의 한 종류로, 유전 정보를 저장, 복제하고 전달하는 역할을 한다.
DNA의 구조는 1953년 왓슨과 크릭에 의해 밝혀졌다. 대부분의 DNA는 긴 사슬 모양의 가닥 두 개가 나란히 연결된 뒤틀린 사다리 모양이다. 이 구조를 2중 나선 구조라고 한다.
염기라고 불리는 부분은 DNA에서 유전 정보를 담고 있다. DNA는 4종류의 염기(A, T, G, C)의 배열 순서를 달리하여 유전 정보를 저장한다. DNA에 저장된 유전 정보의 단위를 유전자라고 한다.
염기 서열은 DNA 안쪽에 위치하여 외부 환경으로부터 보호된다.
DNA에 존재하는 유전 정보는 어떤 물체를 구성하는 데 필요한 안내서와 같은 역할을 하며, 이 정보에 따라 생물의 구조가 만들어지고 특성이 결정된다.
세포 분열을 할 때, 원래의 DNA와 똑같은 염기 서열을 갖는 DNA가 하나 더 만들어진 후 이것이 둘로 나누어지며 전달된다. DNA 2중 나선 구조가 두 가닥으로 나뉘면서 각각의 가닥에 대응하는 새로운 가닥이 만들어져 원래의 가닥과 새로운 가닥이 꼬여 2중 나선 구조를 이룬다.
이처럼 똑같은 염기 서열을 갖는 DNA가 하나 더 만들어지는 것을 복제라고 한다.

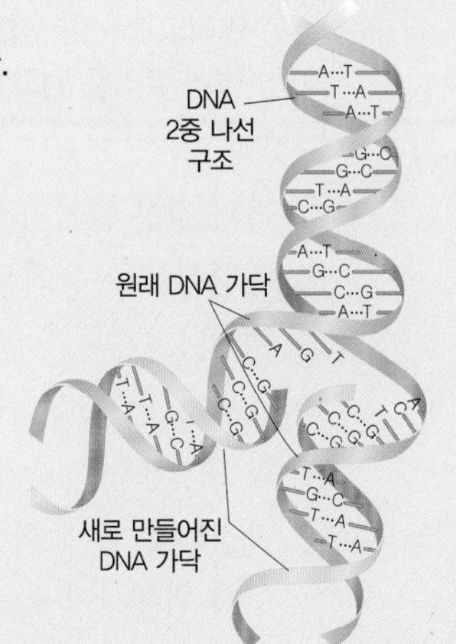

01 다음 중 생식에 대한 설명으로 옳은 것은?

① 생물의 크기가 커지는 과정이다.
② 생물이 자신과 닮은 자손을 만드는 과정이다.
③ 생물이 살아가는 데 필수적인 활동 과정이다.
④ 영양분과 산소를 조직세포에 전달하고 노폐물과 이산화 탄소를 받아오는 과정이다.
⑤ 생물의 염색체 수가 변하지 않도록 일정하게 유지하는 과정이다.

02 다음 중 유성 생식에 대한 설명으로 옳은 것은?

① 번식 속도가 빠르다.
② 환경 적응에 불리하다.
③ 유전적 구성이 다양한 자손이 생긴다.
④ 자신의 몸을 구성하는 세포 중 일부가 분열하여 자손을 만든다.
⑤ 세균이나 곰팡이와 같은 미생물의 번식 방법이다.

03 다음은 어떤 생물의 생식 방법을 관찰하기 위한 실험 과정이다. 이에 대한 설명으로 옳지 <u>않은</u> 것은?

실험 과정
(가) 물에 희석한 생막걸리를 30 ℃ 정도 되는 곳에 10분 정도 놓아 둔다.
(나) 막걸리 희석액을 받침 유리에 한 방울 떨어뜨린다.
(다) 막걸리 희석액에 메틸렌블루 용액을 한 방울 떨어뜨리고 2~3분 정도 놓아둔다.
(라) 덮개 유리를 덮고 현미경으로 관찰한다.

① 혹과 같은 돌기가 있는 효모를 관찰할 수 있다.
② 메틸렌블루 용액은 효모의 핵을 염색하는 염색액이다.
③ 효모가 반으로 나뉘어져 분열하는 모습을 관찰할 수 있다.
④ 막걸리를 물에 희석시키는 것은 효모의 수를 줄이기 위해서이다.
⑤ 물에 희석한 생막걸리를 따뜻한 곳에 두는 것은 효모를 활성화시키기 위해서이다.

04 다음 그림은 어떤 생물이 번식하는 모습을 나타낸 것이다. 이에 대한 설명으로 옳은 것은?

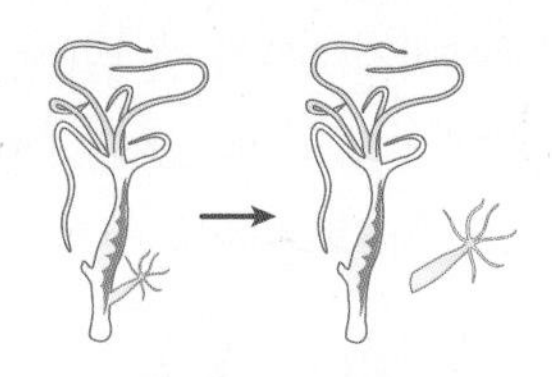

① 번식 속도가 빠르다.
② 짚신벌레, 세균의 번식 방법이다.
③ 세포 분열을 통해 자손을 남긴다.
④ 모체와 자손의 유전자 구성이 다르다.
⑤ 암수가 각각 생식 세포를 만든 후 이들이 결합하여 자손을 만든다.

05 유성 생식으로 번식하는 생물이 무성 생식으로 번식하는 생물보다 급격한 환경 변화에 더 잘 적응하는 이유를 바르게 설명한 것은?

① 번식하는 속도가 빠르기 때문이다.
② 자손을 많이 만들 수 있기 때문이다.
③ 자손의 형질이 다양하기 때문이다.
④ 번식 방법이 간단하고 원시적이기 때문이다.
⑤ 어버이와 자손의 유전자 구성이 똑같기 때문이다.

06 다음 중 영양 생식에 대한 설명으로 옳은 것은?

① 여러 가지 품종을 얻을 수 있다.
② 다양한 환경에 적응하기 유리하다.
③ 생식 세포를 만든 후 이들의 결합으로 자손을 만든다.
④ 어버이의 우수한 형질을 그대로 유지할 수 있다.
⑤ 씨로 번식할 때보다 자손을 만드는 데 시간이 오래 걸린다.

07 다음 표는 여러 생물의 몸을 구성하는 세포의 염색체 수를 나타낸 것이다. 이에 대한 설명으로 옳은 것은?

초파리	사람	코알라	침팬지
8개	46개	16개	48개
벼	완두	토마토	양파
24개	14개	24개	16개

① 몸집이 클수록 염색체 수가 많다.
② 염색체 수는 식물보다 동물이 많다.
③ 서로 다른 종이라도 염색체 수가 같을 수 있다.
④ 같은 종류의 생물이라도 염색체 수가 다를 수 있다.
⑤ 염색체 수가 많은 생물이 적은 생물보다 더 고등한 생물이다.

08 다음 중 세포가 분열할 때 부모로부터 자손에게 전해지는 물질은?

① 핵막 ② DNA
③ 세포벽 ④ 엽록체
⑤ 미토콘드리아

09 다음은 어떤 생물의 염색체 구성을 나타낸 것이다. 이에 대한 설명으로 옳지 않은 것은? (단, 이 생물의 성별은 사람과 같이 성염색체에 의해 결정된다.)

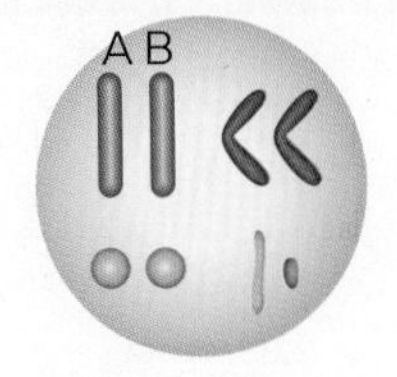

① 상염색체의 수는 6개이다.
② A와 B는 상동 염색체이다.
③ A와 B는 부모에게 하나씩 물려 받은 것이다.
④ 이 세포의 염색체 수는 총 8개이다.
⑤ 이 세포에는 성염색체가 없다.

10 다음 중 염색체에 대한 설명으로 옳지 않은 것은?

① 염색체는 세포가 분열할 때 관찰된다.
② 유전 물질과 단백질로 이루어져 있다.
③ 암수의 성을 결정하는 것은 성염색체이다.
④ 생물의 종류가 달라도 염색체의 모양은 같다.
⑤ 상동 염색체는 부모로부터 각각 하나씩 물려 받았다.

11 오른쪽 그림은 사람의 몸을 구성하는 세포의 염색체를 나타낸 것이다. 이에 대한 설명으로 옳은 것은?

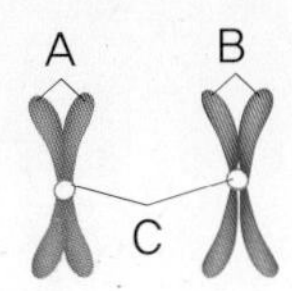

① A와 B는 유전 정보가 같다.
② A의 두 가닥을 상동 염색체라고 한다.
③ C는 염색 분체로 유전 물질을 포함한다.
④ 한 개의 염색체가 복제되어 A와 B가 만들어졌다.
⑤ B를 구성하는 두 가닥의 유전 정보는 서로 동일하다.

12 다음 그림은 사람의 염색체 구성을 나타낸 것이다. 이에 대한 설명으로 옳은 것은?

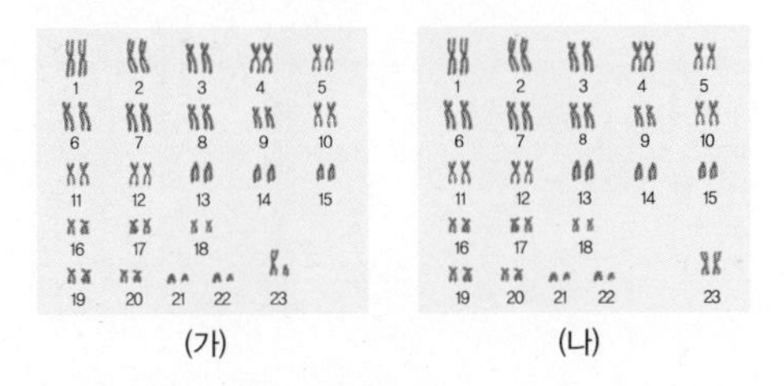

(가) (나)

① (가)는 여자의 염색체이다.
② 사람의 염색체는 총 44개이다.
③ 사람의 성별은 X, Y염색체에 의해서 결정된다.
④ (나)의 X염색체는 어머니에게만 물려 받은 것이다.
⑤ (가)는 남자의 염색체로 $2n=44+XX$이다.

V 생식과 유전

서술형으로 다지기

정답 ◆ 20p ◆

01 감자는 종자로도 번식하고 땅속줄기로도 번식한다. 같은 종류의 감자로 (가)는 감자 종자를 발아시키고, (나)는 감자 눈을 발아시켜 같은 수의 어린 식물을 얻었다. 이들을 같은 환경에서 10일 동안 기른 후 무게를 측정하였더니 다음 표와 같았다. (가)가 (나)보다 무게 범위가 넓은 이유를 추리하여 서술하시오.

실험군	평균 무게(g)	무게 범위(g)
(가) 종자	34	13~53
(나) 눈	38	37~40

02 고구마는 꽃이 피는 식물로 씨를 심어 기를 수 있는데도 고구마를 직접 심어 싹을 틔워 기른다. 씨 대신 고구마를 직접 심는 방법의 장점을 서술하시오.

03 초파리는 모두 8개의 염색체를 가지고 있지만 초파리의 모습은 모두 다르게 생겼다. 염색체 수가 같은데도 모습이 다른 이유를 서술하시오.

논술형

04 암수한몸인 지렁이나 달팽이는 암수 생식기를 같이 가지고 있음에도 불구하고 대부분 서로 다른 개체끼리 짝짓기하여 새로운 자손을 만든다. 그 이유를 서술하시오.

정답 ◆ 21p ◆

STEAM 유전자 변형 작물(GMO), 먹어? 말어?

유전자 변형 작물 먹어도 괜찮을까?
유전자 변형 작물은 식품 생산성 및 품질을 높이기 위해, 생물체의 유용한 유전자를 그 유전자를 가지고 있지 않은 생물체에 삽입하여 그 성질이 나타나도록 하는 기술이다. 유전자 재조합 작물을 유전자 변형 작물이라고 한다. 현재 전 세계적으로 유통되는 유전자 변형 작물은 콩, 옥수수, 감자 등 약 50여 개 품목이다. 세계 전체 농지 면적의 9 %에서 유전자 변형 콩과 옥수수 등이 재배되고 있고, 국내에서는 유전자 변형 콩 90만 톤, 유전자 변형 옥수수 640만 톤 등 총 유전자 변형 농산물 740톤을 수입해 식용유나 사료, 전분 제조용으로 사용하고 있다.
한동안 잠잠하던 유전자 변형 작물 안전성에 대한 찬반 논란이 다시 뜨거워지고 있다. 이번 논란은 프랑스 한 연수팀이 제초제에 강한 옥수수를 쥐에게 2년 동안 먹였더니 종양이 많이 발생했다는 연구 결과를 발표하면서 시작됐다. 유전자 변형 식품에 비판적인 프랑스 정부는 이번 연구가 사실일 경우 모든 유럽 국가에서 유전자 변형 옥수수 판매를 금지하도록 압력을 가할 것이라고 밝혔다. 그러나 유전자 변형 작물에 호의적인 학계와 업계는 이번 연구 방법과 결론에 문제를 제기하고 있다.

[유전자 변형 작물 개요]

1973년	유전자 재조합 기술 개발
1994년	미국 FDA, 무르지 않는 토마토 첫 승인
1996년	미국 몬산토사, 제초제에 가한 GM 콩 재배 시작
2010년	GM 콩, 세계에서 재배되는 콩의 71 % 차지 GM 목화, 세계에서 재배되는 목화의 65 % 차지 세계적으로 24작물 144종류 상업화 승인
2012년 9월 현재	우리나라, 식용과 사료용으로 8작물 89종류 수입 승인
9월 19일	프랑스 캉대 팀, GM 작물 장기적 위해성 첫 발표

유전자 변형 작물

01 유럽 식품안전청은 식품을 90일 동안 먹었을 때 나타나는 변화를 식품 안전성 판단의 주요 기준으로 삼고 있다. 90일이면 만성 독성에 대한 초기 징후가 나타나기 때문에 더 길게 시험하지 않아도 경향을 파악할 수 있다는 것이다. 이 판단 기준의 문제점을 서술하시오.

논술형

02 환경 단체는 안전성을 이유로 유전자 변형 작물을 재배하거나 수입하는 것을 금지해야 한다고 주장하지만, 식량 문제 해결을 위해서 유전자 변형 식품이 필수적이라는 주장도 강하다. 유전자 변형 작물이 식량 문제를 해결할 수 있는 이유를 서술하시오.

14 세포 분열

플러스 노트

● 세포 주기

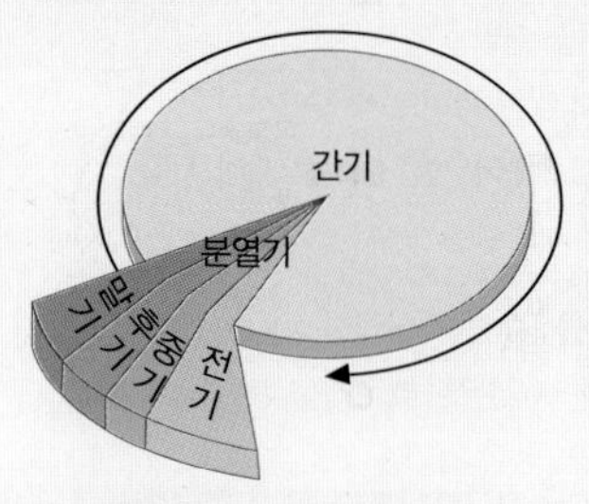

* 세포 주기 중 가장 긴 시기 : 간기
* 분열기 중 가장 긴 시기 : 전기
* 분열기 중 가장 짧은 시기 : 중기

● 방추사
세포 분열 시 염색체에 부착하여 염색체를 세포의 양 끝으로 이동시킨다.

용어풀이

간기(사이 間, 시기 期) : 세포 분열이 끝난 후 다음 분열이 시작되기 전까지의 시기로 세포 분열을 준비한다. DNA가 복제되고 세포의 크기가 커진다.

정답
ⓐ 교환 ⓑ 핵 ⓒ 세포질
ⓓ 염색체 ⓔ 방추사 ⓕ 세포판
ⓖ 2 ⓗ 2

A 세포 분열

1 세포 분열 : 한 개의 세포가 두 개로 나눠지는 현상

2 세포가 분열하는 이유 : 외부와의 물질 ⓐ ______ 을 효율적으로 하고, 생식에 필요한 세포를 만들기 위해 세포 분열을 한다.

B 체세포 분열

1 체세포 : 피부, 근육, 신경, 내장 등 몸을 구성하는 세포

2 체세포 분열 : 한 개의 체세포가 두 개의 세포로 나누어지는 것

3 체세포 분열 과정 : ⓑ ______ 분열 이후 ⓒ ______ 분열이 일어나며, 분열 결과 세포 1개에서 2개의 딸세포가 형성된다.

체세포 분열

구분	시기	그림	특징
분열 전	간기	인, 핵막	• 핵막이 핵을 싸고 있다. • 유전 물질은 염색사 형태이다. • 분열이 가까워지면 유전 물질이 2배로 복제된다.
핵 분열	전기	방추사, 염색체	• 핵막이 사라지고, ⓓ ______ 와 방추사가 나타난다. • 각각의 염색체는 똑같은 유전 물질을 가진 두 개의 염색 분체로 되어 있다.
	중기		염색체에 ⓔ ______ 가 부착되고 세포의 중앙에 염색체가 배열된다.
	후기		각각의 염색 분체가 방추사에 의해 분리되어 한 개씩 세포의 양 끝으로 이동한다.
	말기		염색체가 풀리고 핵막이 다시 나타나면서 2개의 핵이 된다.

	식물세포	동물세포
세포질 분열	• ⓕ ______ 형성 • 안쪽에서 바깥쪽으로 세포질 분열이 일어난다. • ⓖ ______ 개의 딸세포가 만들어진다.	• 세포질 함입 • 바깥쪽에서 안쪽으로 세포질 분열이 일어난다. • ⓗ ______ 개의 딸세포가 만들어진다.

4 체세포 분열의 특징

구분		내용
분열 장소	식물	특정 부위(생장점과 형성층)
	동물	몸 전체(온몸의 체세포)
염색체 수	변화 없음 ($2n$→ ⓐ ____)	
딸세포 수	2개	
분열 결과	단세포 생물	새로운 개체 형성(무성 생식)
	다세포 생물	생장, 재생

[체세포 분열 관찰]

• **탐구 과정**

① 양파 뿌리 끝을 1 cm 정도 잘라 에탄올과 아세트산의 3 : 1 혼합액에 담근다.
➡ ⓑ ____ : 세포 분열을 멈추고 살아 있는 상태와 같이 유지시키는 과정

② 뿌리 조각을 묽은 염산에 넣고 약 60 ℃로 물중탕한다.
➡ ⓒ ____ : 조직을 연하게 만드는 과정

③ 뿌리 끝 1 mm 정도를 잘라 받침 유리 위에 놓고 아세트산카민 용액을 떨어뜨린다. ➡ ⓓ ____ : 핵(염색체)을 붉게 염색하는 과정

④ 뿌리 끝을 해부 침으로 잘게 찢은 후 덮개 유리를 덮고 고무 달린 연필로 가볍게 두드린다. ➡ ⓔ ____ : 세포들이 겹치지 않도록 펼치는 과정

⑤ 거름종이를 덮어 엄지손가락으로 지그시 누른 후 현미경으로 관찰한다.
➡ ⓕ ____ : 세포를 얇게 펴 주는 과정

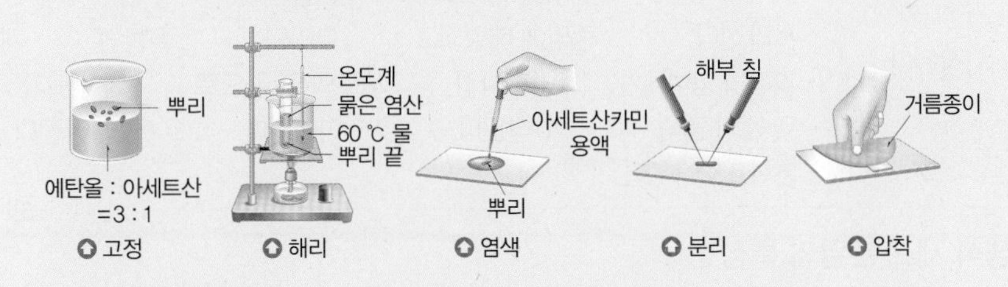

⊙ 고정 ⊙ 해리 ⊙ 염색 ⊙ 분리 ⊙ 압착

• **탐구 결과 및 해석**

① 체세포 분열 중인 세포들을 관찰할 수 있다.

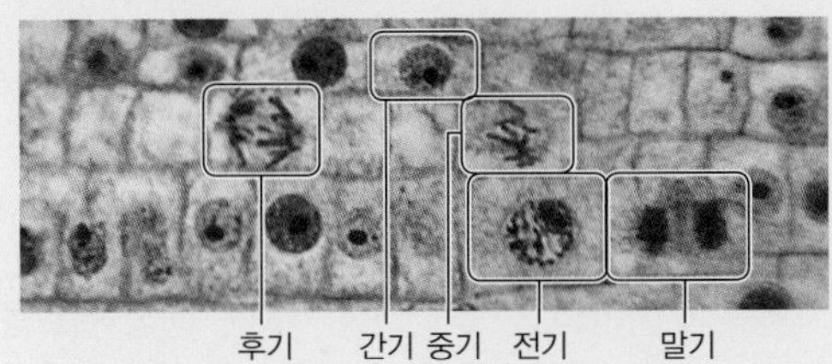

② 세포 주기 중 가장 길이가 긴 ⓖ ____ 때의 세포가 가장 많이 관찰된다.

③ 새로 생긴 세포는 주변 세포들보다 크기가 작다.

플러스 노트

● **세포 분열의 조절과 암세포**
정상적인 세포는 시간과 장소에 따라 세포 분열의 속도와 분열 횟수를 조절한다. 하지만 암세포는 이와 같은 조절 기능에 문제가 생겨 지속적으로 세포가 분열하여 암세포 덩어리를 형성한다.

● **체세포 분열 관찰 시 양파 뿌리 끝을 사용하는 이유**
뿌리 끝에 생장점이 있어 체세포 분열이 활발하게 일어난다.

ⓐ $2n$ ⓑ 고정 ⓒ 해리
ⓓ 염색 ⓔ 분리 ⓕ 압착
ⓖ 간기

플러스 노트

● **2가 염색체**

* 감수 1분열 전기에 상동 염색체가 접합하여 2가 염색체를 형성한다.

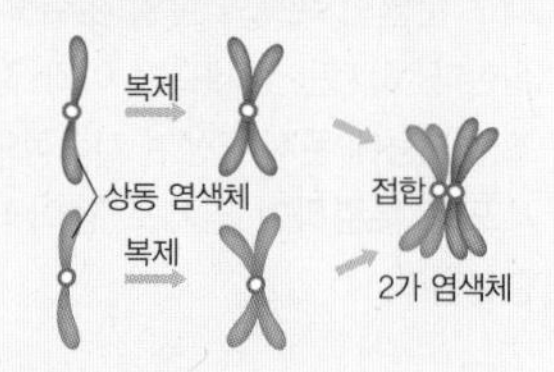

* 체세포 분열에서는 볼 수 없고 생식 세포 분열에서만 볼 수 있다.

● **생식 세포 분열의 의의**

생식 세포는 염색체 수가 체세포의 절반이다. 암수의 생식 세포가 결합하여 만들어진 수정란은 체세포와 같은 수의 염색체를 갖는다. 만일 생식 세포 분열이 일어나지 않는다면 세대가 거듭됨에 따라 자손의 염색체 수는 배가 될 것이다.

용어풀이

접합(이을 接, 합할 合) : 서로 가까이하여 붙는 현상

ⓐ 2가 염색체 ⓑ 2 ⓒ 4 ⓓ n

C 생식 세포 분열(감수 분열)

1 생식 세포 분열 : 생식 기관에서 생식 세포를 만드는 세포 분열

감수 분열

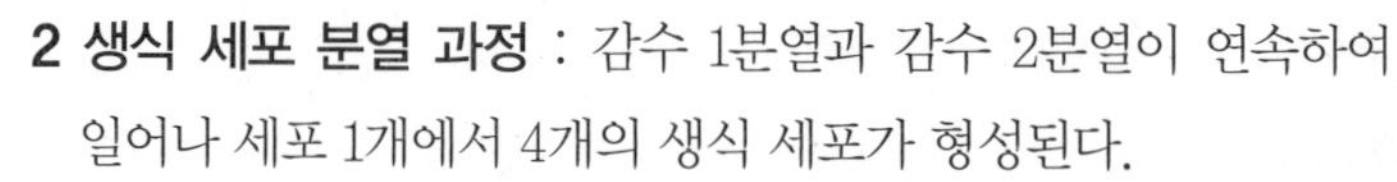

2 생식 세포 분열 과정 : 감수 1분열과 감수 2분열이 연속하여 일어나 세포 1개에서 4개의 생식 세포가 형성된다.

간기	감수 1분열(상동 염색체 분리 → 염색체 수 반감)			
	전기	중기	후기	말기
인, 핵막	방추사, 2가 염색체			
유전 물질이 2배로 복제된다.	• 핵막이 사라지고 염색체가 나타난다. • 상동 염색체가 짝을 지어 ⓐ ______가 형성된다.	• 2가 염색체가 세포의 중앙에 배열된다. • 방추사가 2가 염색체에 부착된다.	상동 염색체가 분리되어 세포 양 끝으로 이동한다.	염색체 수가 절반으로 줄어든 ⓑ ___ 개의 딸세포가 만들어진다.
	감수 2분열(염색 분체 분리 → 염색체 수 변화 없음)			
	전기	중기	후기	말기
	염색 분체			
감수 1분열이 끝나면 간기 없이 감수 2분열 전기가 시작된다.	• 핵막과 인이 사라진다. • 각각의 염색체가 두 개의 염색 분체로 되어 있다.	염색체가 세포의 중앙에 배열되고 방추사가 부착된다.	염색 분체가 분리되어 세포의 양 끝으로 이동한다.	염색체 수가 절반인 ⓒ ___ 개의 딸세포가 만들어진다.

3 생식 세포 분열의 특징

분열 장소	식물	꽃밥, 밑씨
	동물	정소, 난소
염색체 수	반으로 줄어든다. ($2n$ → ⓓ ______)	
딸세포 수	4개	
분열 의의	• 체세포의 절반의 염색체 수를 가지는 생식 세포를 만들어 세대를 거듭해도 자손의 염색체 수가 일정하게 유지된다. • 체세포($2n$) → 생식 세포($n+n$) → 자손($2n$) • 다양한 유전적 조합을 가지는 생식세포를 만들 수 있다.	

[생식 세포 분열 관찰]

• **탐구 과정**

① 백합의 어린 꽃봉오리 속에 들어 있는 꽃밥을 떼어내어 에탄올과 아세트산의 3 : 1 혼합액에 12시간 담근다. ➡ 고정 : 세포 분열을 정지시키는 과정

② 받침 유리 위에 꽃밥을 올려 놓고 해부침으로 터트려 속에 있는 물질을 꺼낸다.

③ 아세트산올세인 용액을 한두 방울 떨어뜨린 후 덮개 유리를 덮는다.
➡ 염색 : 핵(염색체)을 붉게 염색하는 과정

④ 덮개 유리를 거름종이로 덮고 엄지손가락으로 지그시 누른 후 현미경으로 관찰한다. ➡ 압착 : 세포를 얇게 펴 주는 과정

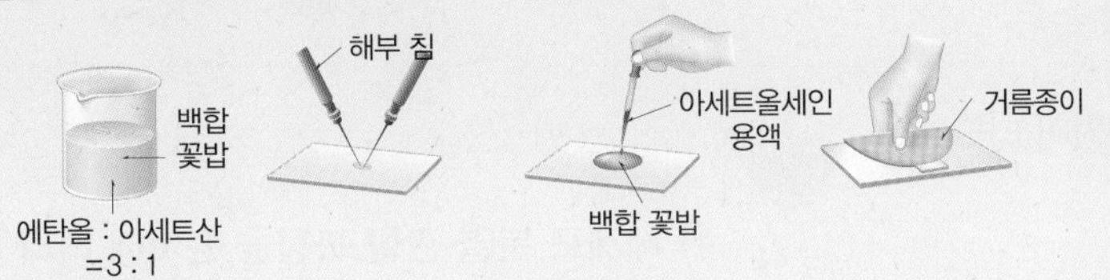

• **탐구 결과 및 해석**

① 생식 세포 분열 중인 세포들을 관찰할 수 있다.

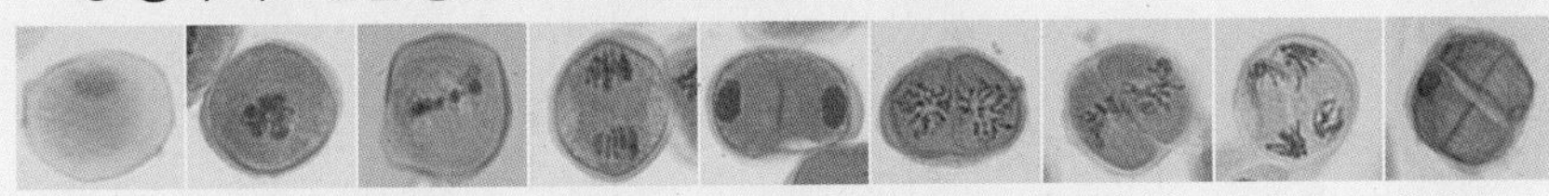

⊙ 간기 ⊙ 전기－Ⅰ ⊙ 중기－Ⅰ ⊙ 후기－Ⅰ ⊙ 말기－Ⅰ ⊙ 전기－Ⅱ ⊙ 중기－Ⅱ ⊙ 후기－Ⅱ ⊙ 말기－Ⅱ

② 생식 세포 분열 후 ⓐ ___ 개가 된 딸세포가 관찰된다.

③ 새로 생긴 세포는 주변 세포들보다 크기가 작다.

D 체세포 분열과 생식 세포 분열 비교

구분	체세포 분열	생식 세포 분열
분열 장소	• 식물 : 생장점과 형성층 • 동물 : 몸 전체 체세포	• 식물 : 꽃밥, 밑씨 • 동물 : 정소, 난소
분열 횟수	ⓑ ___ 회	연속 ⓒ ___ 회
딸세포 수	ⓓ ___ 개	ⓔ ___ 개
염색체 수 변화	변화 없다. $2n \rightarrow 2n$	ⓕ ___ 으로 줄어든다. $2n \rightarrow n$
	상동 염색체 $2n$ → $2n$ → $2n$ 상동 염색체 $2n$ 2가 염색체가 형성되지 않으며 후기에 염색 분체가 분리된다.	상동 염색체 2가 염색체 $2n$ → $2n$ → n n n n n n 감수 1분열에서 상동 염색체가 분리되고, 감수 2분열에서 염색 분체가 분리된다.
분열 결과	생장, 재생, 무성 생식	생식 세포 형성

플러스 노트

● **생식 세포 분열 관찰용 백합 꽃밥**
꽃이 피지 않은 꽃봉오리 중에서도 어린 봉오리를 사용한다. 꽃밥이 터지기 전의 꽃밥을 사용해야 꽃가루가 형성되는 모든 과정을 관찰할 수 있다.

● **아세트올세인 용액**
이끼에서 추출한 용액으로 염색체를 염색한다. 아세트산카민 용액으로 염색이 잘 안될 때 아세트올세인 용액으로 염색하면 잘 볼 수 있다.

● **체세포와 생식 세포**
체세포에는 상동 염색체가 있고, 생식 세포에는 상동 염색체가 없다. 즉, 체세포에는 같은 모양의 염색체가 2개씩 짝지어 있고, 생식 세포에는 각 모양의 염색체가 1개씩만 있다.

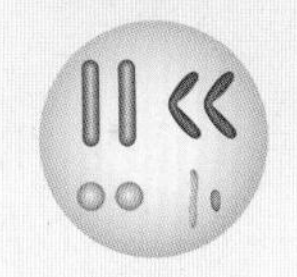
⊙ 체세포

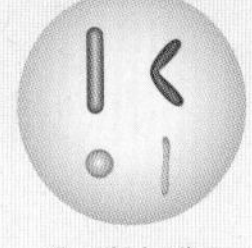
⊙ 생식 세포

● **세포 분열시 염색체 수의 변화**
하나의 염색체를 구성하는 염색 분체는 복제에 의해 형성된 것이므로, 각각의 염색 분체는 동일한 유전자 구성을 갖는다. 따라서 체세포 분열이나 감수 2분열 시 염색 분체가 분리될 때에는 염색체의 수가 변하지 않는다. 그러나 상동 염색체는 서로 다른 유전자 구성을 가지므로, 상동 염색체가 분리되는 감수 1분열 시에는 염색체의 수가 절반으로 줄어든다.

ⓐ 4 ⓑ 1 ⓒ 2 ⓓ 2 ⓔ 4
ⓕ 반

Ⅴ 생식과 유전

개념 기르기

01 다음 중 체세포 분열 과정을 전기, 중기, 후기, 말기로 구분하는 기준이 되는 것으로 옳은 것은?

① 핵의 개수
② 방추사의 위치
③ 세포막의 변화
④ 염색체의 모습과 위치
⑤ 세포질이 분열하는 방법

[02~03] 다음 그림은 체세포 분열 과정을 순서없이 나타낸 것이다. 물음에 답하시오.

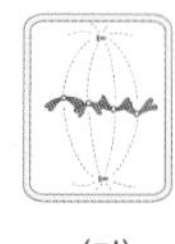

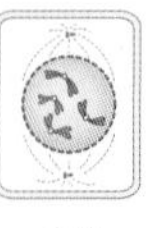
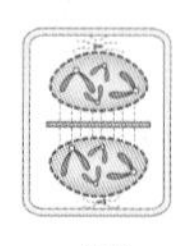
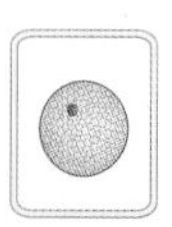
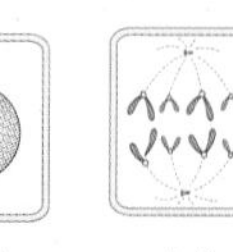
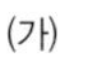

(가) (나) (다) (라) (마)

02 위 체세포 분열 과정을 순서에 따라 바르게 나열한 것은?

① (라) → (가) → (나) → (마) → (다)
② (라) → (나) → (가) → (마) → (다)
③ (라) → (가) → (마) → (나) → (다)
④ (나) → (가) → (마) → (다) → (라)
⑤ (가) → (마) → (나) → (다) → (라)

03 체세포 분열 과정에 대한 설명으로 옳은 것은?

① (가)는 염색체가 가장 잘 관찰된다.
② (나)는 세포 주기 중 가장 시간이 길다.
③ (다)에서 유전 물질이 2배로 복제된다.
④ (라)에서 염색체에 방추사가 부착되고 세포의 중앙에 염색체가 나타난다.
⑤ (마)에서 염색체가 사라지고 핵막이 나타나면서 두개의 핵이 생겨난다.

[04~05] 다음 그림은 뿌리 끝에서 일어나는 체세포 분열 관찰 과정을 순서없이 나타낸 것이다. 물음에 답하시오.

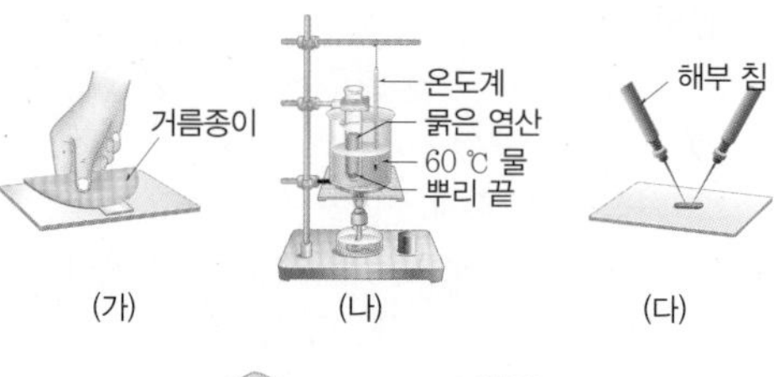

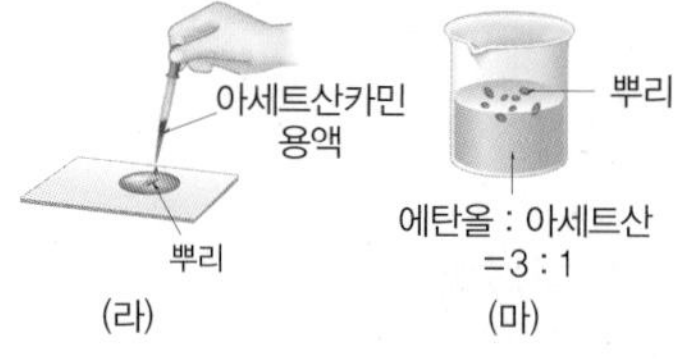

04 위 체세포 분열 관찰 과정을 순서에 따라 바르게 나열한 것은?

① (나) → (마) → (라) → (다) → (가)
② (나) → (마) → (가) → (다) → (라)
③ (다) → (가) → (라) → (나) → (마)
④ (마) → (나) → (다) → (라) → (가)
⑤ (마) → (나) → (라) → (다) → (가)

05 (마) 과정에서 뿌리 끝을 에탄올과 아세트산을 3 : 1로 혼합한 용액에 담가두는 이유로 옳은 것은?

① 세포를 얇게 펴서 잘 관찰하기 위해서이다.
② 세포를 분리하여 체세포 분열을 관찰하기 위해서이다.
③ 뿌리 조직을 연하게 하여 관찰을 쉽게 하기 위해서이다.
④ 염색체가 염색이 잘되어 더 쉽게 염색체를 관찰하기 위해서이다.
⑤ 세포가 더 이상 분열하지 않게 하고 살아 있는 상태와 같이 유지하기 위해서이다.

06 다음 중 체세포 분열에 대한 설명으로 옳은 것은?

① 세포의 크기가 커진다.
② 염색체의 수가 2배로 늘어난다.
③ 염색체의 수가 반으로 줄어든다.
④ 식물에서는 특정 부위에서만 일어난다.
⑤ 1개의 세포가 4개의 딸세포가 된다.

[07~08] 다음 그림은 어떤 세포 분열 과정을 나타낸 것이다. 물음에 답하시오.

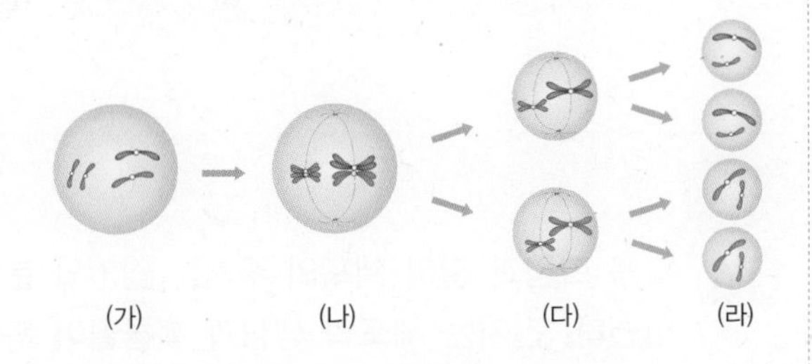

07 위 그림에서 염색체의 수가 절반으로 줄어드는 시기로 옳은 것은?

① (가) → (나)　② (나) → (다)
③ (다) → (라)　④ (나) → (라)
⑤ 줄어들지 않는다.

중요
08 위 그림의 세포 분열에 대한 설명으로 옳은 것은?

① 2가 염색체를 볼 수 있다.
② 생물이 생장할 때 하는 세포 분열이다.
③ 세포 분열 결과 만들어진 딸세포는 생장에 이용된다.
④ (나)에서 (다) 사이에 분열이 잠시 멈추는 시기가 있다.
⑤ (라)에서 세포의 염색체 수는 모세포와 같다.

09 오른쪽 그림은 생식 세포 분열의 어느 한 단계이다. 이에 대한 설명으로 옳은 것은?

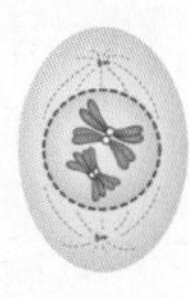

① 염색체의 수는 2개이다.
② 감수 1분열의 후기 단계이다.
③ 유전 물질이 2배로 복제된다.
④ 2가 염색체가 나타난다.
⑤ 체세포 분열에서도 관찰 가능하다.

10 다음 중 생식 세포 분열에 대한 설명으로 옳은 것은?

① 생식 세포 분열 후 딸세포는 2개가 된다.
② 생식 세포 분열 후 염색체의 수는 2배로 늘어난다.
③ 사람의 난소와 식물의 형성층에서 일어나는 세포 분열이다.
④ 세대가 거듭되어도 염색체 수가 변하지 않도록 한다.
⑤ 생식 세포 분열 후 새로 생긴 세포는 모세포보다 더 크다.

중요
11 다음 중 체세포 분열과 생식 세포 분열에 대해 바르게 설명한 것은?

① 생식 세포 분열 결과 세포 수가 줄어든다.
② 체세포 분열 결과 생장과 재생이 일어난다.
③ 체세포 분열 결과 염색체 수가 절반으로 줄어든다.
④ 생식 세포 분열과 체세포 분열 과정에서 모두 2가 염색체가 관찰된다.
⑤ 체세포 분열과 생식 세포 분열 결과 같은 수의 딸세포가 생성된다.

서술형으로 다지기

정답 ◆ 22p ◆

01 유성 생식은 암수가 각각 생식 세포를 만들고 생식 세포가 결합하여 자손이 만들어진다. 유성 생식은 세대가 거듭되더라도 염색체 수가 일정하게 유지된다. 그 이유를 서술하시오.

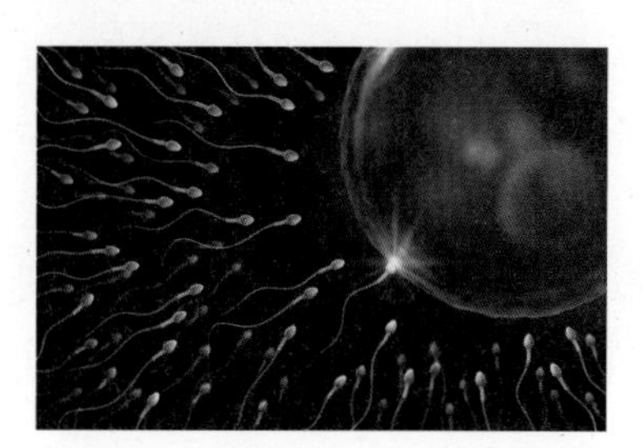

02 같은 부모에서 태어난 형제자매는 유전자는 99.9 %로 거의 일치하지만 모습이 조금씩 다르다. 그 이유를 서술하시오.

03 다음 그림은 단세포 생물인 아메바가 분열하는 모습이다. 체세포 분열의 의의를 단세포 생물과 다세포 생물로 나누어 서술하시오.

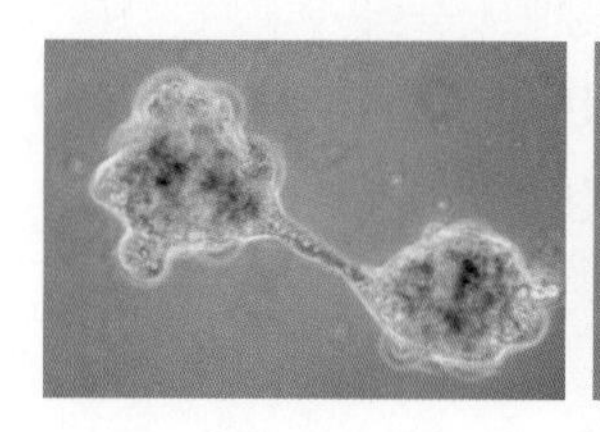
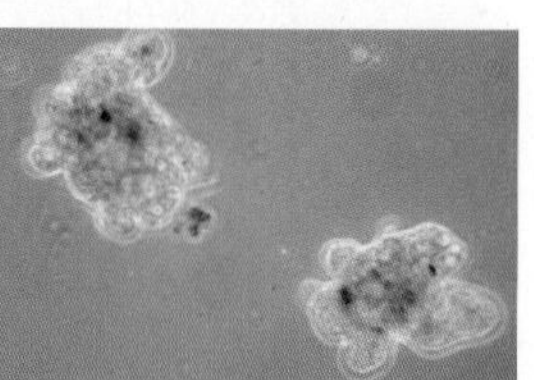

논술형

04 다음 그림과 같이 세포의 주기는 간기와 분열기로 나뉜다. 간기는 세포의 생장과 핵물질이 복제되는 시기로 세포 주기 중 가장 길다. 분열기는 전기, 중기, 후기, 말기로 구분된다. 세포 분열 주기의 상대적인 길이를 측정할 수 있는 방법을 서술하시오.

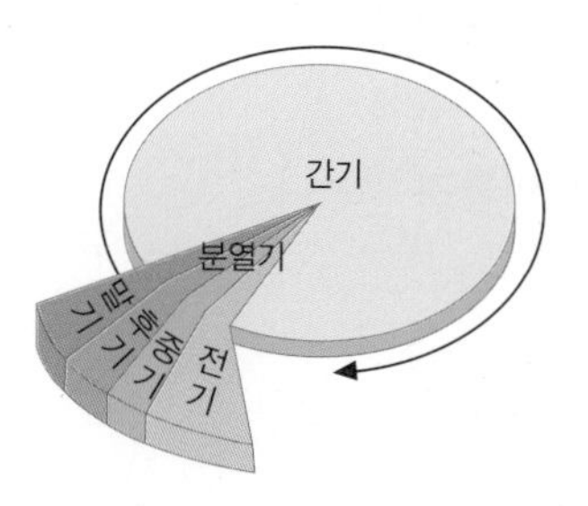

정답 ◆ 22p ◆

STEAM 생명시계, 텔로미어

불로장생(不老長生), 불로불사(不老不死)는 인류의 오랜 염원이다. 누구나 영원한 삶을 원하고 그 안에서 평온하길 바란다. 하지만 한번 태어나면 죽음을 맞이할 수밖에 없는 것이 인간의 숙명이다.
사람의 삶의 기간을 가늠할 수 있는 것은 생명 시계이다. 생명 시계의 핵심은 세포이다. 세포는 분열을 통해 손상된 부위를 수선하거나 죽은 세포를 새로운 것으로 대치시켜 우리 몸을 유지한다. 세포 분열은 생물의 생명 현상의 중요한 본질이다.
염색체 끝부분에는 텔로미어라는 구조가 있다. 텔로미어는 염색체의 손상이나 다른 염색체와의 결합을 방지한다.
세포가 분열하면 염색체의 길이가 짧아진다. 따라서 텔로미어는 세포가 한 번 분열할 때마다 그 길이가 조금씩 짧아진다. 세포 분열이 일정한 횟수를 넘어서면 텔로미어가 아주 짧아지고, 그 세포는 분열을 멈추고 죽는다. 이미 늙거나 손상된 세포는 문제를 일으키지 않기 위해 스스로 자살한다.

텔로머레이스라는 효소는 나이가 들면서 짧아지는 텔로미어의 길이를 다시 정상으로 복귀시킨다. 만약 더 이상 분열할 수 없는 세포에 텔로머레이스를 넣어주면 다시 세포 분열을 한다. 이론적으로 사람의 세포를 영원히 생존시킬 수 있다.
후천적인 노력을 통해서도 텔로미어의 길이를 늘어나게 할 수 있다. 규칙적인 운동, 하루 7~8시간 이상의 충분한 수면, 단백질 위주의 소식, 항산화 식품과 바이타민 D가 풍부한 음식을 먹는 것이 텔로미어의 길이를 늘어나게 하는 데 도움이 된다.

텔로미어

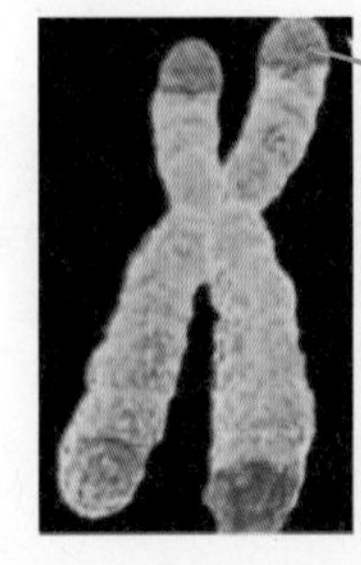

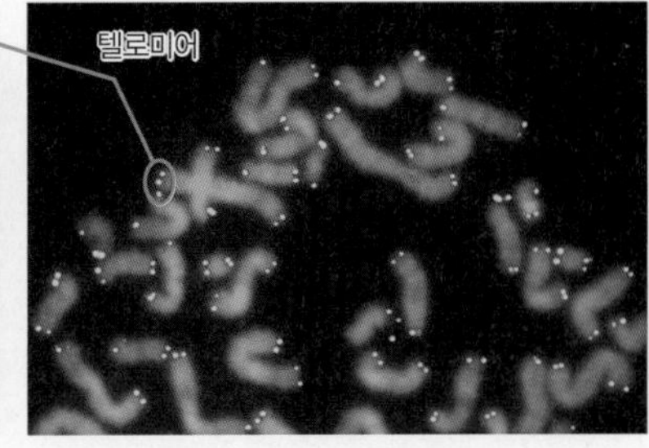

01

나이가 들면 주름이 생기고 각종 생리 기능이 저하되는 노화가 진행된다. 노화가 일어나는 이유는 다양하다. 노화의 주범은 자외선이며, 활성산소와 전자파, 스트레스에 의해서도 노화가 일어난다. 노화의 원인을 세포 분열과 관련지어 서술하시오.

02 텔로머레이스를 이용하여 텔로미어 길이를 길게 만들 때 나타날 수 있는 장점과 단점을 서술하시오.

V 생식과 유전

정자와 난자의 수정으로 시작되는

15 사람의 생식과 발생

플러스 노트

● **성호르몬**
사춘기 이후 남자와 여자의 2차 성징을 발현시키는 물질로, 남성 호르몬에는 테스토스테론, 여성호르몬에는 에스트로젠과 프로게스테론이 있다.

● **난자의 크기**
포유류(태생)는 발생에 필요한 영양분을 체내에서 공급받으므로 난자의 크기가 비교적 작지만, 조류나 양서류(난생)는 발생에 필요한 영양분을 난자에 저장하므로 난자의 크기가 크다. 사람의 난자는 약 0.1 mm, 개구리 난자는 1~2 mm, 달걀은 5 cm 정도이다.

용어풀이
수정(받을 受, 정할 精) : 난자와 정자가 서로 합쳐지는 현상

ⓐ 정소 ⓑ 난소 ⓒ 양분 ⓓ 수정

A 사람의 생식 기관

1 남성의 생식 기관

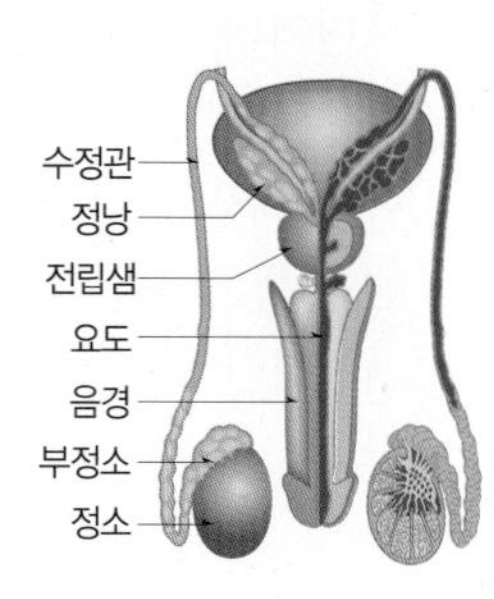

ⓐ	정자를 만들고, 남성 호르몬을 분비한다.
부정소	정자가 잠시 머물며 성숙하는 곳
수정관	정자가 이동하는 통로
정낭, 전립샘	정액을 이루는 물질을 분비
요도	정액이 몸 밖으로 나가는 통로
정자의 이동 경로	정소 → 부정소 → 수정관 → 요도 → 몸 밖

2 여성의 생식 기관

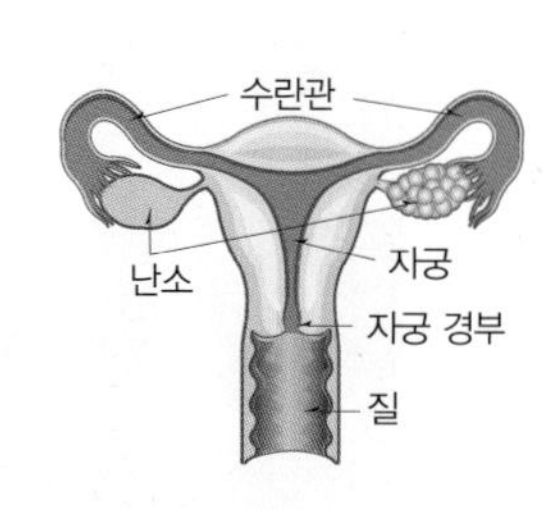

ⓑ	난자를 만들고, 여성 호르몬을 분비한다.
수란관	• 수정이 일어나는 장소 • 난자가 자궁으로 이동하는 통로
자궁	수정란이 착상하여 태아로 자라는 곳
질	정자가 들어오고, 태아가 나가는 통로
난자의 이동 경로	난소 → 수란관 → 자궁 → 질 → 몸밖

B 정자와 난자의 수정

1 정자와 난자 : 유성 생식을 하기 위한 생식 세포

구분	정자	난자
구조	미토콘드리아 (에너지 생성) 핵 (유전 물질 저장) 꼬리(운동) 머리	투명대 핵 (유전 물질 저장) 세포질
생성 장소	남성의 정소	여성의 난소
운동성	꼬리를 이용하여 움직인다.	운동 기관이 없어 움직일 수 없다.
크기	양분이 없으며 아주 작다.	세포질에 ⓒ 을 저장하고 있어 크다.
염색체 수	$n=23$	$n=23$

2 정자와 난자의 수정

① ⓓ : 유성 생식으로 자손을 만들기 위해 정자와 난자가 결합하는 과정

② 수정 과정

- 난자가 분비하는 화학 물질을 따라 정자가 헤엄쳐 난자 표면에 도착한다.
- 정자의 머리가 난자의 투명대를 뚫고 난자 안으로 들어간다. 난자의 투명대가 수정막으로 변해 다른 정자가 들어가지 못한다.
- 난자 안으로 들어간 정자의 핵($n=23$)이 난자의 핵($n=23$)에 접근한다.
- 정자의 핵과 난자의 핵이 합쳐져서 ⓐ ______ ($2n=46$)이 된다.

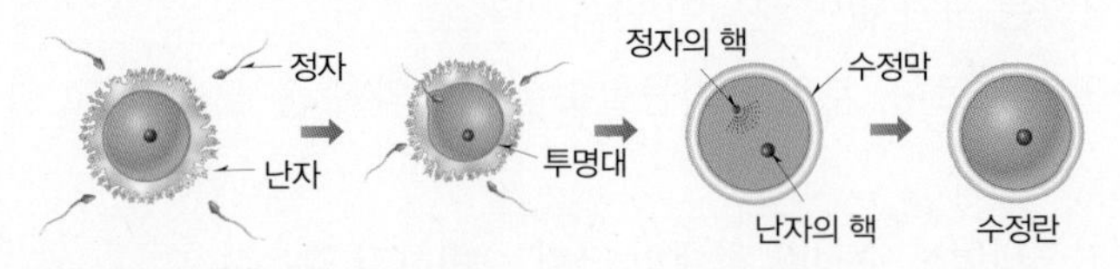

수정 과정

C 사람의 생식 주기

1 생식 주기 : 월경이 시작된 날부터 다음 월경이 시작되기 까지의 기간으로 일반적으로 약 ⓑ ______ 일 정도이다.

생식 주기

2 생식 주기 동안 난소와 자궁 내막의 변화

구분	난소의 변화	자궁 내막의 변화
난자의 성숙	• 여포 속에 난자가 들어 있다. • 여포와 함께 난자가 성숙한다.	여포에서 분비하는 호르몬의 영향으로 자궁 내막이 점점 두꺼워짐
ⓒ ______	• 여포가 터지면서 난자가 배출된다. • 배란은 보통 다음 월경이 시작되기 약 ⓓ ______ 일 전에 일어난다.	
황체 형성	배란 후 여포는 황체가 된다.	황체에서 분비하는 호르몬의 영향으로 자궁 내막이 두껍게 유지됨

⬇ 난자가 수정되지 않았을 경우

ⓔ ______	황체가 퇴화된다.	두꺼워진 자궁 내막이 파열되어 혈액과 함께 몸 밖으로 배출됨

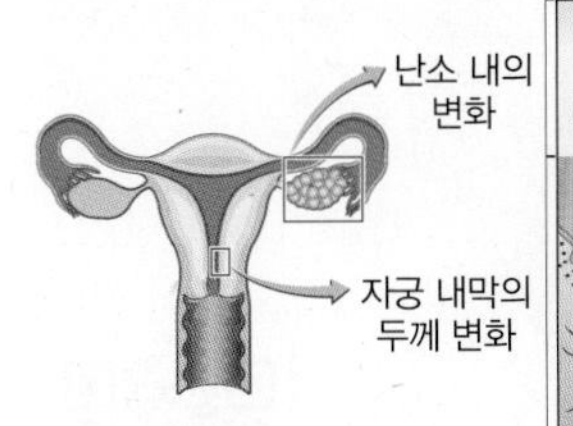

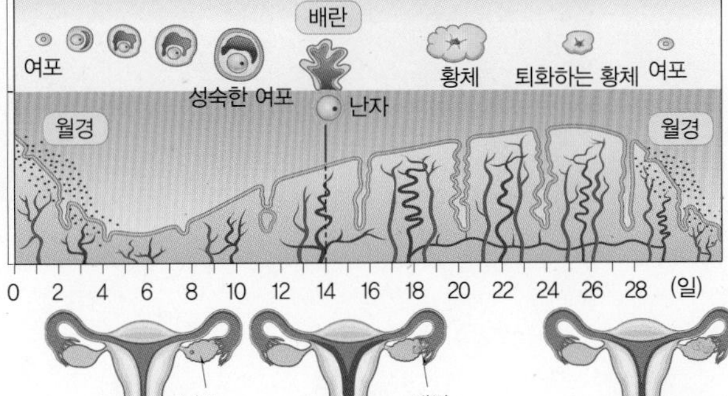

플러스 노트

● **수정란의 염색체 수**
수정란은 정자와 난자의 염색체를 모두 가지며, 수정란의 염색체 수는 부모가 가진 체세포의 염색체 수와 같다.

● **생식 주기**
생식 주기는 사춘기부터 시작되어 30~40년간 지속적으로 반복된다.

● **임신이 가능한 시기**
정자는 여자의 생식 기관 내에서 3~4일 정도 생존할 수 있고, 난자의 수명은 1~2일 정도이다. 그러므로 배란 3~4일 전부터 배란 후 1~2일까지 정자와 난자가 만나 임신이 가능하다.

용어풀이

자궁(아들 子, 집 宮) : 태아가 자라는 집

여포(거를 濾, 세포 胞) : 난자가 들어 있는 주머니

황체(누를 黃, 몸 體) : 난자를 내보낸 여포가 변해서 만들어진 노란 덩어리

배란(물리칠 排, 알 卵) : 난소에서 난자를 내보내는 것

정답

ⓐ 수정란 ⓑ 28 ⓒ 배란
ⓓ 14 ⓔ 월경

플러스 노트

● **발생과 유전 정보**
수정란이 가지고 있는 유전 정보에 따라 호랑이의 수정란에서는 호랑이가, 사람의 수정란에서는 사람의 아기가 만들어진다.

● **난소와 배란**
난소는 좌우에 1개씩 모두 2개가 있지만, 난자는 1달에 1개씩만 배란된다. 하지만 어떤 요인에 의해 양쪽 난소에서 모두 배란되어, 각각의 난자가 서로 다른 정자에 의해 수정이 이루어지면, 2란성 쌍둥이가 태어난다.

● **수정란의 이동**
수정이 일어나는 장소는 수란관 상단부이다. 수정란은 난할이 진행되는 동안 수란관의 섬모 운동에 의해 자궁 쪽으로 이동하여 수정된지 약 1주일 후 자궁 내막 안쪽에 착상된다.

● **임신**
수정란이 착상한 후부터 완전한 개체로 자라 밖으로 나올 때까지의 상태

용어풀이
착상(붙을 着, 평상 床) : 수정란이 자궁 내막의 안쪽에 파묻히는 것

ⓐ 증가 ⓑ 작아 ⓒ 배란 ⓓ 수정 ⓔ 착상

D 수정란의 발생과 임신

1 발생 : 수정란으로부터 하나의 개체가 만들어지는 과정

2 난할 : 수정란의 초기 발생 과정에서 일어나는 세포 분열

① 난할

- 체세포 분열의 일종으로 세포 분열 과정에서 염색체 수가 변하지 않는다.
- 세포가 생장하는 시기 없이 분열이 반복된다.
  ➡ 분열 속도가 빠르며, 분열을 거듭할수록 할구의 수는 ⓐ ____ 하고 할구의 크기는 ⓑ ____ 진다.
  ➡ 난할이 진행되어도 수정란 전체의 크기는 변하지 않는다.
- 일정한 순서와 방향으로 분열한다.

② **조직과 기관의 형성** : 난할이 계속되어 세포 수가 어느 정도 많아지면 세포가 모여 여러 조직을 만들고, 조직으로부터 기관이 형성된다.

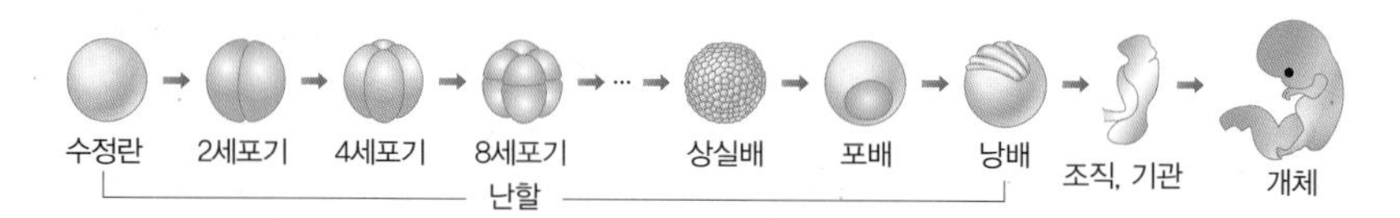

3 사람의 임신과 출산

① **생식 세포 형성** : 난소에서 난자가, 정소에서 정자가 형성된다.

② ⓒ ____ : 난소에서 난자가 수란관으로 배출된다.

③ ⓓ ____ : 수란관 상단부에서 난자와 정자가 만나 결합한다.
➡ 수정란은 난할을 하면서 수란관을 따라 자궁 쪽으로 이동한다.

④ ⓔ ____ : 수정되고 6~7일 후 수정란이 포배 상태로 자궁 내막 안쪽으로 파고 들어간다. ➡ 이때부터 임신이 되었다고 한다.

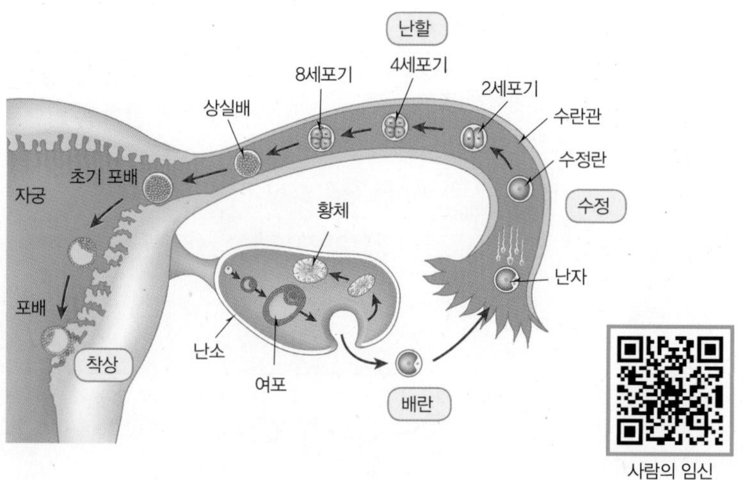

사람의 임신

⑤ 태아의 발생과 성장

• **태반 형성** : 착상 이후 수정란의 일부 조직과 자궁 내벽의 일부 조직이 변해 태반이 만들어지며, 태아는 탯줄로 태반과 연결된다.

➡ ⓐ ____ 을 통해 모체와 태아 사이에 물질 교환이 일어난다.

모체 ⇄ 태아 (모체 → 태아: 산소, 영양소 / 태아 → 모체: 이산화 탄소, 노폐물)

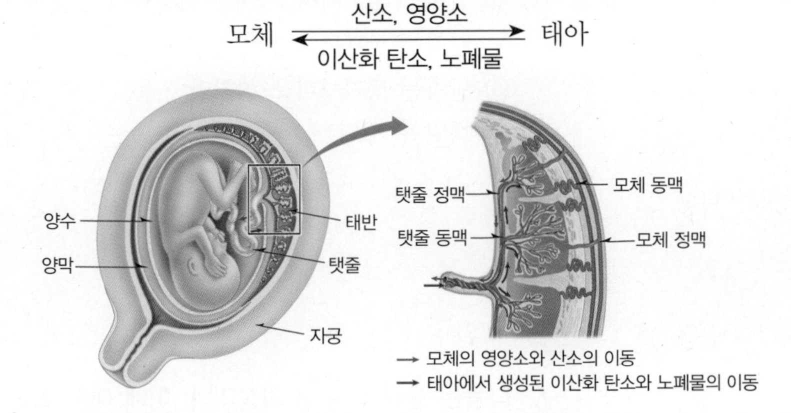

• **세포 분열과 기관 형성** : 수정 후 3주~6주 사이에 뇌, 척수, 심장, 팔, 다리와 같은 주요 기관이 만들어진다.

➡ 수정 후 8주까지를 배아, 8주 이후부터를 태아라고 부른다.

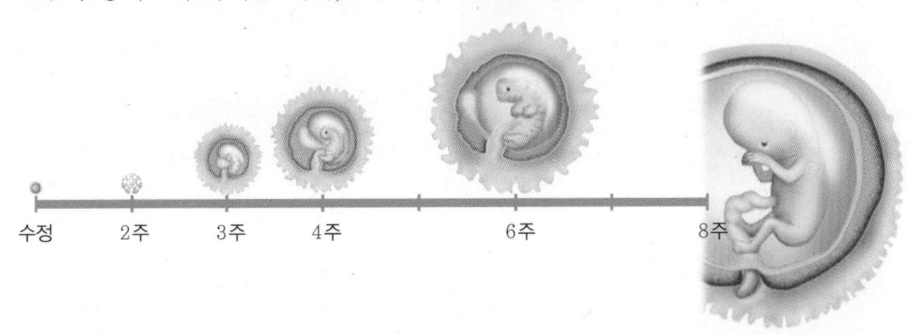

⑥ **출산** : 수정된 지 약 266일(38주), 마지막 월경 시작 후 280일이 지난 후 태아는 질을 통해 모체 밖으로 나온다.

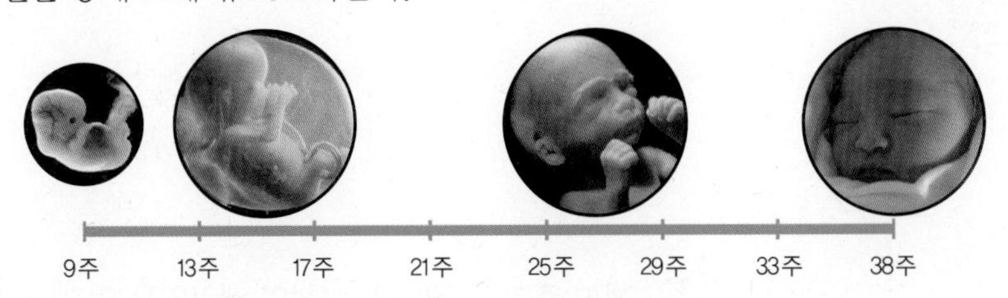

플러스 노트

● **모체와 태아의 혈관**
모체와 태아의 혈관은 연결되어 있지 않다. 모체의 혈액이 가득 찬 태반과 태아의 모세 혈관이 가까이 있어 혈액이 섞이지 않고도 확산에 의해 물질 교환이 일어난다.

● **임신과 건강**
태아는 모체가 흡수한 해로운 물질도 받아들이므로 임신부의 약물 복용, 흡연, 음주 등은 태아에게 심각한 영향을 줄 수 있다.

● **양수 속에서 태아의 호흡**
태아는 모체 내에 있을 때 스스로 숨을 쉬지 않는다. 태아는 호흡에 필요한 산소를 모체로부터 태반을 통해 공급받고, 호흡 결과 발생한 이산화 탄소를 태반을 통해 모체로 전달한다. 모체가 태아 대신 외부와 폐를 통해 기체 교환을 한다.

용어풀이

양막(양 羊, 막 膜) : 태아를 둘러싸고 있는 얇은 막

양수(양 羊, 물 水) : 양막과 태아 사이의 공간을 채운 액체 물질

태반(아이를 밸 胎, 소반 盤) : 모체와 태아 사이에서 물질 교환을 하는 기관

정답 ⓐ 태반

01 다음 그림은 남성의 생식 기관을 나타낸 것이다. 이에 대한 설명으로 옳은 것은?

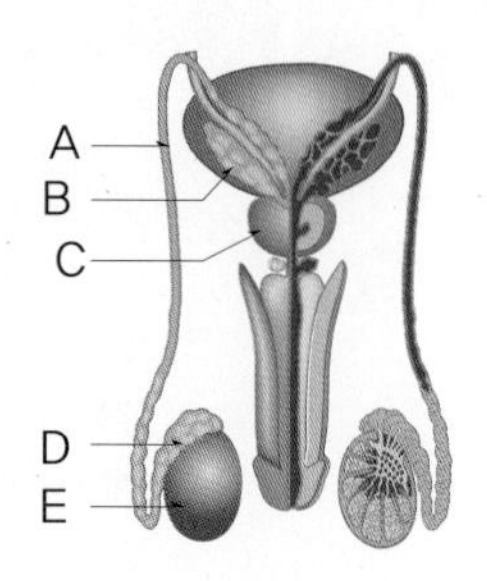

① A는 수란관으로 정액이 이동하는 통로이다.
② B에서 정자가 만들어진다.
③ C에서 남성 호르몬을 분비한다.
④ D에서 정자가 잠시 머물면서 성숙하여 운동 능력을 갖추게 된다.
⑤ E에서는 정액을 이루는 물질을 분비한다.

02 다음은 여성의 생식 기관을 나타낸 것이다. 이에 대한 설명으로 옳은 것은?

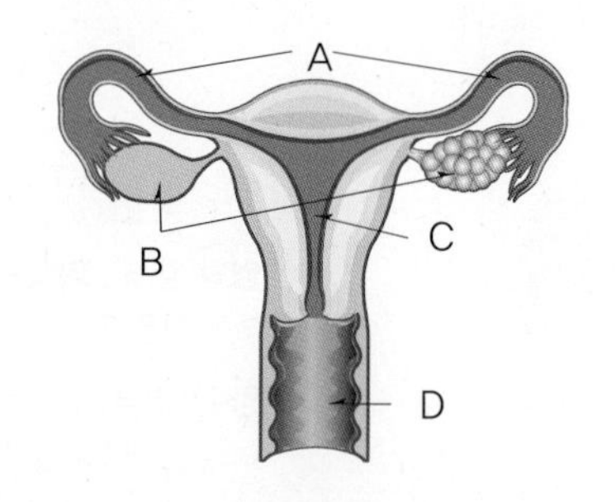

① 태아가 자라는 곳은 D이다.
② 수정란의 착상이 일어나는 곳은 B이다.
③ C는 여성 호르몬을 분비한다.
④ 정자와 난자의 수정이 이루어지는 장소는 A이다.
⑤ B는 난소로 정자를 만들고 남성 호르몬을 분비한다.

03 다음 중 정자와 난자의 특징을 바르게 비교한 것으로 옳은 것은?

① 정자는 난자보다 크기가 크다.
② 난자의 염색체 수는 정자의 반이다.
③ 난자는 정소에서, 정자는 난소에서 생성된다.
④ 난자는 정자보다 많은 양분을 저장하고 있다.
⑤ 난자는 정자보다 느리지만 운동 기관이 있어 움직일 수 있다.

04 다음은 동물의 수정 과정이다. 이에 대한 설명으로 옳지 않은 것은?

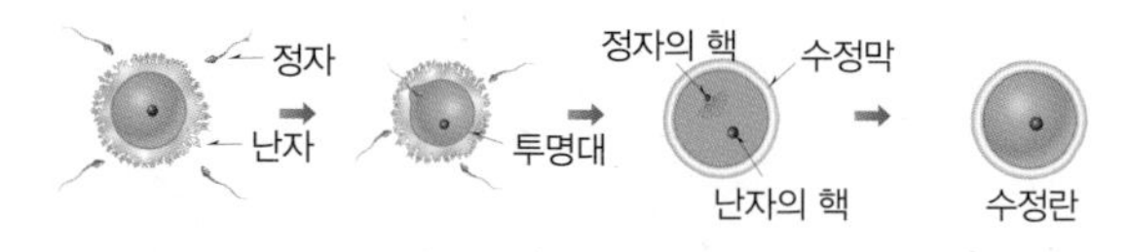

① 정자의 머리 부분만 난자 안으로 들어간다.
② 하나의 정자만 난자 안으로 들어갈 수 있다.
③ 난자는 화학 물질을 분비하여 정자를 유인한다.
④ 정자가 난자 안으로 들어가면 투명대가 수정막으로 변해 다른 정자가 들어가지 못한다.
⑤ 수정란의 염색체 수는 체세포의 염색체 수의 절반이다.

05 생식 주기가 28일인 여성의 배란일은 언제인가?

① 월경이 끝난 날
② 월경이 시작된 날
③ 자궁에 수정란이 착상한 날
④ 월경이 시작되기 약 14일 전
⑤ 난자가 수란관에서 수정된 날

06 난할에 대한 설명으로 옳은 것을 모두 고르시오.

① 생식 세포 분열의 일종이다.
② 세포의 생장기 없이 계속 분열이 일어난다.
③ 할구의 수는 증가하고 할구의 크기는 작아진다.
④ 난할이 진행될수록 세포 하나당 염색체 수가 감소한다.
⑤ 난할이 진행되어도 세포 하나하나의 크기는 변하지 않는다.

07 다음은 여성의 생식 기관에서 일어나는 배란에서 착상까지의 과정을 나타낸 그림이다. 이에 대한 설명으로 옳지 않은 것은?

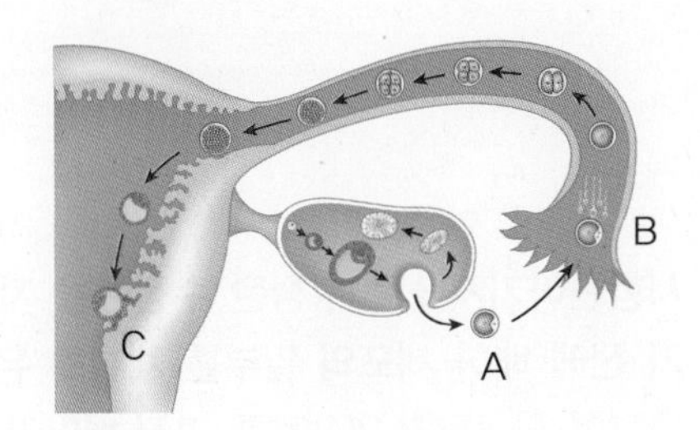

① 수란관에서 B가 일어난다.
② C에서 수정란은 포배 상태이다.
③ B가 일어났을 때를 임신이 되었다고 한다.
④ 약 28일 주기로 양쪽 난소에서 A가 교대로 1개씩 배출된다.
⑤ C는 착상으로 수정된 지 6~7일 후 수정란이 자궁 내막의 안쪽으로 파고 들어간다.

08 생식 세포 형성 후 임신과 출산 과정으로 옳은 것은?

① 배란 → 착상 → 수정 → 태반 형성 → 출산
② 배란 → 수정 → 착상 → 태반 형성 → 출산
③ 배란 → 수정 → 태반 형성 → 착상 → 출산
④ 수정 → 배란 → 착상 → 태반 형성 → 출산
⑤ 수정 → 착상 → 태반 형성 → 배란 → 출산

[09~10] 다음 그림은 태아와 태아를 둘러싼 구조를 나타낸 것이다. 물음에 답하시오.

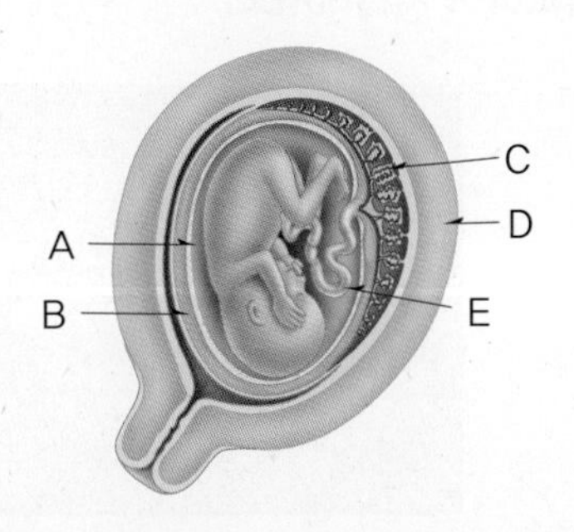

09 확산에 의해 모체와 태아 사이의 물질 교환이 일어나는 부분의 기호로 옳은 것은?

① A ② B
③ C ④ D
⑤ E

10 다음 중 태반을 통해 모체에서 태아로 이동하는 물질을 모두 고르시오.

① 산소 ② 요소
③ 영양소 ④ 적혈구
⑤ 이산화 탄소

11 다음 중 사람의 임신 과정에 대한 설명으로 옳지 않은 것은?

① 약 28일 주기로 난소에서 성숙한 난자가 배출된다.
② 정자와 난자가 만나 결합하는 수정은 수란관에서 이루어진다.
③ 수정란이 세포 분열을 하면서 수란관을 따라 내려와 자궁 내막에 착상된다.
④ 수정 후 8주 이후부터 배아라고 부른다.
⑤ 수정이 일어나지 않으면 두꺼워졌던 자궁 내막이 혈액과 함께 몸 밖으로 나온다.

서술형으로 다지기

01 개구리는 사람과 다르게 체외 수정을 한다. 체외 수정과 체내 수정의 차이점을 서식처와 난자의 수를 비교하여 서술하시오.

02 1란성 쌍둥이와 2란성 쌍둥이의 차이를 설명하고, 성별이 같을 확률을 각각 구하시오.

03 태아는 양막 안의 양수에 들어 있고 탯줄을 통해 모체와 물질 교환을 한다. 태아를 감싸고 있는 양수의 역할을 3가지 서술하시오.

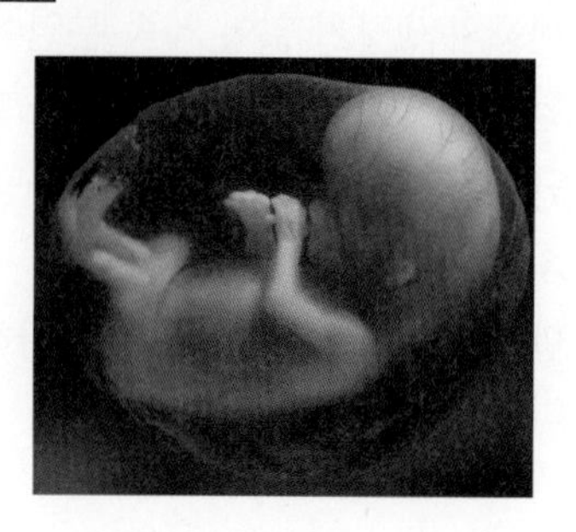

논술형

04 시험관아기시술로 수정된 수정란을 자궁에 이식하기 전에 배아 세포의 일부를 채취해 유전자 검사를 통하여 정상적인 염색체를 가진 배아만 선별해 자궁에 이식하여 임신 성공률을 높이기도 한다. 착상 전 유전자 검사의 유용성을 서술하시오.

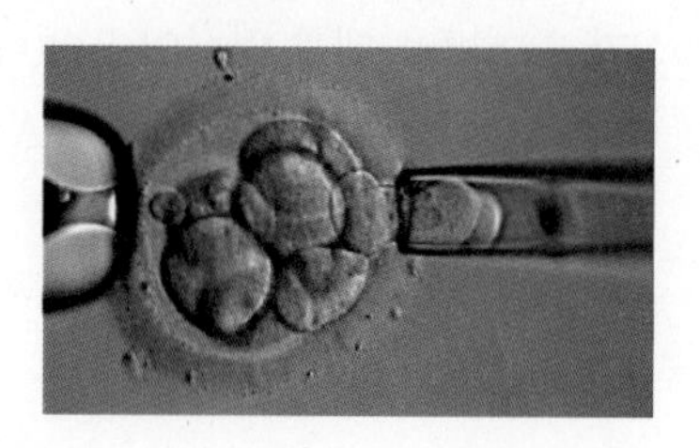

융합사고력 키우기

정답 ◆ 23p ◆

STEAM 난자와 정자의 치열한 경쟁

밤 10시. 온 가족이 스스슥~ 빠른 동작으로 쿠션을 하나씩 안고 소파에 자리를 잡는다. 다들 신령스러운 무언가를 앞둔 듯 무척 경건한 태도로 TV를 뚫어지게 쳐다 본다. 드디어 드라마 시작! 모든 드라마가 그렇듯, 무척이나 잘난 여러 명의 남자가 가난하고 별로 예쁘지도 않으면서 성격만 활발한 어벙한 여자가 좋다고 경쟁을 벌인다.

"여보, 도대체 저런 여자가 뭐가 좋다고 저 훤칠하고 돈 많은 남자가 죽자 살자 매달리는지 몰라. 나보다 훨씬 못났구만.", "당신은 매번 흉보면서도 왜 그렇게 열심히 드라마를 보나 몰라."

"엄마 아빠는 진짜 모르는구나. 난 다 아는데. 원래 처음에 사람이 만들어질 때도 정자들이 난자를 만나려고 미친 듯이 달려가잖아요. 그런데 수억 마리가 달려가도 1등으로 도착하는 정자만 난자를 얻을 수 있죠. 수많은 정자가 난자에게 달려가듯, 수많은 남자가 한 여자를 차지하려고 싸우는 게 바로 인생인거죠. 하하하"

그러나 실제로 난자에 1등으로 도착한 정자는 난자와 수정되지 않는다. 보통 정자는 한 번에 1~2억 개 정도가 방출되고, 자궁에 들어간 정자들은 수란관까지 15~20 cm의 힘든 여행을 한다. 다행히 자궁이 정자를 끌어들이는 운동을 하므로 난자까지 가는 데 그리 오랜 시간이 걸리지 않지만, 질 내에서 분비되는 산성 물질에 죽기도 하고, 자궁 경부에 사는 대식세포에 잡아먹히기도 하고, 때로는 방향을 잃어버리기도 한다. 이런 힘든 과정을 뚫고 1등으로 도착한 정자는 억울하지만 2등으로 도착한 정자에게 난자를 양보한다.

난자 역시 치열한 경쟁을 뚫고 배란에 성공한다. 배란이 되려면 난소 안의 난포가 성숙돼야 한다. 보통 85일 전부터 여러 개의 난포가 성숙되기 시작하는데, 그 중 가장 성장이 빠른 난포가 다량의 여성 호르몬을 만들어 자신의 성장은 촉진시키고, 난포자극 호르몬 분비를 억제하여 다른 난포들은 퇴화하도록 만든다.

수정은 난자와 정자의 치열한 경쟁으로 시작되는 험난한 과정이다.

수정

01

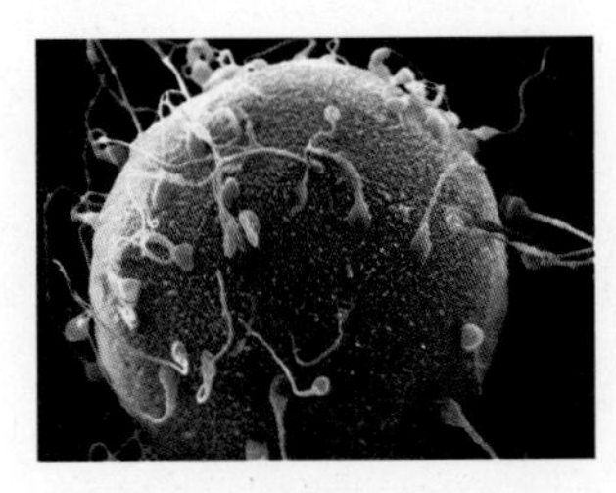

가장 힘이 세고 똑똑하기 때문에 난자에 1등으로 도착한 정자가 난자와 수정되지 못하고 2등으로 도착한 정자에게 난자를 양보하게 되는 이유를 난자와 정자의 수정 과정을 바탕으로 서술하시오.

논술형

02 영화 '가타카'에서는 정상적으로 아이를 낳을 수 있음에도 불구하고 부부의 우수한 유전자들만 조합해서 아이를 낳는다. 만약 영화처럼 시험관 아기(체외 수정)가 일상화 된 세상에 산다면 시험관 아기와 자연 수정 중 어떤 방법을 택하여 아이를 낳을 것인지 그렇게 하려고 하는 이유와 함께 서술하시오.

멘델 법칙에 의한
16 유전

플러스 노트

● **획득 형질**
유전 형질과 대립되는 개념인 획득 형질은 생물이 환경의 영향을 받아서 후천적으로 얻게 되는 특성으로, 자손에게 유전되지 않는다. 예 운동에 의해 만들어진 근육, 성형 수술한 쌍꺼풀

● **멘델이 유전 연구에 완두를 사용한 이유**
* 단순하면서도 뚜렷하게 구분되는 대립 형질을 가지고 있다.
* 한 세대가 짧아서 빠른 시간 내에 자손의 형질을 확인할 수 있다.
* 자손의 수가 많아서 결과를 통계적으로 분석하기에 유리하다.
* 자가 수분이 잘 된다.
* 구하기 쉽고, 재배하기 쉽다.

용어풀이

유전(남길 遺, 전할 傳) : 조상으로부터 자손에게 몸의 형태나 성질이 전해지는 현상

ⓐ 유전 ⓑ 우성 ⓒ 열성
ⓓ 유전자

A 유전

1 ⓐ ______ : 생물이 자신의 형질을 자손에게 물려주는 현상

2 형질

① **형질** : 생물체가 가지고 있는 고유한 모양이나 성질
예 눈 색, 피부 색, 혀말기, 눈꺼풀 모양, 혈액형, 키, 몸무게, 지능 등

② **유전 형질** : 부모로부터 자손에게 유전되는 형질

③ **대립 형질** : 형질 중에서 같은 종류의 특성에 대해 서로 대립 관계에 있는 형질
예 머리카락 모양(곱슬머리－곧은머리), 눈꺼풀 모양(쌍꺼풀－외꺼풀) 등
- ⓑ ______ : 대립 형질을 가진 순종끼리 교배했을 때 잡종 1대에서 나타나는 형질
- ⓒ ______ : 대립 형질을 가진 순종끼리 교배했을 때 잡종 1대에서 나타나지 않는 형질

3 유전 이론의 변천

① **유전에 관한 과거의 지식** : 아기의 형질은 혈액에 의해 결정된다. 정자 속에 작은 아기가 들어 있다. 임신을 했을 때 엄마가 먹는 음식이 아기에게 영향을 미친다. 등 ➡ 과거에는 생식 과정에 대한 지식이 부족했다.

② **혼합설** : 부모의 생식 세포에 각각 들어 있던 유전 물질이 혼합되면서 자손에게 전해진다. ➡ 부모에게서 볼 수 없던 형질이 자손에게 나타난다.

③ **입자설, 멘델의 유전 법칙** : 완두콩 실험을 통해 유전 인자에 의해 유전이 일어남을 알아냈다.

4 유전자

① ⓓ ______ : 세포 속에 존재하는 유전을 결정하는 인자

② **대립 유전자** : 한 가지 종류의 형질을 나타내는 한 쌍으로 구성된 유전자
- **순종** : 같은 종류의 대립 유전자를 갖는 것
- **잡종** : 다른 종류의 대립 유전자를 갖는 것

5 유전자형과 표현형

① **유전자형** : 대립 유전자 쌍을 기호로 나타낸 것
➡ 일반적으로 우성은 알파벳 대문자로, 열성은 알파벳 소문자로 나타낸다.

② **표현형** : 유전자형에 의해 겉으로 드러난 형질

형질	완두 씨의 모양		완두 씨의 색깔	
표현형	둥글다.	주름지다.	황색	녹색
유전자형	RR(순종), Rr(잡종)	rr(순종)	YY(순종), Yy(잡종)	yy(순종)

B 유전 법칙

1 ⓐ ____ 의 원리 : 순종의 대립 형질을 교배시키면, 잡종 1대(F_1)에서 우성 형질을 가진 개체만 나타나는 현상

2 ⓑ ____ 의 법칙 : 쌍으로 존재하는 대립 유전자는 생식 세포 분열 시 각각의 생식 세포에 하나씩 나누어져 들어간다.

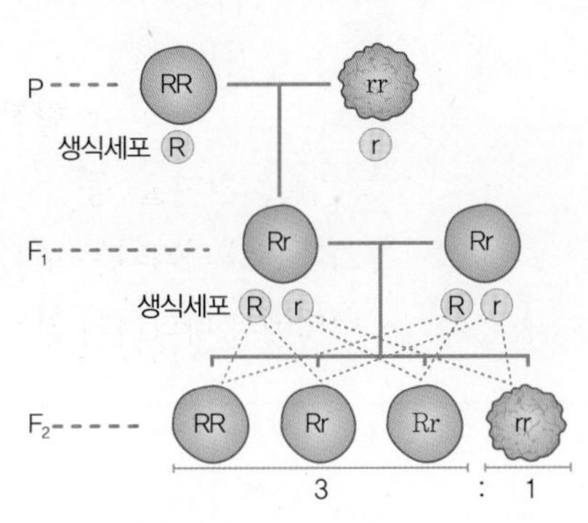

순종의 둥근 완두(RR)와 순종의 주름진 완두(rr)를 교배하면, 잡종 1대(F_1)에서 우성인 둥근 완두(Rr)만 나타난다. ➡ 우열의 원리

잡종 1대(F_1)의 둥근 완두(Rr)를 자가 수분시키면, 잡종 2대(F_2)에서 둥근 완두 : 주름진 완두 = 3 : 1로 나온다. 이것은 생식 세포 분열 시 대립 유전자가 각각 서로 다른 생식 세포로 들어가기 때문이다. ➡ 분리의 법칙

3 독립의 법칙 : 서로 ⓒ ____ 염색체 상에 존재하는 대립 형질은 서로 독립적으로 유전된다.

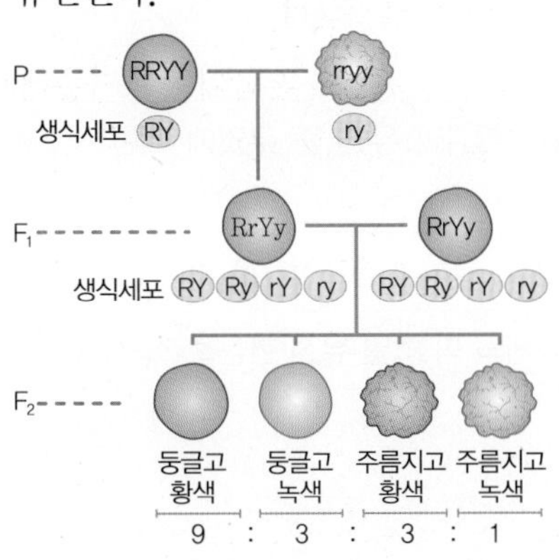

순종의 둥글고 황색인 완두(RRYY)와 순종의 주름지고 녹색인 완두(rryy)를 교배하여 얻은 잡종 1대(F_1)의 완두(RrYy)를 자가 수분시키면, 잡종 2대(F_2)에서
둥근 완두 : 주름진 완두 = 3 : 1,
황색 완두 : 녹색 완두 = 3 : 1로 나타난다.
➡ 완두의 모양을 결정하는 유전자와 색깔을 결정하는 유전자는 독립적으로 유전된다. : 독립의 법칙

4 ⓓ ____ 유전 : 두 대립 유전자 사이의 우열 관계가 불완전하여 중간 형질이 나타나는 현상 예 분꽃 색 유전, 금어초 꽃 색 유전 등

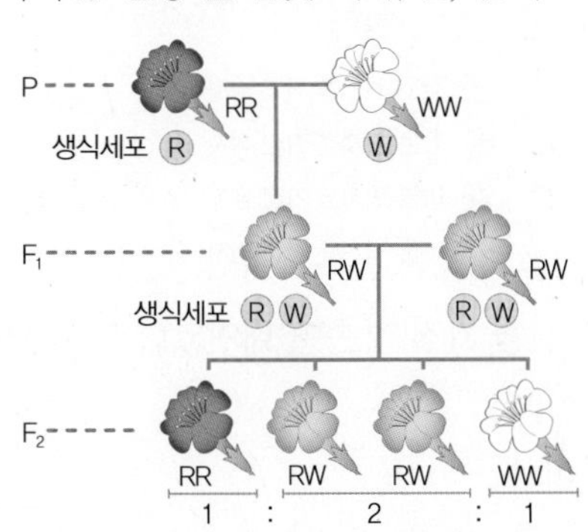

순종의 붉은색 분꽃(RR)과 순종의 흰색 분꽃(WW)을 교배하면 잡종 1대(F_1)에는 부모색의 중간색인 분홍색(RW) 꽃이 나타난다. 잡종 1대의 분홍색 분꽃을 자가 수분시키면, 잡종 2대(F_2)에서
붉은색 : 분홍색 : 흰색 = 1 : 2 : 1로 나타난다.
➡ 우열의 원리는 적용되지 않지만 분리의 법칙은 정상적으로 일어난다.

플러스 노트

● **분리의 법칙**
* 부모 세대(P)의 순종 둥근 완두(RR)와 잡종 1대(F_1)의 둥근 완두(Rr)는 겉보기에는 같지만 유전적 성질은 전혀 다르다.
* 생식 세포 형성 시 대립 유전자가 분리되어 각각 서로 다른 생식 세포로 들어가고 수정 시 다시 합쳐지므로 잡종 2대에서는 부모에 없던 주름진 형질이 나타난다.

● **독립의 법칙**

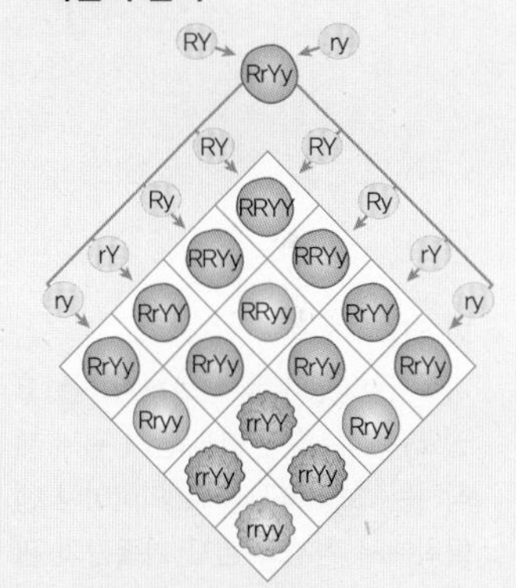

● **돌연변이**
이전에는 없던 형질이 우연히 나타나 다음 세대에 유전되는 현상이다. 돌연변이는 자외선, X선, 화학 물질 등 다양한 원인에 의해서 발생할 수 있다.

ⓐ 우열 ⓑ 분리 ⓒ 다른 ⓓ 중간

V 생식과 유전

플러스 노트

● **유전과 염색체**
서턴은 현미경을 사용해 세포의 핵 속에 들어 있는 염색체를 관찰하던 중, 감수 분열 과정에서 염색체의 행동이 멘델이 말한 유전자의 행동과 정확히 일치한다는 사실을 발견하고, 유전자가 염색체에 존재한다는 결론을 내렸다. 수많은 유전자는 염색체의 특정한 위치에 배열되어 있으며, 염색체를 구성하는 DNA는 유전자를 담고 있는 그릇이라고 할 수 있다.

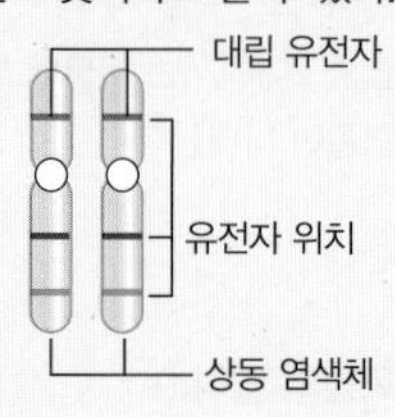

● **가계도**
가족 간의 관계를 빠르게 알아보고 필요한 정보를 손쉽게 얻기 위해 제작하는 그림이다. 주로 의학이나 생물학에서 환자와 환자 가족간의 관계를 나타내기 위해 사용한다.

용어풀이

가계도(집 家, 이을 系, 그림 圖) : 한 가계의 혈연이나 결혼 관계를 나타낸 도표

ⓐ 가계도 ⓑ 우성 ⓒ 열성
ⓓ 우성 ⓔ 50

[염색체와 멘델의 유전 법칙]

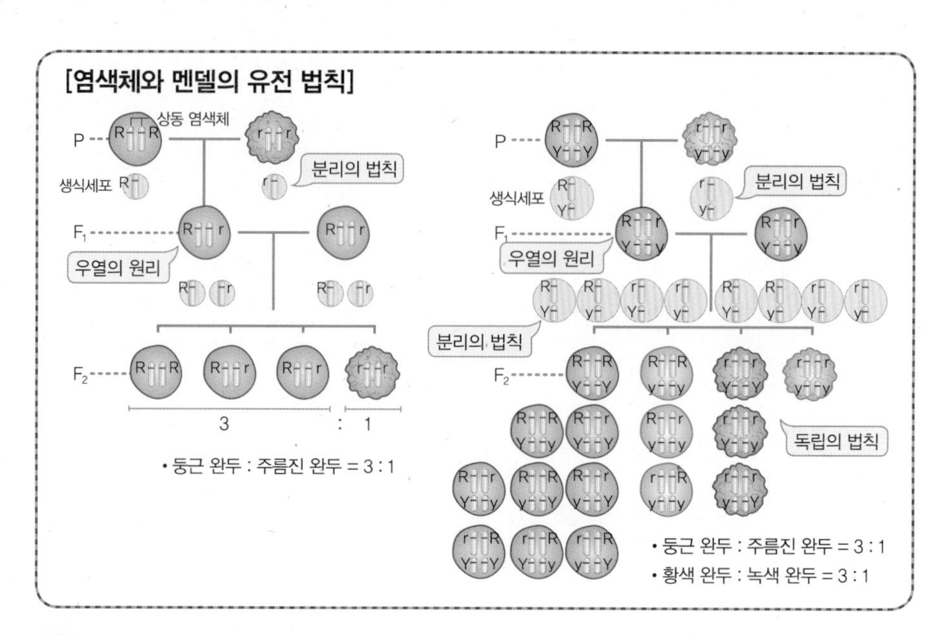

C 사람의 유전

1 사람의 유전 연구 방법

ⓐ ______ 분석	• 특수한 유전 형질을 가지는 집안의 내력을 조사한다. • 쉽고 방법이 단순하다.
쌍둥이 연구	쌍둥이를 비교해 조사할 형질이 환경과 유전 중 무엇에 의한 것인지 확인한다.
통계 자료 분석	특정 형질을 가진 많은 사람들을 조사하여 통계적으로 처리 분석한다.
염색체 조사	유전자나 염색체를 조사해 염색체의 이상 및 유전 현상을 조사한다.
DNA 연구	DNA의 염기 서열을 분석한다.

2 상염색체에 의한 유전

① 귀지 유전

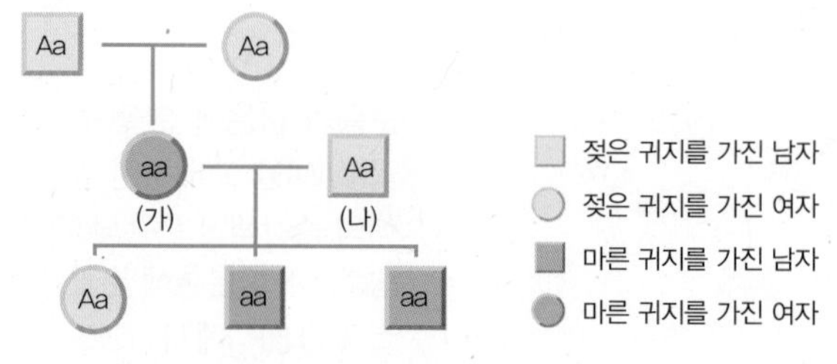

• 형질이 같은 부모로부터 부모와 다른 형질을 가진 자손이 태어났다면, 부모의 형질이 ⓑ ______ 이고 자손의 형질이 ⓒ ______ 이다.
➡ 젖은 귀지가 마른 귀지에 대해 ⓓ ______ 이다.

• (가)와 (나) 사이에서 태어난 자손이 마른 귀지를 가질 확률은 ⓔ ______ %이다.

② ABO식 혈액형 유전

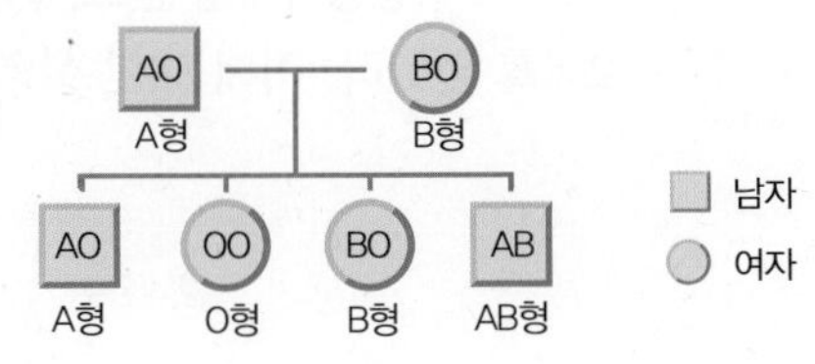

- ⓐ ______ 유전 : 세 가지 이상의 대립 유전자가 한 가지 형질을 나타내는 유전
- A와 B는 O에 대해 ⓑ ______ 이지만, A와 B는 우열 관계가 없다.
- 표현형과 유전자형

표현형	A형	B형	AB형	O형
유전자형	AA, AO A A / A O	BB, BO B B / B O	AB A B	OO O O

3 성염색체에 의한 유전

① 색맹 유전

- ⓒ ______ 유전 : 유전자가 성염색체인 X염색체에 있어서 성별에 따라 유전 형질의 빈도가 다르게 나타나는 유전으로, 여자보다 남자에게서 많이 나타난다.
- 보인자 : 열성으로 유전되는 형질의 경우 해당 유전자를 가지고 있더라도 우성의 표현형이 나타나는 사람
- 표현형과 유전자형

표현형	남자		여자		
	정상	색맹	정상		색맹
유전자형	XY X 정상 유전자, Y	X′Y X′ 색맹 유전자, Y	XX X X	XX′(보인자) X X′	X′X′ X′ X′

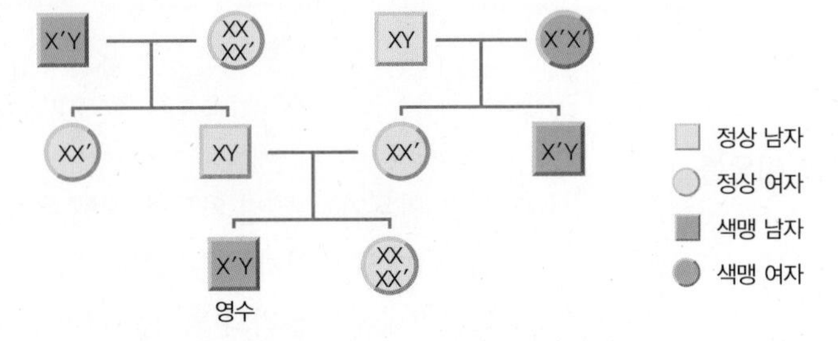

- 영수는 색맹 유전자를 보인자인 ⓓ ______ 에게서 받았다.
- 영수 부모님이 딸을 한 명 더 낳는다면 그 딸이 색맹일 확률은 ⓔ ______ %, 보인자일 확률은 ⓕ ______ % 이다.

플러스 노트

- **색맹**
  물체의 형태는 구별하나 색깔을 잘 구별하지 못하는 눈의 이상으로, 적색과 녹색을 구별하지 못하는 적록 색맹이 가장 많다. X염색체에 유전자가 있으므로 여자보다 남자에게 더 많이 나타난다.

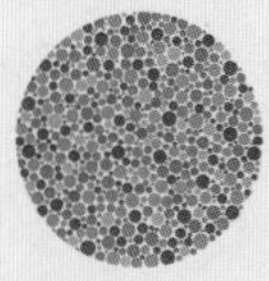

- **혈우병**
  혈액이 응고되지 않아 상처가 나면 계속 출혈이 일어나는 병으로, 색맹과 같이 반성 유전을 하는 대표적인 유전 형질이다. 혈우병 유전자는 X염색체에 존재하며, 정상에 대해 열성으로 유전된다.

- **상염색체 유전과 성염색체 유전**
  상염색체 유전은 특정 형질을 나타내는 유전자가 상염색체에 위치하므로, 특정한 형질이 나타나는 비율이 성별에 따라 달라지지 않는다. 하지만 성염색체 유전은 특정 형질을 나타내는 유전자가 성염색체에 위치하므로 성별에 따라 그 형질이 나타나는 비율이 달라진다.

용어풀이

복대립(겹칠 複, 대할 對, 자리 立) 유전 : 한 형질이 세 개 이상의 대립 유전자에 의해 결정되는 유전

반성(짝 伴, 성품 性) 유전 : X염색체에 있는 유전자에 의하여 일어나는 유전

ⓐ 복대립 ⓑ 우성 ⓒ 반성
ⓓ 어머니 ⓔ 0 ⓕ 50

01 다음 중 유전 용어에 대한 설명으로 옳지 않은 것은?

① 형질은 개체가 가지는 모양이나 성질이다.
② 유전 형질은 부모로부터 자손에게 유전되는 형질이다.
③ 획득 형질은 생물이 태어날 때부터 가지고 있는 형질이다.
④ 유전은 생물이 자신의 형질을 자손에게 물려주는 현상이다.
⑤ 대립 유전자는 같은 종류의 특성에 대해 서로 대립 관계에 있는 형질을 결정하는 유전자이다.

02 다음 중 유전 형질에 해당하는 것은?

① 수술로 만든 쌍꺼풀
② 왼손잡이와 오른손잡이
③ 운동으로 만들어진 근육
④ 오랜 연습으로 휘어진 손가락
⑤ 햇빛에 의해 검게 그을린 피부

03 다음 중 완두가 유전 연구의 재료로 적당한 이유를 잘못 설명한 것은?

① 한 세대가 짧기 때문에
② 자손의 수가 많기 때문에
③ 자가 수분이 잘 되기 때문에
④ 대립 형질이 뚜렷하지 않기 때문에
⑤ 재배 방법이 간단하고 쉽기 때문에

04 다음 그림과 같이 순종의 황색 완두와 녹색 완두를 교배하여 잡종 1대를 얻고, 이를 자가 수분하여 잡종 2대를 얻었다. 이에 대한 설명으로 옳지 않은 것은?

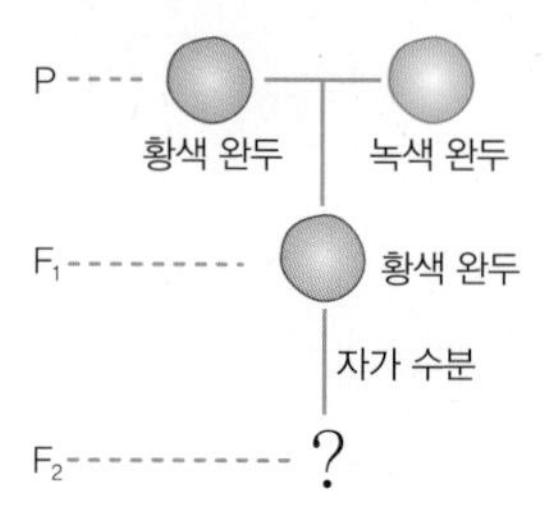

① 황색이 녹색에 대해 우성이다.
② 잡종 1대의 황색 완두는 모두 잡종이다.
③ 잡종 2대에서는 다시 녹색 완두가 나타난다.
④ 잡종 2대에서 순종 : 잡종=3 : 1의 비로 나타난다.
⑤ 잡종 2대에서 나타날 수 있는 완두의 유전자형은 모두 3가지이다.

05 다음 그림과 같이 순종의 둥글고 황색인 완두(RRYY)와 주름지고 녹색인 완두(rryy)를 교배하여 얻은 잡종 1대를 자가 수분하여 잡종 2대를 얻었다. 이에 대한 설명으로 옳지 않은 것은? (단, 완두의 모양과 색깔 유전은 독립의 법칙이 성립한다.)

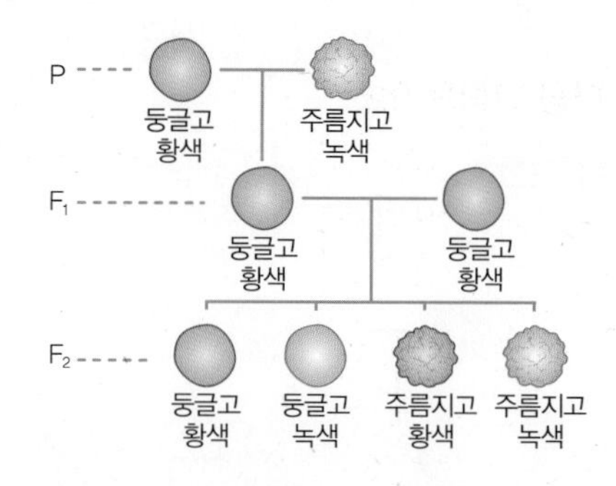

① 둥근 완두가 주름진 완두에 대해 우성이다.
② 잡종 1대의 유전자형은 RrYy이다.
③ 잡종 2대에서 분리의 법칙을 확인할 수 있다.
④ 잡종 2대에서 둥글고 녹색인 완두의 유전자형은 모두 1가지이다.
⑤ 잡종 2대에서 둥글고 황색인 완두 : 둥글고 녹색인 완두가 3 : 1의 비로 나타난다.

06 다음 그림과 같이 순종의 붉은색 분꽃과 흰색 분꽃을 교배하여 얻은 잡종 1대를 자가 수분하여 잡종 2대를 얻었다. 잡종 2대에서 나타나는 표현형과 유전자형의 분리비를 바르게 나타낸 것은? (단, 붉은색 유전자를 R, 흰색 유전자를 W로 표시한다.)

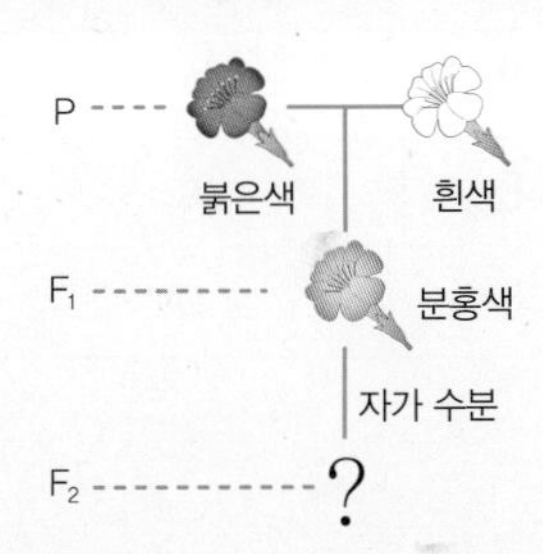

① 붉은색 분꽃(RR) : 흰색 분꽃(WW) = 1 : 1
② 붉은색 분꽃(RR) : 흰색 분꽃(WW) = 3 : 1
③ 붉은색 분꽃(RR) : 분홍색 분꽃(RW) = 3 : 1
④ 붉은색 분꽃(RR) : 분홍색 분꽃(RW) : 흰색 분꽃(WW) = 1 : 1 : 1
⑤ 붉은색 분꽃(RR) : 분홍색 분꽃(RW) : 흰색 분꽃(WW) = 1 : 2 : 1

07 다음 그림은 어느 집안의 귀지 유전 가계도를 나타낸 것이다. (가)와 (나) 사이에서 태어난 자녀가 마른 귀지를 가질 확률로 옳은 것은?

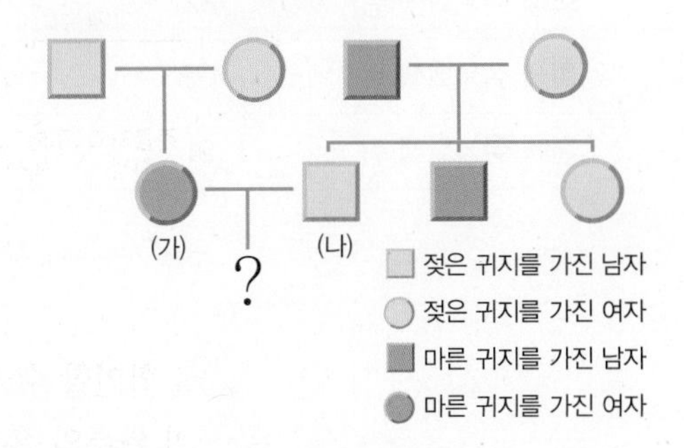

① 0 %
② 25 %
③ 50 %
④ 75 %
⑤ 100 %

08 다음 중 사람의 유전을 연구하는 방법으로 옳지 않은 것은?

① 특정 유전 형질에 대한 집안의 가계도를 조사한다.
② 쌍둥이를 비교하여 알고자 하는 형질의 유전과 환경의 영향을 조사한다.
③ 특정 형질에 대해 많은 사람들을 조사하여 통계를 낸다.
④ 염색체나 유전자를 조사하여 분석한다.
⑤ 형질이 많지 않고 대립 관계가 명확하므로 형질을 유추해서 분석한다.

09 다음 그림은 어느 집안의 ABO식 혈액형 유전 가계도를 나타낸 것이다. (가)의 유전자형과 (나)의 가능한 혈액형을 바르게 짝지은 것은?

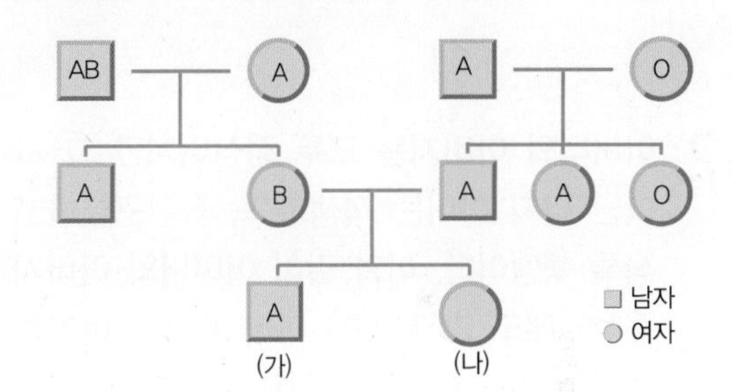

	(가)의 유전자형	(나)의 혈액형
①	AA	A형, O형
②	AO	A형, O형
③	AA	A형, B형
④	AO	A형, B형, O형, AB형
⑤	AA	A형, B형, O형, AB형

중요

10 A형이고 색맹인 아버지와 O형이고 정상인 어머니 사이에서 태어난 딸의 혈액형과 색맹 여부를 바르게 짝지은 것은? (단, 아버지의 ABO식 혈액형 유전자형과 어머니의 색맹 유전자형은 순종이다.)

① A형, 색맹
② AB형, 색맹
③ A형, 정상
④ B형, 정상
⑤ O형, 정상

정답 ◆ 24p ◆

01 다음 그림과 같이 순종의 붉은색 분꽃과 흰색 분꽃을 교배하여 잡종 1대에서 분홍색 분꽃을 얻었다. 잡종 1대에서 어버이의 우성 형질이 표현되어야 하는데 분꽃 유전에서는 어버이의 형질이 전혀 나타나지 않았다. 그 이유를 서술하시오.

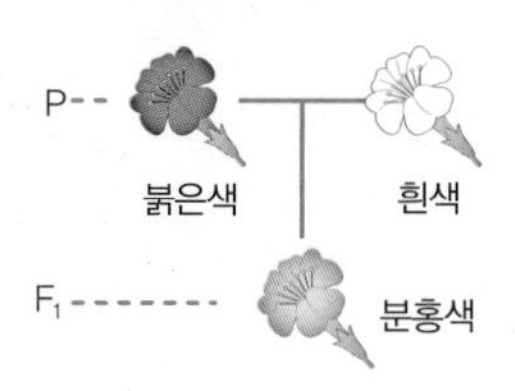

02 어머니와 아버지는 모두 정상이지만 그 사이에 태어난 남자 아이는 적색과 녹색을 구별하지 못하는 적록 색맹이다. 이와 같이 어머니와 아버지가 모두 정상인데도 그 사이에 태어난 남자 아이가 색맹일 수 있는 이유를 서술하시오. (단, 정상은 X, 색맹 유전자는 X′로 표시한다.)

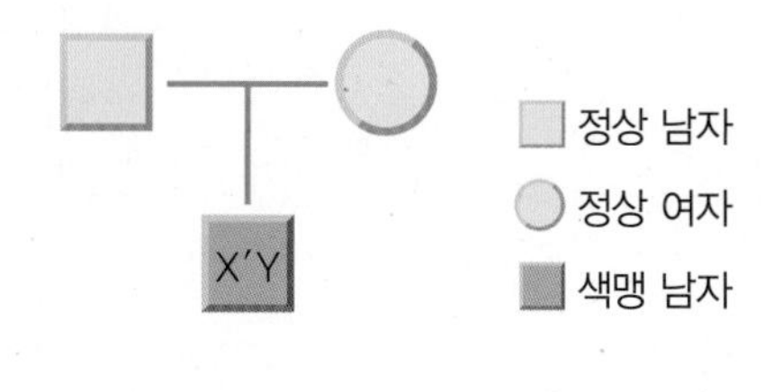

03 혈액형이 각각 AB, O, B인 아이 3명이 있다. 다음 표를 참고하여 각 아이에 해당하는 부모를 찾고, 그렇게 생각한 이유를 서술하시오. (단, 한 부모당 아이는 1명뿐이다.)

구분	아버지의 혈액형	어머니의 혈액형
(가)	A	A
(나)	A	B
(다)	O	AB

논술형

04 다음 실험 결과 표를 참고하여 쥐의 털색 유전에서 회색과 흰색 중 우성을 찾고, 그렇게 생각한 이유를 서술하시오. (단, 쥐의 털색 유전은 우열의 원리가 적용된다.)

부모	자손	
암컷×수컷	회색 쥐	흰색 쥐
흰색 쥐×흰색 쥐	0	72
회색 쥐×회색 쥐	82	0
회색 쥐×회색 쥐	138	46
흰색 쥐×회색 쥐	91	88

정답 ◆ 25p ◆

STEAM 흑인 엄마에서 태어난 백인 딸

'슬픔은 그대 가슴에(Imitation of File)'라는 영화는 1959년에 화제가 됐던 영화이다.
백인인 제인은 흑인 엄마를 두었다. 제인은 흑인인 엄마를 엄마로 인정하지 않고, 친구들에게는 집안의 일을 돕는 하녀로 소개하며 자신이 마치 백인 부잣집의 공주인 듯 생활한다. 하지만 집에 오면 엄마와 함께 가난하게 생활한다.
딸은 사회의 인종적 편견으로 인해 자신의 엄마가 흑인이란 사실을 숨기고 거짓된 삶을 살지만, 결국은 들통나고 사귀던 남자 친구마저 그녀를 떠난다. 충격을 받은 딸은 불쌍한 어머니를 적대시하고 구박하고, 그것도 모자라 결국에는 가출한다. 고등학교 졸업 후 댄서 그룹의 단원으로 활동하지만, 어머니가 흑인이라는 이유로 해고당하는 일이 두세 번 발생하자 더욱더 좌절한다.
백인 남편에게 버림받은 흑인 엄마는 딸을 위해 모든 것을 바쳤지만, 살아생전에 딸에게 단 한 번도 엄마 대접을 받지 못한다.
세월이 흘러 엄마의 죽음을 알리는 전보를 받은 제인은 고향으로 돌아가지만, 차마 엄마의 장례식에 나서지 못하다가 장례차가 떠나려 할 때 자신을 뉘우치면서 차를 부여잡고 눈물을 흘리며 후회한다.

우성과 열성

01 

피부색은 멜라닌 색소의 양으로 결정되는데, 멜라닌 색소가 많으면 흑인, 중간쯤이면 황인, 없으면 백인으로 나타난다. 나이지리아 출신 흑인 부부가 금발에 푸른 눈을 가진 여자 아이를 낳았다. 백인 부모 사이에서는 흑인 자녀가 태어나지 않지만, 흑인 부모 사이에서는 백인 자녀가 태어나기도 한다. 이런 현상이 가능한 이유를 서술하시오.

논술형

02 확률적으로 볼 때 우성 형질이 열성 형질보다 나타날 확률이 높다. 그러나 확률을 무시하고 반대로 나타나는 경우도 있다. 흰 피부는 열성이지만 고위도 지방에 사는 사람의 피부는 대부분 희다. 백내장이나 야맹증은 정상 눈보다 우성이지만 정상 눈을 가진 사람이 더 많으며, 평발 역시 아치형보다 우성이지만 평발을 가진 사람은 적다. 이처럼 열성 형질임에도 불구하고 더 많이 나타나는 이유를 서술하시오.

정답 ◆ 25p ◆

STEAM 세포가 분열하는 이유

세포가 분열하는 이유를 세포의 부피와 겉넓이 사이의 관계를 통해 알아보자.

[준비물] 무 또는 감자, 색소, 칼, 자, 컵, 물

실험

① 물에 색소를 녹여 색소물을 준비한다.
② 무 또는 감자를 한 변이 1 cm, 2 cm, 3 cm, 4 cm인 정육면체로 자른다.
③ 무 또는 감자 조각을 색소물에 10분간 담가 놓는다.
④ 10분 후 무 또는 감자 조각을 꺼내어 칼로 중앙을 자르고 색이 변한 부분의 두께를 관찰한다.

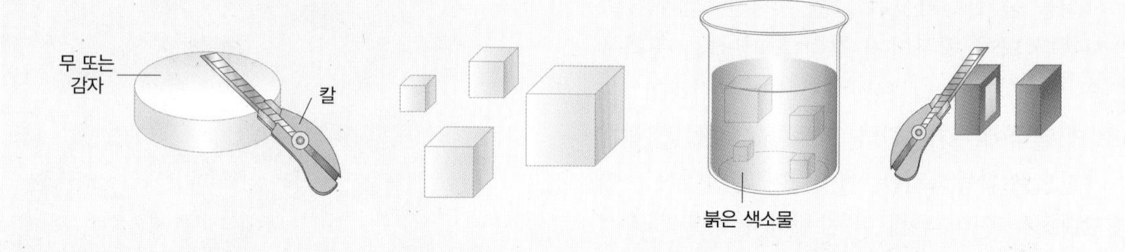

01 각 정육면체의 겉넓이, 부피, 단위 부피 당 겉넓이(겉넓이/부피)를 계산하시오.

구분	1 cm	2 cm	3 cm	4 cm
겉넓이(cm^2)				
부피(cm^3)				
겉넓이/부피				

02 가운데까지 색소물이 물든 조각은 어떤 것인지 쓰시오.

03 세포가 분열하는 이유를 단위 부피당 겉넓이와 관련지어 서술하시오.

04 세포가 분열하지 않고 크기가 계속 커진다면 세포에 어떤 문제가 발생할지 서술하시오.

대장균

- 핵막이 없다.
- 세포벽이 있다.
- 단세포 생물이다.
- 광합성을 하지 않는다.
- 분열법으로 번식한다.
- 크기가 매우 작다.

아메바

- 핵막이 있다.
- 세포벽이 없다.
- 단세포 생물이다.
- 광합성을 하지 않는다.
- 분열법으로 번식한다.
- 물속에서 산다.

누룩곰팡이

- 핵막이 있다.
- 세포벽이 있다.
- 다세포 생물이다.
- 광합성을 하지 않는다.
- 포자로 번식한다.
- 몸이 균사로 이루어져 있다.

산호

- 핵막이 있다.
- 세포벽이 없다.
- 다세포 생물이다.
- 광합성을 하지 않는다.
- 알을 낳아 번식한다.
- 기관이 발달되어 있다.

미역

- 핵막이 있다.
- 세포벽이 있다.
- 다세포 생물이다.
- 광합성을 한다.
- 포자로 번식한다.
- 물속에서 산다.

표고버섯

- 핵막이 있다.
- 세포벽이 있다.
- 다세포 생물이다.
- 광합성을 하지 않는다.
- 포자로 번식한다.
- 몸이 균사로 이루어져 있다.

해바라기

- 핵막이 있다.
- 세포벽이 있다.
- 다세포 생물이다.
- 광합성을 한다.
- 종자로 번식한다.
- 기관이 발달되어 있다.

호랑이

- 핵막이 있다.
- 세포벽이 없다.
- 다세포 생물이다.
- 광합성을 하지 않는다.
- 새끼를 낳아 번식한다.
- 기관이 발달되어 있다.

안쌤의
창의적 문제해결력 시리즈

초등 1~2 학년

초등 3~4 학년

초등 5~6 학년

중등 1~2 학년

안쌤의
줄기과학 시리즈

새 교육과정
3~4학년
학기별
STEAM 과학

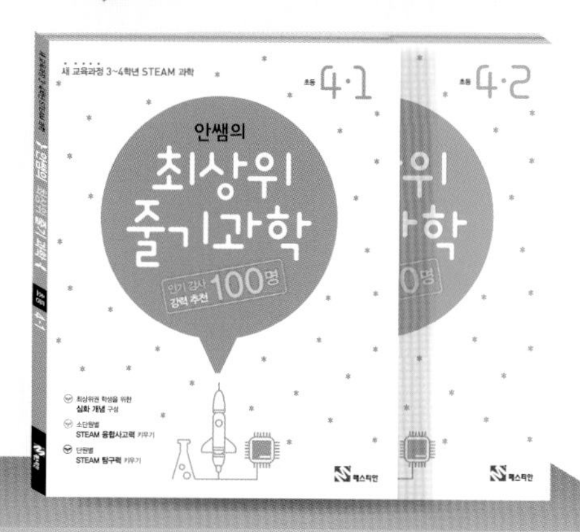

3-1 8강 3-2 8강 4-1 8강 4-2 8강

새 교육과정
5~6학년
학기별
STEAM 과학

5-1 8강 5-2 8강 6-1 8강 6-2 8강

새 교육과정
중등 영역별
STEAM 과학

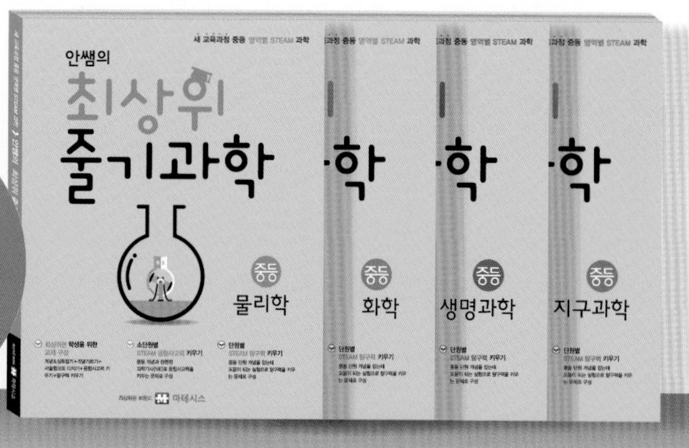

물리학 24강 화학 16강 생명과학 16강 지구과학 16강 물리학 워크북 화학 워크북

새 교육과정 중등 영역별 STEAM 과학

안쌤의 최상위 줄기과학

정답 및 해설

중등

생명과학

최상위권 학생을 위한 교재 구성

개념&심화잡기+개념기르기+서술형으로 다지기+융합사고력 키우기+탐구력 키우기

소단원별 STEAM 융합사고력 키우기

중등 개념과 관련된 과학기사(NIE)로 융합사고력을 키우는 문제로 구성

단원별 STEAM 탐구력 키우기

중등 단원 개념을 잡는데 도움이 되는 실험으로 탐구력을 키우는 문제로 구성

최상위권 브랜드  마테시스

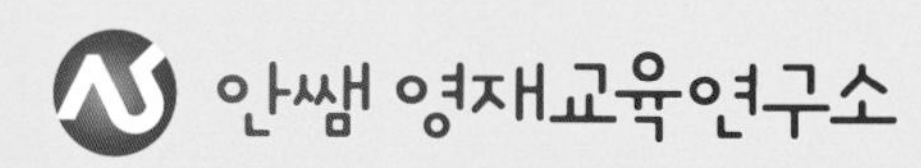

상위 1%가 되는 길로 안내하는 이정표로,
학생들이 꿈을 이루어갈 수 있도록 콘텐츠 개발과 강의 연구를 하고 있다.

지은이 **안쌤 영재교육연구소**

안재범, 최은화, 유나영, 이상호, 추진희, 허재이, 오아린, 이나연, 김혜진, 김샛별, 이유경

검수

강동규, 김대희, 김아영, 김애리, 김정아, 박영민, 박진영, 박하얀, 서용기,
신경옥, 윤영진, 이범석, 임세진, 전익찬, 정연희, 정회은, 최현규

창의사고력 향상을 위한

STEAM 생명과학

정답 및 해설

정답 및 해설

I 생물의 다양성

01 생물다양성과 생물다양성의 보존

개념 다지기 12~13쪽

01 ⑤ 02 ④ 03 ② 04 ④ 05 ②, ④
06 ② 07 ⑤ 08 ④ 09 ④ 10 ③
11 ④ 12 ②

01 생물다양성에는 생태계 다양성, 종 다양성, 유전적 다양성이 포함된다.

02 한 생태계에 생김새와 특성이 다른 생물이 많이 살수록 생물다양성이 높다.

03 열대 우림은 일 년 내내 기온이 높고 비가 많이 내려 키 큰 나무, 키 작은 나무, 덩굴 식물 등이 무성하게 자라 울창한 밀림을 이루고 있으며, 밀림 속에 곤충, 새, 악어 등 다양한 생물이 살고 있으므로 생물다양성이 높다.

04 (가)는 (나)보다 여러 종류의 생물이 살고 있으므로 먹이 그물이 복잡하고 생물다양성이 높다.

05 변이는 생활하는 환경의 차이에 의해서 나타나고, 비슷한 환경에 사는 생물 사이에서도 부모로부터 물려받은 유전자의 차이에 의해 나타난다. 변이가 다양한 생물은 멸종될 가능성이 낮다.

06 생태계 평형은 생태계를 구성하는 생물의 종류와 개체 수가 크게 변하지 않고 일정한 수준을 유지하여 안정된 상태를 이루고 있는 것을 의미하지만, 개체 수가 변하지 않는 것을 의미하는 것은 아니다.

07 북극여우와 북극토끼는 몸집이 커서 추운 곳에서 체온을 유지하기에 유리하다. 몸집이 크고 말단 부위가 작을수록 부피에 대한 표면적의 비가 작아져 체열의 손실을 줄일 수 있다.

08 변이와 환경에 적응하는 과정을 통해 생물다양성이 높아진다.

09 새로운 형질을 갖는 생물을 만드는 데 필요한 유전자원을 얻는다.

10 도로 건설 등으로 서식지가 소규모로 나누어지면 서식지의 면적이 줄어들고 생물종의 이동을 제한하여 고립시키므로, 그 지역에 사는 생물 집단의 크기가 감소하고 멸종으로 이어질 수 있다. 서식지 파괴와 단편화는 생물다양성을 감소시키는 가장 심각한 원인이다. 무분별한 개발을 자제하고, 보호 구역을 지정하여 서식지를 보전해야 한다.

11 멸종 위기종 지정 및 복원 활동은 생물다양성 보전을 위한 활동이다

12 ① 불법 포획과 남획 : 법률을 강화하여 불법 포획과 남획을 금지하고, 멸종 위기종을 지정하여 보호한다.
③ 환경 오염 : 쓰레기 배출량을 줄이고, 환경 정화 시설을 설치하여 환경 오염을 줄인다.
④ 기후 변화 : 지구 온난화 방지기를 위해 온실 기체 배출을 억제하는 것을 목적으로 하는 기후 변화 협약을 체결 및 이행한다.
⑤ 외래종의 유입 : 외래종의 무분별한 유입을 방지하고 꾸준히 감시한다.

서술형으로 다지기 14쪽

01 모범답안 같은 종류의 소라라도 환경에 적응하는 과정을 통해 변이가 나타날 수 있기 때문이다.
해설 소라 껍데기의 뿔은 물에 쉽게 떠내려가지 않도록 돕는다. 변이가 많을수록 생물다양성이 높아지고, 생물다양성이 높을수록 환경이 급격히 변했을 때 멸종될 가능성이 낮다.

02 모범답안 한 종류의 생물만 재배하면 생물다양성이 낮아 환경 변화에 적응하기 어렵기 때문이다.
해설 유럽 사람들은 밀가루로 만든 흰 빵을 주식으로 하였는데 18세기 중엽 곡물의 흉작으로 인한 기근과 밀 가격의 상승 때문에 식량 문제가 발생하자 재배가 쉽고 잘 자라는 감자를 먹기 시작했다. 특히 아일랜드는 감자를 경작해서 식량문제를 해결했고 유럽에서 인구 밀도가 가장 높은 나라가 되었다. 그런데 1845년에 아일랜드에 감자마름병이라는 곰팡이 병이 감자 작물을 덮쳤고 급속히 퍼져서 불과 2개월 만에 전 아일랜드를 기아와 공포로 몰아넣었다. 감자를 다양한 품종으로 재배하지 않고 한 가지 품종으로 단일 재배했기 때문이었다. 만약 다양한 유전자를 가진 여러 품종의 감자를 재배했다면 이 균에 대해서 저항성을 가지는 품종도 있으므로 재앙을 미리 방지할 수 있었을 것이다. 단일 품종 재배는 수확하기가 쉽고, 품질이 좋으며, 생산성도 높아 경제적 효과가 높지만, 결국은

생물다양성과 안정적인 식량 공급에 나쁜 영향을 미친다.

03 모범답안 유전적 다양성을 보존하고 미래의 유전자원을 보전하기 위해서이다.

해설 인류가 농업을 시작한 이래 적은 수의 식물과 동물을 기르고 이용하다 보니 이들 유전자의 다양성이 감소했고, 유전자의 다양성이 감소해 지구 환경 변화로 많은 생물종이 멸종했다. 생물종은 한 번 사라지면 다시 살아나지 않는다. 따라서 종자 은행은 형질이 우수한 종자를 배양하여 보급하고, 유전자원을 보전하여 생물다양성을 확보한다.

04 모범답안 먹이 사슬이 복잡하게 얽혀 있어 들쥐가 사라져도 토끼나 개구리 등 다른 먹이를 먹고 살 수 있기 때문이다.

해설 생물다양성이 높아 먹이 사슬이 복잡한 생태계에서는 한 종이 사라져도 이를 대체할 수 있는 다른 생물이 있으므로 연속적인 멸종이 일어날 가능성이 낮다.

융합사고력 키우기 15쪽

01 모범답안 천적이 없으며 대량으로 번식하여 그곳에 살고 있던 생물의 생존을 위협하고 먹이 사슬에 변화를 일으켜 생태계의 평형을 깨뜨릴 수 있기 때문이다.

해설 블루길은 큰 저수지나 유속이 느린 하천에 살면서 붕어, 잉어, 메기 등 토종 어류와 알은 물론이고 수질 정화 기능을 하는 민물새우 등을 닥치는 대로 잡아먹어 토종 물고기를 급격히 감소시키고, 생태계의 균형을 무너뜨리고 있다. 현재 블루길이나 큰입배스는 천적이 없어 인위적으로 개체 수를 조절하지 않으면 토종 어류가 멸종하고 수질까지 악화될 수 있는 단계까지 되었다.

02 모범답안
- 멸종 위기종 조류와 야생동물의 겨울철 먹이로 사용한다.
- 가공하여 동물의 사료나 식물의 비료로 활용한다.

해설 블루길이나 큰입배스는 단백질뿐만 아니라 칼슘과 인이 풍부해 비료의 원료가 된다. 블루길과 큰입배스로 만든 비료를 고추와 토마토 밭에 뿌렸더니 수확량이 20 % 가량 늘었다.

02 생물의 분류

개념 기르기 20-21쪽

01 ③	02 ④	03 ④	04 ④	05 ⑤
06 ④	07 ⑤	08 ④	09 ④	10 ③
11 ①, ②	12 ④			

01 생물을 자연 분류하면 생물 사이의 유연관계를 알 수 있다.

02 자연 분류는 생물의 생김새, 속 구조, 발생 과정, 번식 방법 등과 같이 생물의 고유한 특징을 기준으로 분류하고, 인위 분류는 생물의 쓰임새, 서식지, 식성 등과 같이 사람들이 임의로 정한 기준에 따라 생물을 분류한다.

03 생물 분류의 주된 목적은 생물 사이의 가깝고 먼 정도를 나타내는 유연관계를 밝히기 위해서이다.

04 종은 자연 상태에서 짝짓기를 하여 생식 능력이 있는 자손을 낳을 수 있는 개체들의 무리이다.

05 사자와 고양이는 서로 다른 종이므로 짝짓기를 하여 생식 능력이 있는 자손을 낳을 수 없다.

06 A-원핵생물계, B-원생생물계, C-식물계, D-균계, E-동물계

07 버섯과 곰팡이는 균계에 속하며, 균계는 엽록체가 없어서 광합성을 하지 못하고, 죽은 생물을 분해하여 양분을 얻는다.

08 원생생물은 세포 안에 핵막으로 둘러싸인 뚜렷한 핵이 있다. 짚신벌레와 아메바는 단세포 생물이지만, 미역과 김은 다세포 생물이며 광합성을 한다.

09 (가)는 원생생물계에 속하는 짚신벌레이고, (나)는 원핵생물계에 속하는 대장균이다. (가)와 (나) 모두 단세포 생물이고 광합성을 하지 못하며 분열법으로 번식한다.

10 B는 '광합성을 할 수 있다'가 될 수 있다. C는 원핵생물계로, 단세포 생물이며, D는 원생생물계이다.

11 식물계는 세포벽이 있으며 엽록체가 있어 광합성을 하여 스스로 양분을 만든다. 또한, 동물계와 달리 한곳에 뿌리를 내

리고 생활하며 운동성이 없다.

12 (가)는 원핵생물계, (나)는 원생생물계, (다)는 동물계, (라)는 균계, (마)는 식물계이다.

서술형으로 다지기 22쪽

01 모범답안 사자와 호랑이는 서로 다른 종에 속하기 때문이다.

해설 짝짓기를 하여 생식 능력이 있는 자손을 낳을 수 있으면 같은 종으로 분류한다.

02 모범답안 고래와 사람은 폐로 호흡하고, 상어는 아가미로 호흡하므로 고래와 상어보다 고래와 사람이 더 가까운 관계이다.

해설 고래와 사람은 포유강에 속하고, 상어는 연골어류강에 속한다. 고래의 코는 머리 꼭대기에 있다. 수면 위로 떠 오르면 콧구멍을 열어 숨을 쉬고, 수면으로 들어갈 때는 콧구멍을 닫는다. 폐호흡을 하는 고래가 육지에서 죽는 것은 숨을 쉬지 못해서가 아니라 엄청난 몸무게에 내장 등이 눌려 압사하는 것이다. 바다에서는 중력과 반대 방향으로 작용하는 물의 부력 덕분에 거대한 몸체를 자유자재로 움직일 수 있지만, 육지에서는 부력이 작용하지 않으므로 중력을 그대로 받는다.

03 모범답안 엽록체가 없어 스스로 양분을 만들지 못하고 동물성 플랑크톤과 작은 바다생물 등을 먹으며 살기 때문이다.

해설 산호는 강장동물로, 감각기관, 내장, 항문이 없고, 강장과 여러 개의 촉수가 달린 폴립으로 이루어져 있으며, 입 주위에 촉수가 있다. 폴립 끝의 촉수를 이용해 동물성 플랑크톤과 게나 새우, 작은 물고기 등 작은 바다생물 을 먹으며 산다. 산호의 촉수에는 독침이 있고, 먹이가 닿으면 독침을 쏘아 마비시키고 입을 통해 먹고 배설물도 입으로 배출한다. 산호가 일부 광합성을 한다고 알려져 있는데, 이것은 산호 속에서 살아가는 갈충조(무척추동물의 체내에 서식하는 단세포체의 일종)가 광합성을 하는 것이다. 갈충조와 산호는 공생 관계이다. 갈충조가 광합성을 하는 과정에서 생성된 탄산 칼슘은 산호의 몸을 단단하게 만든다.

04 모범답안 핵막으로 둘러싸인 핵이 있고 세포벽이 없으므로 동물계와 원생생물계에 속하는데 기관이 발달되어 있지 않으므로 원생생물계에 속한다.

해설 원핵생물계는 핵막이 없어 핵이 뚜렷이 구분되지 않고, 균계와 식물계는 세포벽이 있다.

융합사고력 키우기 23쪽

01 모범답안 여름에는 태양 빛이 강하고 수온이 높기 때문에 남조류가 광합성을 잘하고 번식도 잘하기 때문이다.

해설 남조류는 광합성을 하므로 태양 빛이 풍부하고 수온이 높을수록 잘 번식한다. 또한, 질소와 인이 많으면 잘 자란다.

02 모범답안

- 수문을 열어 물을 흐르게 하여 용존 산소량을 늘린다.
- 황토를 뿌려 남조류와 질소 성분을 바닥으로 가라앉힌다.
- 수차를 이용해 물을 뒤섞어 용존 산소량을 늘린다.
- 초음파를 이용해 남조류가 물에 뜰 수 있게 하는 공기주머니를 파괴해 물속에 가라앉게 한다.
- 남조류를 죽이는 살조제를 사용한다.
- 남조류를 흡입하고 제거하는 녹조 제거선(배)을 이용한다.
- 생활하수를 정화하고 영양 염류가 바다나 호수로 흘러 들어가지 않도록 한다.

해설 황토는 물에 잘 뜨고 흡착력이 강해 녹조가 발생한 곳에 뿌리면 남조류와 먹이가 되는 질소와 인 성분이 달라붙어 앙금 형태로 강이나 호수 바닥으로 가라앉는다. 수면을 덮고 있던 부유 물질이 가라앉으면 산소 공급이 원활해지므로 수중 생태계의 피해를 줄일 수 있다. 또한, 황토를 뿌리면 황토가 수면에서 햇빛을 차단해 남조류의 번식을 막는다. 그러나 가라앉은 물질이 다른 수중 생물에게 영향을 주는 이차적인 환경 오염을 일으키기도 한다. 수차를 이용해 물을 뒤섞어 주면 수중 용존 산소량이 증가해 강바닥에서 인이 녹아 나오는 것을 줄일 수 있다. 하지만 이 방식은 이미 발생한 녹조 제거에는 효과가 작다. 초음파는 녹조 제거에는 효과가 있지만 다른 물고기 등 다른 생물에게 악영향을 줄 수도 있다. 살조제로 쓰이는 황산 구리의 구리 성분은 중금속이므로 환경 오염의 원인이 된다. 녹조 제거선은 가장 친환경적이지만 제작비와 유지 비용이 많이 든다.

탐구력 키우기 24쪽

01 모범답안 (가) 원핵생물계, (나) 원생생물계, (다) 균계, (라) 동물계, (마), 식물계

02 모범답안

구분	생물 카드 생물	생물 카드 외 생물
(가)	대장균	폐렴균, 젖산균(유산균), 남세균, 비피더스균, 광합성세균, 포도상구균, 콜레라균, 뿌리혹박테리아 등
(나)	아메바, 미역	유글레나, 클로렐라, 해캄, 짚신벌레, 다시마, 김, 야광충, 종벌레 등
(다)	누룩곰팡이, 표고버섯	송이버섯, 느타리버섯, 효모, 푸른곰팡이, 붉은곰팡이, 검은곰팡이, 지의류 등
(라)	산호, 호랑이	해파리, 메뚜기, 사람, 개, 고양이, 곰, 닭, 악어, 개구리, 상어, 전갈, 파리, 성게, 오징어 등
(마)	해바라기	우산이끼, 솔이끼, 고사리, 소나무, 은행나무, 옥수수, 벼, 장미, 완두 등

Ⅱ 식물과 에너지

03 식물의 구성 단계, 식물에서의 물질 이동(1)

개념 기르기 30-31쪽

01 ④ 02 ④ 03 ④, ⑤ 04 ④ 05 ③
06 ①, ② 07 ③ 08 ③ 09 ①, ④ 10 ②
11 ⑤

01 세포의 모양과 크기는 생물의 종류와 세포의 기능에 따라 다양하다. 달걀, 개구리 알 등 일부 세포는 맨눈으로 관찰할 수 있다. 생물은 세포의 수가 늘어나면서 생장한다.

02 D는 엽록체로 녹색 색소가 있어 광합성을 한다.

03 세포벽과 엽록체는 식물세포에서만 볼 수 있는 세포 소기관이다. 액포는 오래된 식물세포에서 특히 발달되어 있으나, 동물세포에서도 일부 관찰 가능하다.

04 (가)는 식물세포이고 (나)는 동물세포이다. (가)에서만 엽록체와 세포벽을 관찰할 수 있다. (가)는 아세트산카민 용액, (나)는 메틸렌블루 용액으로 염색하면 핵을 관찰할 수 있다.

05 식물의 구성 단계는 세포(나)－조직(마)－조직계(가)－기관(다)－개체(라)이다.

06 여러 조직계가 모여 일정한 형태를 이루고 기능을 수행하는 것은 기관이고, 모양과 기능이 비슷한 세포들이 모여 조직을 이룬다.

07 (가)는 곧은뿌리, (나)는 수염뿌리이다. 곧은뿌리는 민들레, 배추, 무, 봉선화 등에서 볼 수 있고, 수염뿌리는 강아지풀, 벼, 파, 옥수수 등에서 볼 수 있다.

08 A는 뿌리털, B는 물관, C는 생장점, D는 뿌리골무이다. 생장점은 세포 분열이 일어나 뿌리가 길게 자라게 한다.

09 뿌리는 지지, 흡수, 저장, 호흡 작용을 한다. 감자, 양파 등은 줄기에 양분을 저장한다.

10 농도가 낮은 곳에서 높은 곳으로 용매(물)가 이동하는 현상을

삼투라고 한다. 농도가 낮은 당근 바깥쪽의 물이 농도가 높은 당근 안쪽으로 이동하므로 유리관 속 소금물의 높이가 높아진다.

11 흙 속에서 뿌리의 물관으로 갈수록 농도가 높아지기 때문에 물이 삼투에 의해 뿌리로 흡수된다.

서술형으로 다지기 32쪽

01 모범답안
- 같은 생물체 내에서도 몸의 부분에 따라 세포의 크기와 모양이 다르다.
- 세포의 크기는 생물의 종류에 따라 다르다.

해설 생물에 따라 세포의 크기가 다르며, 같은 생물체라도 몸의 부분과 기능에 따라 크기가 다르다.

02 모범답안 뿌리털이 손상되지 않게 하기 위해서이다.

해설 흙을 털어내면 뿌리털이 손상되어 옮겨 심어도 잘 자라지 못한다.

03 모범답안 세포의 크기가 커질수록 부피에 비해 표면적이 많이 작아지므로 에너지나 물질을 전달하는 데 효율적이지 않기 때문이다.

해설 세포의 크기가 커지면 세포 기능의 효율이 떨어진다. 세포의 크기가 클수록 세포 내부에서 필요한 에너지 및 구성 물질의 합성 등 할 일이 많아진다.

04 모범답안 나무는 단단하고 두꺼운 세포벽을 가지고 있으므로 세포가 층층이 쌓일 수 있기 때문이다.

해설 동물세포는 세포벽이 없어서 위로 자라는 데 한계가 있다.

융합사고력 키우기 33쪽

01 모범답안 토양의 염분이 높아지면 식물체 내의 물이 빠져나가므로 이를 막기 위해 뿌리의 성장을 멈춘다.

해설 식물의 뿌리는 삼투에 의해 토양의 물과 무기 양분을 흡수한다. 염분이 높아지면 삼투압이 높아져서 식물이 물을 흡수하기 힘들어지며 오히려 물을 빼앗길 수도 있다. 게다가 특정 무기 염류가 과다하게 흡수되어 식물체 내의 불균형이 유발되기도 한다. 이 때문에 염분이 높은 토양에서는 뿌리가 성장을 멈추고 식물이 잘 자라지 않는다.

02 모범답안 민물에도 어느 정도의 염분이 포함되어 있으므로 토양에 뿌린 물이 증발하고 새로운 물이 계속 유입되면 토양의 염분 농도가 계속 증가한다.

해설 바닷물의 염분 농도는 35,000 ppm(35 ‰)에 달하지만, 민물에도 1,000 ppm(1 ‰)에 가까운 염분이 있다. 일반적으로 토양 내 염분은 빗물에 녹아 강이나 바다로 흘러간다. 그러나 최근에는 지구 온난화로 인해 사막화가 진행되면서 강수량이 적어져서 토양 내의 염분이 축적되어 토양 속 염분 농도가 높아지고 있다.

04 식물에서의 물질 이동(2)

개념 기르기 38~39쪽

01 ④	02 ⑤	03 ②	04 ⑤	05 ③, ⑤
06 ②	07 ①	08 ①	09 ①	10 ⑤
11 ③	12 ⑤			

01 흡수 작용은 뿌리의 기능이다.

02 A는 물관, B는 체관, C는 형성층으로, 이를 묶어 관다발이라고 한다. 물관은 죽은 세포로 이루어져 있고, 체관은 살아 있는 세포로 이루어져 있다. 형성층은 식물의 부피 생장을 담당하는 부분으로, 쌍떡잎식물에만 존재한다.

03 환상박피 실험은 체관을 제거하여 유기 양분이 체관을 통하여 이동하는 것을 알 수 있는 실험이다.

04 A는 물관, B는 형성층, C는 체관이다. (가)는 형성층이 있으므로 쌍떡잎식물, (나)는 관다발이 불규칙하게 흩어져 있으므로 외떡잎식물이다. 물관은 뿌리에서 흡수한 물과 무기 양분, 체관은 잎에서 만들어진 유기 양분의 이동 통로이다.

05 관다발이 줄기 가장자리에 규칙적으로 분포하는 것으로 보아 쌍떡잎식물이다. 쌍떡잎식물에는 봉선화, 민들레, 무궁화, 해바라기 등이 있다.

06 쌍떡잎식물은 떡잎이 2장, 외떡잎식물은 떡잎이 1장이다. 쌍떡잎식물에만 형성층이 있어서 부피 생장을 한다.

07 A는 표피, B는 울타리 조직, C는 해면 조직, D는 공변세포,

E는 기공이다. 공변세포는 표피세포가 변형된 것으로 엽록체가 있어 광합성이 일어난다. 잎의 앞면은 큐티클 층으로 싸여 있다.

08 A는 기공, B는 공변세포, C는 표피세포이다. 표피세포가 변형되어 공변세포가 되었고, 기공은 비나 먼지에 영향을 덜 받는 잎의 뒷면에 많이 분포한다. 공변세포는 엽록체가 있어 광합성이 일어난다.

09 유기 양분은 엽록체에서 광합성을 통해 만들어진다. 증산 작용은 기공을 통해 물을 수증기로 배출하는 현상이다.

10 (가)에서 (나)로 변하는 것은 기공이 닫히는 과정이므로 체내 수분량이 적을 때 일어난다.

11 공변세포에서 광합성이 일어나 세포 내 농도가 높아지면 삼투에 의해 주변 세포로부터 물이 들어와 팽압이 증가한다. 팽압이 증가하면 공변세포가 휘어지면서 기공이 열린다.

12 호흡 작용은 에너지 생성에 필요한 산소를 얻고 이산화 탄소를 내보내는 것으로 물이 상승하는 것과 관계없다.

서술형으로 다지기 40쪽

01 모범답안
- (가)는 물관으로 세포 위아래의 세포벽이 없는 긴 대롱 모양의 관이며, 죽은 세포로 되어 있고 세포벽이 두껍다.
- (나)는 체관으로 세포 위아래의 세포벽에 체 모양의 작은 구멍이 있는 체판이 있으며, 살아 있는 세포로 구성되어 있고 세포벽이 얇다.

해설 물관은 뿌리에서 흡수한 물과 무기 양분의 이동 통로이고, 체관은 잎에서 만들어진 유기 양분의 이동 통로이다.

02 모범답안
- 붉게 물드는 곳 : (가)－C, (나)－E
- 식물 : (가)는 관다발이 규칙적으로 배열되어 있으므로 쌍떡잎식물인 셀러리이고, (나)는 관다발이 불규칙하게 배열되어 있으므로 외떡잎식물인 백합 줄기다.

해설 물관은 안쪽, 체관은 바깥쪽에 분포한다. 붉은 색소물이 물관을 통해 이동하므로 붉게 물드는 곳이 물관이다.

03 모범답안 해면 조직은 빈 공간이 많아 기체가 쉽게 이동할 수 있다.

해설 해면 조직 사이의 빈틈으로 기체가 이동한다. 울타리 조직은 엽록체를 가진 세포들이 빽빽하게 배열되어 있어 광합성이 가장 활발하게 일어난다. 해면 조직의 엽록체도 빛에너지를 흡수하여 광합성을 하므로 에너지 효율을 높인다. 울타리 조직의 세포가 해면 조직의 세포보다 엽록체를 더 많이 가지고 있으므로 잎의 앞면이 뒷면보다 진한 초록색을 띤다.

04 모범답안
- 기름을 넣는 이유 : 물의 자연 증발을 막기 위해서이다.
- 알 수 있는 사실 : (가)와 (나)를 비교하면 증산 작용이 잎에서 일어나는 것을 알 수 있고, (나)와 (다)를 비교하면 증산 작용과 습도의 관계를 알 수 있다. (다)에서 비닐 주머니에 물방울이 맺히는 것으로 잎의 기공에서 수분이 배출됨을 알 수 있다.

해설 증산 작용은 기공을 통해 식물체 내의 물을 수증기 상태로 배출하는 현상이다.

융합사고력 키우기 41쪽

01 모범답안 증산 작용으로 잎이 물을 끌어올리면 뿌리와 토양의 압력이 낮아지므로 공기 중의 오염물질이 토양에 흡착되고, 흡착된 오염물질은 미생물에 의해 제거된다.

해설 실내 공기정화를 위해서는 식물의 뿌리 부분이 공기와 원활하게 접촉할 수 있게 해 주어야 한다. 잎의 증산 작용을 통하여 실내 온도와 습도가 조절되며, 음이온, 산소, 향 등의 방출 물질에 의해 실내 환경이 쾌적해진다. 식물에 의한 공기정화는 빛의 양이 많아 광합성 속도가 빠를수록 잘 이루어진다.

02 모범답안 밀폐된 우주선의 공기를 정화하고, 산소를 발생시키고, 우주인들의 심리적인 안정을 위해서이다.

해설 NASA는 식물 50종에 대해 15년 이상 연구하여, 습도 조절 능력, 해충에 대한 저항력, 재배 관리의 편리성, 유해물질 제거 능력 부문의 종합 점수를 매겼다. 이 중 1~10위 식물은 아레카 야자, 관음죽, 대나무 야자, 인도 고무나무, 드라세나 데레멘시스, 헤데라(아이비), 피닉스 야자, 피쿠스아리, 보스턴 고사리, 스파티필름이다.

05 식물에서 양분의 합성과 전환

개념 기르기 46-47쪽

01 ③	02 ④	03 ①, ③	04 ②	05 ③
06 ④	07 ②	08 ⑤	09 ③	10 ③
11 ②	12 ②			

01 광합성은 빛에너지를 이용해 물과 이산화 탄소를 원료로 하여 포도당과 산소를 만드는 과정이다. 따라서 빛에너지를 화학 에너지로 저장한다.

02 시험관 B만 청색으로 변하며 B와 C를 비교하면 광합성에 빛이 필요하다는 것을 알 수 있다.

03 광합성에 영향을 주는 요인은 빛의 세기, 이산화 탄소의 농도, 온도이다.

04 빛의 세기와 이산화 탄소의 농도가 증가할수록 광합성량이 증가하지만, 어느 이상에서는 광합성량이 더 이상 증가하지 않고 일정해진다. 온도도 높아질수록 광합성량이 증가하지만 40 ℃ 이상에서는 광합성량이 급격히 감소한다.

05 빛의 세기와 이산화 탄소의 농도가 증가할수록 광합성량이 증가하다가 어느 한계가 되면 일정해진다. 물이 없으면 증산 작용을 막기 위해 기공을 닫아버리므로 이산화 탄소를 흡수할 수 없어 광합성 속도가 느려진다. 물은 뿌리로 충분히 공급받기 때문에 광합성에 영향을 주는 환경 요인으로 포함하지 않는다.

06 빛의 세기에 따른 광합성량을 측정하는 실험으로, 검정말에서 발생하는 기포는 산소이다. 산소는 불꽃을 활활 타게 만들어 준다.

07 밤이 되면 물에 녹지 않는 녹말의 형태로 잠시 저장되었던 양분이 물에 녹는 설탕의 형태로 바뀌어 체관을 통해 이동한다.

08 호흡에 이용되고 남은 유기 양분은 뿌리, 줄기, 열매, 씨 등 저장 기관에 탄수화물, 지방, 단백질 등의 형태로 저장된다. 마그네슘은 무기 양분이다.

09 식물의 모든 세포에서 호흡이 일어나며, 호흡을 통해 얻어진 에너지는 대부분 열에너지로 전환되어 생장, 번식 등에 이용된다.

10 B의 공기를 통과시킨 석회수는 뿌옇게 흐려지고, A의 공기를 통과시킨 석회수는 변화가 없다. 이것은 식물의 호흡으로 이산화 탄소가 배출되었기 때문이다.

11 아침과 저녁에는 광합성량과 호흡량이 같아 외관상으로 기체의 출입이 없다. 낮에는 호흡보다 광합성이 활발하고, 밤에는 호흡만 일어난다.

12 호흡은 빛의 유무와 관계 없이 항상 일어난다.

서술형으로 다지기 48쪽

01 모범답안 40 ℃ 이상이 되면 광합성에 이용되는 효소가 제 기능을 하지 못하기 때문이다.

해설 광합성 과정에 이용되는 효소의 주성분은 단백질이다. 단백질은 고온에서 구조가 변하기 때문에 효소가 제 기능을 하지 못한다.

02 모범답안 밤에는 식물이 광합성을 하지 않고 호흡만 하므로 산소가 부족해지기 때문이다.

해설 식물이 호흡할 때 산소를 이용하고 이산화 탄소를 내보내기 때문에 좁은 방안에 큰 식물을 두고 자면 산소가 부족해져 평소보다 더 피로해 질 수 있다.

03 모범답안 녹말은 크고 물에 녹지 않아 체관을 따라 이동하기 힘들기 때문에 이동하기 쉽고 물에 잘 녹는 작은 설탕의 형태로 바꾼다.

해설 낮에는 광합성에 의해 포도당이 만들어지면 저장하기 쉬운 녹말의 형태로 임시 저장했다가 밤에 광합성을 하지 않을 때 저장된 녹말을 설탕의 형태로 바꿔 필요한 곳으로 이동시킨다.

04 모범답안 공장 주변의 녹색 식물이 광합성을 하지 못하여 죽는다. 이후 녹색 식물을 소비하는 1차 소비자가 먹이 부족으로 줄고, 2차, 3차 소비자도 줄어든다. 소비자들이 먹이를 찾아 떠나면 공장 주변은 생명체가 살 수 없는 장소가 될 것이다.

해설 식물은 양분을 만들어 내는 생산자이므로 생산자가 없어지면 먹이 사슬에 의해 소비자까지 영향을 받는다.

융합사고력 키우기 49쪽

01 모범답안 부직포로 만든 심지를 화분 속에 넣고 다른 쪽 끝을 물이 담긴 통에 늘어뜨리면, 모세관 현상에 의해 물이 심지 속의 가는 관(좁은 틈)을 따라 올라가 흙 속의 습기가 유지된다.

해설 물을 위에서 주는 것이 아니라 화분 아래에 주고, 심지가 밑에서 물을 빨아들여 수분을 공급하는 방식이다.

02 모범답안 이산화 탄소 농도를 알려주는 화분, 부착형 꽃병, 베란다 난간 화분 등

해설 이산화 탄소 센서 화분은 화분에 설치된 이산화 탄소 센서에 의해 이산화 탄소의 농도에 따라 각각 정해진 색의 LED에 불이 켜져 환기 시점을 알려준다. 국내 다중이용시설에 대한 이산화 탄소 유지 기준은 1,000 ppm으로 정해져 있다. 이산화 탄소 농도가 1,000 ppm을 초과하면 조금씩 증상이 나타나기 때문이다. 이산화 탄소의 위생적인 허용 기준은 0.1 %(1,000 ppm)이며, 농도가 4 %가 되면 상승하면 폐에서 이산화 탄소 배출이 원활하게 일어나지 않는다. 6 %가 되면 피부 혈관의 확장 및 구토를 일으키고, 7~8 %가 되면 정신 활동의 장애와 호흡 곤란이 일어나고, 10 %가 되면 무호흡, 무의식, 사망을 초래하기도 한다.

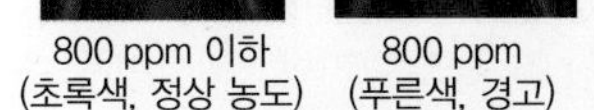
800 ppm 이하 (초록색, 정상 농도)

800 ppm (푸른색, 경고)

1,000 ppm 이하 (붉은색, 강제 환기)

1,500 ppm 이하 (점멸, 위험 농도)

부착형 꽃병

베란다 난간 화분

탐구력 키우기 50쪽

01 모범답안 물약병 A는 설탕물의 높이가 높아지고, 물약병 B는 변화 없으며, 물약병 C는 설탕물의 높이가 낮아진다.

02 모범답안 농도가 다른 두 용액이 셀로판지(반투과성막)를 경계로 만나면 농도가 낮은 곳의 물이 농도가 높은 곳으로 이동하기 때문이다. 농도가 같을 경우에는 물 높이의 변화가 없다.

해설 삼투는 생물의 세포막이 지닌 중요한 성질 중의 하나이다.

03 모범답안 흙보다 식물 내부의 농도가 더 높으므로 뿌리털을 통해 물과 무기 양분이 흡수된다.

04 모범답안 뿌리 주변의 흙 속 무기 양분의 농도가 식물 내부보다 높아져, 식물에서 흙으로 물이 빠져나와 식물이 말라 죽는다.

해설 고농축 비료는 사용설명서를 잘 보고 희석 비율을 맞추어야 한다. 식물마다 다르지만, 비료의 농도가 너무 진하면 식물의 잎이 누렇게 되면서 말라버리거나 잎의 끝부분부터 시들어 버리다가 죽는다.

Ⅲ 동물과 에너지

06 동물의 구성 단계, 영양소

개념 기르기 56-57쪽

01 ③, ⑤ 02 ⑤ 03 ①, ③ 04 ① 05 ①
06 ③ 07 ③ 08 ② 09 ④ 10 ①, ②
11 ④ 12 ⑤

01 기관은 조직이 모여 특정한 형태를 이루고 기능을 나타낸다. 기관에는 심장, 폐, 위, 소장 등 등이 있고, 개체는 독립적인 생명체로 쥐, 말, 고양이 등이 있다.

02 동물의 구성 단계는 세포(마) – 조직(나) – 기관(가) – 기관계(라) – 개체(다)이다.

03 영양소 중 에너지원으로 쓰이는 영양소를 3대 영양소라고 한다.

04 바이타민은 영양소이나 우리 몸의 구성 성분은 아니고, 3부 영양소는 에너지원으로 사용되지 않는다. 우리 몸을 구성하는 성분 중 가장 많은 영양소는 물이다.

05 탄수화물은 거의 대부분이 에너지원으로 소모되기 때문에 몸을 구성하는 비율이 낮다.

06 에너지원 중에 생리 작용 조절을 하는 것은 단백질이다.

07 부족 시 결핍증이 생기는 것은 바이타민이다.

08 철은 적혈구 속의 헤모글로빈 성분이고, 칼륨은 삼투압과 pH 조절하며, 나트륨은 삼투압을 조절하고 신경 흥분을 전달한다. 아이오딘은 갑상샘 호르몬의 성분이다.

09 바이타민 D 결핍증은 구루병으로, 뼈가 약해져 등이나 다리가 굽어진다. 상처가 났을 때 피가 잘 멎지 않는 것은 바이타민 K가 부족하기 때문이다.

10 ① 무기 염류는 뼈나 치아 등 몸의 구성 성분이다.
② 성장기에는 세포의 수가 많이 증가하기 때문에 세포의 주 성분인 단백질이 많이 필요하다.

11 그림은 베네딕트 반응으로 포도당을 검출할 때 사용한다. 베네딕트 반응은 포도당 외에 설탕을 제외한 엿당, 젖당과 같은 이당류도 검출할 수 있다.

12 뷰렛 반응에서 색 변화가 나타나므로 단백질이 포함되어 있는 음식이다.

서술형으로 다지기 58쪽

01 모범답안
$(10\ g \times 4\ kcal/g) + (20\ g \times 9\ kcal/g) + (80\ g \times 4\ kcal/g) = 540\ kcal$

해설 열량을 얻을 수 있는 것은 3대 영양소이며, 나트륨이나 칼슘은 무기 염류로 열량을 얻을 수 없다.

02 모범답안 우리 몸에서 에너지원으로 사용되느냐 사용되지 않느냐에 따라 3대 영양소와 3부 영양소로 나눈다.

해설 3대 영양소는 에너지원으로 쓰이며, 우리 몸의 구성 물질이다. 3부 영양소는 에너지원으로 이용되지는 않지만, 몸을 구성하거나 생리 작용을 조절한다.

03 모범답안 A 용액은 단백질, B 용액은 지방, C 용액은 녹말이다. A+B 용액과 A+C 용액에서 공통으로 뷰렛 반응이 나타나므로 A는 단백질이고, B에서 수단Ⅲ 반응이 나타나므로 지방이며, C에서 아이오딘 반응이 나타나므로 녹말이다.

해설 아이오딘 반응은 녹말, 수단Ⅲ 용액은 지방, 뷰렛 반응은 단백질을 검출하는 방법이다.

04 모범답안
- 대장 내의 세균에 영향을 끼쳐 발암성 물질의 작용을 억제하여 대장암을 예방한다.
- 소화와 흡수를 억제하면서 포만감을 주므로 과식하지 않게 한다.
- 대장 운동을 촉진해 변이 대장을 통과하는 시간을 짧게 하고 배변량을 증가시키므로 배변이 원활해져 대장암 예방이나 변비 예방에 좋다.

해설 어떤 섬유소는 장내에서 나트륨과 결합하여 몸 밖으로 배출되므로 혈압이 올라가는 것을 막아 주고, 당의 흡수를 느리게 하여 당뇨병 치료와 예방에 도움이 된다.

융합사고력 키우기 59쪽

01 모범답안 자외선 차단 크림을 많이 바르고 낮에 외부 활동을 잘 하지 않기 때문이다.

02 모범답안
- 하루 최소 20분 이상 피부에 햇볕을 쬔다.
- 낮에 운동한다.
- 바이타민 D가 풍부한 연어, 두유, 우유나 치즈 등을 먹는다.

해설 바이타민 D는 지용성이기 때문에 지방이나 기름과 함께 섭취하면 체내 흡수율이 높아진다. 따라서 바이타민 D가 많이 든 버섯은 그냥 먹는 것보다 기름에 볶아 먹는 것이 더 좋다. 바이타민 D를 음식으로도 섭취할 수 있으나 그 효과는 미미하거나 전혀 느끼지 못하는 경우가 많다. 전문가들은 바이타민 D를 얻기 위해서 햇빛을 많이 쬐라고 하지만, 햇빛을 지속해서 오랜 시간 쐴 경우에 피부암의 위험이 있기 때문에 너무 많이 노출하는 것도 좋지 않다.

07 영양소의 소화와 흡수

개념 기르기 64~65쪽

01 ④	02 ④	03 ①	04 ②	05 ⑤
06 ④	07 ⑤	08 ③	09 ④	10 ⑤
11 ④				

01 그림은 꿈틀 운동으로 고루 섞인 음식물을 이동시키는 운동이다.

02 A는 간, B는 소장, C는 위, D는 이자, E는 대장이다. 녹말이 최초로 분해되는 곳은 입으로 아밀레이스가 분비된다.

03 위에서는 위샘에서 펩신과 염산이 든 위액이 분비되며 꿈틀 운동으로 음식물을 십이지장 방향으로 내려 보낸다.

04 이자에서 분비되는 소화 효소 중 아밀레이스는 녹말을 엿당으로, 트립신은 단백질을 단백질 중간 산물로, 라이페이스는 지방을 지방산과 모노글리세리드로 분해한다.

05 지방은 소장에서 처음 소화가 되며 대장은 수분만 흡수할 뿐 소화 작용이 일어나지 않는다.

06 탄수화물은 입에서 침 속의 아밀레이스에 의해 엿당으로 분해되고, 분해되지 않은 탄수화물은 소장에서 이자액 속의 아밀레이스에 의해 완전히 엿당으로 분해되고, 엿당은 장샘에서 분비된 탄수화물 분해 효소에 의해 포도당으로 최종 분해된다.

07 입자 크기가 큰 녹말은 셀로판튜브를 통과하지 못하므로 아이오딘-아이오딘화 칼륨 용액을 떨어뜨리면 B만 청람색으로 변한다. 입자 크기가 작은 포도당은 셀로판튜브를 통과하므로 베네딕트 용액을 넣고 가열하면 C와 D 모두 황적색으로 변한다.

08 시험관 A, C는 청람색을 유지하고, 시험관 B는 침에 의해 녹말이 분해되어 아이오딘 반응색이 사라진다. 시험관 D, F는 베네딕트 반응이 나타나지 않지만 시험관 E는 침에 의해 녹말이 분해되어 엿당이 되므로 황적색으로 변한다.

09 융털의 모세혈관으로 포도당, 아미노산, 물, 수용성 바이타민 등이 흡수되고, 암죽관으로 지방산 모노글리세리드, 지용성 바이타민 등이 흡수된다. 단백질은 위와 소장에서 분해되어 아미노산이 되면 융털의 모세 혈관을 통해 흡수된다.

10 A는 암죽관으로 지용성 영양소를 흡수한다. 암죽관으로 흡수되는 영양소는 지방산, 모노글리세리드, 바이타민 A, D, E, K이다.

11 A는 암죽관으로 지용성 영양소를, B는 모세 혈관으로 수용성 영양소를 흡수한다. 흡수된 영양소는 심장에서 합쳐져 온몸으로 이동한다.

서술형으로 다지기 66쪽

01 모범답안 음식물 속의 영양소는 입자의 크기가 커서 체내로 흡수되지 못하므로 흡수될 수 있는 상태의 작은 크기로 분해해야 하기 때문이다.

해설 음식물 속의 단백질, 지방, 녹말(탄수화물) 등은 크기가 커서 세포막을 통과하지 못해 몸 안으로 흡수되지 않는다. 이 영양소들이 몸 안으로 흡수되기 위해서는 세포막을 통과할 정도로 크기가 작은 기본 단위로 분해되어야 하는데, 이를 소화라고 한다.

02 모범답안 입에서는 탄수화물, 위에서는 단백질이 분해되므로 입과 위에서 분해되지 않으려면 캡슐이 지방으로 이루어져야

한다.

해설 위액 속의 염산은 몸속에 들어온 세균을 죽이는 역할을 하므로 유산균도 위산에 의해 죽을 수 있다. 유산균이 장까지 안전하게 가도록 보호하려면 입과 위에서 소화되지 않는 지방으로 이루어진 보호막을 씌워야 한다.

03 모범답안 지방, 쓸개즙이 제대로 만들어지지 못해 지방이 작은 덩어리로 유화되지 못하기 때문이다.

해설 A는 간으로, 쓸개즙을 생성한다. 쓸개즙은 약염기성의 유화제로, 지방을 미세한 입자 상태로 만들어 라이페이스와의 접촉 면적을 넓혀 지방의 소화를 돕는다.

04 모범답안 포도당은 에너지원으로 사용되는데 환자는 음식물을 소화하고 흡수하는 기능이 저하되어 있기 때문이다.

해설 음식물은 소화 과정을 통해 분해된 후 흡수되어 에너지원으로 사용된다. 하지만 몸이 아프거나 약한 사람들은 소화와 흡수 기능이 원활하지 않으므로 몸에 직접 포도당을 주입하여 에너지원을 공급해 주어야 한다.

융합사고력 키우기 67쪽

01 모범답안 물질의 크기가 크고, 물에 녹지 않아 체내 흡수율이 떨어진다.

해설 소장의 융털은 크기가 작은 분해된 영양소만 흡수할 수 있다.

02 모범답안 소화제와 변비약은 주로 장에서 작용해야 하므로 위에서 녹지 않도록 표면을 특수 코팅한다. 이런 약들을 가루를 내서 먹거나 씹어 먹으면 약이 위에서 분해되고 약효 시간도 짧아져 약효가 제대로 나타나지 않는다.

해설 약 이름이 장용피정이거나 약 이름 뒤에 ER 또는 서방정이라고 적혀 있으면 장에서 작용하는 약이므로 씹어 먹으면 안 된다. 소화제 훼스탈포르테와 변비약 둘코락스에스, 위장약 오엠피, 아스피린 프로텍트, 타이레놀 ER 등이 장에서 녹아 작용하는 약이다.

08 영양소와 산소의 운반

개념 기르기 72~73쪽

01 ③ 02 ② 03 ③ 04 ③ 05 ④
06 ② 07 ③, ⑤ 08 ① 09 ③ 10 ④
11 ⑤

01 A는 액체 성분인 혈장, B는 세포 성분인 혈구이다. 혈장은 90 %가 물이며, 소량의 영양소와 노폐물을 운반한다. 혈구의 대부분은 적혈구로 되어 있어 붉은색으로 보인다.

02 A는 산소를 운반하는 적혈구, B는 식균 작용을 하는 백혈구, C는 혈액 응고 작용을 하는 혈소판이다.

03 상처에 세균이 침입하면 백혈구가 식균 작용을 통해 세균을 분해한다. 고름은 세균 덩어리와 백혈구로 이루어져 있으며, 열이 나는 것은 세균을 죽이는 데 도움이 된다.

04 김사액으로 염색되어 핵이 보라색으로 보이는 혈구는 백혈구이다. 백혈구는 혈구 중 가장 크게 관찰된다.

05 심장은 혈액이 심장으로 들어오는 심방과 혈액이 심장 밖으로 나가는 심실로 구성되어 있으며 심방은 정맥, 심실은 동맥과 연결되어 있다.

06 A 우심방, B 우심실, C 좌심방, D 좌심실, ㉠ 대정맥, ㉡ 대동맥, ㉢ 폐동맥, ㉣ 폐정맥이다. 혈관벽이 가장 두꺼운 것은 D이며, B와 D는 각각 ㉢과 ㉡로 혈액을 내보낸다.

07 판막은 심방과 심실, 심실과 동맥 사이에 있으며 혈액이 거꾸로 흐르는 것을 막는다.

08 정맥혈은 산소가 부족한 혈액으로 A, B에 흐르고, 동맥혈은 산소가 풍부한 혈액으로 C, D에 흐른다.

09 혈관벽은 동맥이 가장 두껍고, 혈압은 정맥에서 가장 낮다. 판막은 정맥에 있고, 피부 가까이 있는 혈관은 정맥이다.

10 A는 동맥, B는 모세 혈관, C는 정맥이다. C는 판막이 있는 구조이고, B는 한 겹의 세포층으로 이루어져 있어 혈액과 조직세포 사이에서 물질 교환이 쉽게 일어난다.

11 온몸 순환은 좌심실에서 나온 동맥혈이 온몸을 순환한 후 정맥혈이 되어 우심방으로 들어오는 순환 과정이다.

서술형으로 다지기 74쪽

01 모범답안 높은 지역에서 오랫동안 훈련하면 적혈구의 수가 증가하므로 산소를 많이 운반할 수 있기 때문이다.
해설 고산 지대는 산소가 부족하기 때문에 그 지역에서 오래 생활하면 산소를 많이 운반하기 위해 적혈구의 수가 늘어난다.

02 모범답안 (가)는 혈액이 정상 방향으로 흐를 때의 모습이고, (나)는 혈액이 거꾸로 흐를 때의 모습이다. 정맥은 혈압이 약해 혈류 속도가 느리면 혈액이 거꾸로 흐를 수 있으므로 역류를 막아주는 판막이 있어야 한다.
해설 판막은 혈액이 정상적으로 흐를 때는 열리고, 혈액이 거꾸로 흐를 때는 닫힌다.

03 모범답안 혈액이 천천히 흐르기 때문에 물질 교환이 효율적으로 일어날 수 있다.
해설 동맥과 정맥에 비해 모세 혈관의 총 단면적이 가장 넓기 때문에 모세 혈관에서의 혈류 속도가 가장 느리다.

04 모범답안 모세 혈관의 혈액은 사용하는 부위에 집중되기 때문이다.
해설 밥을 먹을 때 소화 기관에 분포하는 모세 혈관에 혈액이 많이 공급되는 것으로 보아 사용하고자 하는 부위의 모세 혈관에 혈액이 집중되므로 다른 기관의 모세 혈관에 혈액이 머무는 양은 적다.

융합사고력 키우기 75쪽

01 모범답안 얼굴은 다른 부위보다 혈관이 많이 분포되어 있고 피부가 얇아서 혈관이 잘 비치기 때문이다.
해설 얼굴의 모세 혈관이 수축되고 이완되는 것은 자연스러운 현상이지만, 안면홍조 환자는 다른 사람에 비해 수축과 이완이 심해 얼굴이 더 쉽게 붉어지고 그 상태가 오래가기 때문에 문제가 된다. 피부가 희고 얇은 사람일수록 안면홍조가 잘 나타난다.

02 모범답안 온도가 높아 혈액 순환이 빨라지므로 혈관이 확장되어 피부가 쉽게 붉어지기 때문이다.
해설 안면홍조가 있다면 열탕이나 온탕에 들어가는 목욕보다 샤워만 하는 것이 좋다. 또한, 너무 뜨거운 음식은 시상하부를 자극해 홍조를 일으킬 수 있고, 술을 마시면 혈관이 쉽게 늘어난다. 스트레스로 인해 안면홍조가 심하게 나타난다면 심리 상담을 받거나 교감 신경 자극을 억제하는 약 또는 항우울제 등을 사용해 치료할 수 있다. 최근에는 레이저로 늘어난 혈관을 직접 줄이는 방법으로 치료하기도 한다.

09 에너지의 생성

개념 기르기 80-81쪽

01 ⑤	02 ①, ③	03 ③	04 ②	05 ⑤
06 ④	07 ④	08 ②	09 ③	10 ④
11 ①				

01 생물체 내에서 영양소와 산소를 물과 이산화 탄소로 분해하면서 살아가는 데 필요한 에너지를 얻는 과정을 세포 호흡이라고 한다.

02 호흡과 연소의 공통점은 산소를 필요로 하는 반응이며, 반응 결과 물과 이산화 탄소, 에너지가 생성된다. 호흡은 저온에서 천천히 일어나고, 여러 단계의 반응을 거쳐 에너지가 조금씩 단계적으로 방출된다. 그러나 연소는 고온에서 빠르게 일어나고, 에너지가 한꺼번에 빠르게 방출된다.

03 호흡과 연소의 공통점은 산소를 필요로 하는 반응이며, 반응 결과 물, 이산화 탄소, 에너지가 생성된다.

04 A는 코, B는 기관, C는 기관지, D는 폐, E는 가로막이다. 음식이 지나가는 관은 식도이고, 공기가 지나는 관은 기관이다.

05 A는 모세 혈관, B는 폐포이다. 폐포는 한 층의 세포로 구성된 얇은 막이며, 이산화 탄소는 모세 혈관에서 폐포로, 산소는 폐포에서 모세 혈관으로 이동한다.

06 호흡 기관은 코, 기관, 기관지, 폐로 구성되어 있으며 폐는 근육이 없어 스스로 운동하지 못한다. 폐는 수많은 폐포로 이루어져 있다.

07 (가)는 들숨, (나)는 날숨이다. (가)에서는 가슴 내 부피가 증

가하므로 압력이 낮아져 공기가 몸 안으로 들어가고, (나)에서는 가슴 내 부피가 감소하므로 압력이 높아져 폐속의 공기가 몸 밖으로 나온다.

08 (가)는 들숨, (나)는 날숨이다. 고무풍선은 폐, 고무막은 가로막으로 볼 수 있다. 실험에서 페트병의 크기는 변하지 않는다.

09 폐포와 모세 혈관에서의 각 기체의 농도 차에 의한 확산으로 기체가 교환된다.

10 숨을 쉴 때 공기 전체를 들이마시고 내뱉는다. 들숨과 날숨에서 산소와 이산화 탄소의 성분비만 변하므로 날숨일 때는 산소가 줄어들고 이산화 탄소가 늘어난 공기를 내뱉는다.

11 날숨에는 이산화 탄소가 많이 포함되어 있어 녹색의 BTB 용액이 황색으로 바뀐다.

서술형으로 다지기 82쪽

01 모범답안
- 라디에이터는 여러 개의 관을 사용하여 공기와 만나는 면적을 늘려 효율적으로 온도를 높인다.
- 에어컨의 냉각핀은 여러 개의 관을 사용하여 공기와 만나는 면적을 늘려 효율적으로 온도를 낮춘다.
- 수건에 털처럼 나 있는 돌기는 표면적을 넓혀 물을 빠르게 흡수한다.

해설 식물의 뿌리털, 소장의 융털, 대뇌의 주름, 물고기의 아가미 등은 표면적을 넓혀서 효율적으로 작용한다.

02 모범답안 이산화 탄소의 농도, 산소의 농도만 변했을 때는 호흡 수가 크게 변하지 않았지만, 이산화 탄소의 농도만 변했을 때는 호흡 수가 크게 변했기 때문이다.

해설 중추 신경계의 연수는 혈액의 이산화 탄소 농도에 따라 호흡 속도를 조절한다. 우리 몸의 pH는 7.4로 일정하게 유지된다. 만약 공기 중 이산화 탄소 농도가 높아지면 혈액에 녹는 이산화 탄소의 양이 많아져 혈액의 pH가 낮아진다. 우리 몸은 혈액의 pH를 일정하게 유지하기 위해 이산화 탄소를 빠르게 내보려하고, 이로 인해 호흡 속도가 빨라진다.

03 모범답안 연탄 가스 속의 일산화 탄소는 산소보다 헤모글로빈과의 결합력이 강하여, 산소 대신 헤모글로빈과 결합하기 때문이다.

해설 일산화 탄소는 산소보다 200~300배 정도 헤모글로빈과 더 잘 결합하기 때문에 조직세포에 공급되는 산소의 양이 줄어든다. 연탄 가스 중독 환자는 고압의 산소를 공급해 치료한다.

04 모범답안 과식하면 위가 커지면서 복강의 압력이 높아지므로 가로막이 아래로 내려가기 어렵기 때문이다.

해설 소화기관은 호흡기관 아래쪽에 위치한다. 호흡은 가로막의 상하 운동에 의해 일어나는데 위가 커져 복강의 압력이 높아지면 가로막이 압박을 받아 호흡하기 힘들어진다. 꽉 끼는 옷을 입을 때나 복부비만인 경우도 복강의 압력이 높아지므로 호흡이 힘들어진다.

융합사고력 키우기 83쪽

01 모범답안 뇌가 사용하는 영양소는 포도당인데, 엿을 먹으면 뇌에 포도당이 공급되어 집중력이 높아지면서 뇌의 활성화가 촉진된다.

해설 인간의 뇌는 몸무게의 2 %에 불과하지만, 에너지 소비량은 20 %에 달한다. 이는 근육 전체가 사용하는 것과 맞먹는 양이다. 뇌가 소비하는 에너지의 근원은 포도당이다. 뇌 입구에 있는 혈액 뇌관문에서 포도당만 통과시키기 때문에 뇌는 포도당만 에너지원으로 사용한다. 우리가 먹는 음식물은 소화 과정을 거쳐 포도당으로 분해되므로 시간이 오래 걸리지만, 엿은 주성분이 엿당(포도당 2개가 연결된 입자)이기 때문에 소화도 잘 되고 뇌에 충분한 에너지를 공급할 수 있다.

02 모범답안 엿은 주성분은 포도당 2개가 연결된 엿당이고, 엿당은 쉽게 분해되므로 뇌에 포도당을 빠르게 공급한다. 그러나 찹쌀떡은 녹말 성분이므로 소화되어 포도당이 되기까지 시간이 오래 걸린다.

해설 수험생을 괴롭히는 것은 긴장으로 인한 스트레스이다. 스트레스의 영향을 가장 많이 받는 기관은 위이므로, 과도하게 긴장하면 밥맛을 잃고 소화가 잘 되지 않아 속이 답답하고 꽉 막히는 증상이 나타난다. 이때 엿을 먹으면 엿당이 쉽게 분해되어 포도당을 빠르게 공급할 수 있고, 덱스트린(녹말 가수분해 산물)이 들어 있어 배앓이 증상을 가라앉힐 수 있다.

10 노폐물의 배설, 기관계의 상호 작용

개념 기르기 88-89쪽

01 ③ 02 ①, ⑤ 03 ① 04 ③ 05 ②
06 ③ 07 ④ 08 ① 09 ②, ⑤ 10 ②
11 ④ 12 ④

01 배설은 세포 호흡 결과 생성된 노폐물(물, 이산화탄소, 암모니아)을 몸 밖으로 내보내는 과정이다. 독성 물질을 해독하는 것은 간의 기능으로, 배설과는 관계없다.

02 탄수화물은 이산화 탄소와 물, 지방은 이산화 탄소와 물, 단백질은 이산화 탄소, 물, 암모니아가 노폐물로 생성된다.

03 A는 콩팥, B는 오줌관, C는 방광, D는 요도이다. 콩팥은 혈액에서 노폐물을 걸러 오줌을 만드는 기관이며, 요소는 단백질이 분해되는 과정에서 만들어진다.

04 단백질은 분해 과정에서 이산화 탄소, 물, 암모니아를 생성하고 암모니아는 간에서 독성이 약한 요소로 전환된 후 배설된다.

05 콩팥은 세포 활동의 결과 생긴 노폐물을 거르는 역할을 하므로 콩팥을 지난 혈액에는 노폐물인 요소가 적다.

06 A는 콩팥 동맥, B는 콩팥 정맥, C는 겉질, D는 속질, E는 콩팥 깔때기이다.

07 A는 세뇨관, B는 사구체, B는 보먼주머니이며, B와 C를 합쳐서 말피기 소체, A, B, C를 모두 합쳐서 네프론이라고 한다. 세뇨관과 모세 혈관 사이에 물질 교환이 일어난다.

08 요소의 농도는 E에서 가장 높고, E에서 포도당이 검출되는 경우는 당뇨병 등의 병이 있을 확률이 높다.

09 포도당과 아미노산은 100 % 재흡수되기 때문에 E에서 검출되지 않는다. 물과 무기 염류는 필요한 만큼만 재흡수되기 때문에 E에서 검출될 수 있다.

10 높은 혈압에 의해 입자가 작은 물질이 걸러지는 것은 사구체(A)에서 보먼주머니(B)로 일어나는 여과 과정이다.

11 짠 음식을 먹으면 콩팥에서 물의 재흡수량이 증가하여 배설되는 오줌의 양이 적어진다.

12 여러 기관계가 서로 유기적으로 작용하여 생명을 유지한다. 여러 기관계 중 하나만 잘못되어도 모두 영향을 받는다.

서술형으로 다지기 90쪽

01 모범답안 오줌 속에 식물의 생장에 필요한 질소가 요소의 형태로 많이 들어 있기 때문이다.

해설 오줌에 물 다음으로 많이 들어 있는 성분은 요소이다. 요소에는 질소가 포함되어 있어 식물이 자라는 데 유용한 거름이 된다. 또한, 오줌에 포함된 여러 가지 무기 염류도 식물이 자라는 데 도움이 된다.

02 모범답안 땀을 많이 흘리면 몸안의 수분이 감소하므로 콩팥의 세뇨관에서 수분을 재흡수하기 때문이다.

해설 땀을 흘려 체내 수분량이 감소하면 체액의 삼투압이 높아진다. 이때는 항이뇨 호르몬이 분비되어 콩팥의 세뇨관에서 물을 재흡수하는 양이 증가하므로 오줌량이 감소하고, 간뇌에서 갈증을 느끼게 하여 물을 마시게 한다. 물이나 수박을 많이 먹어 체내 수분량이 증가하면 체액의 삼투압이 낮아진다. 이때는 항이뇨 호르몬 분비가 감소하여 물의 재흡수가 억제되므로 오줌량이 증가한다.

03 모범답안 바닷물을 마시면 혈액의 무기 염류 농도가 높아진다. 우리 몸은 농도를 일정하게 유지하기 위해 무기 염류와 함께 많은 물을 내보내므로 갈증을 더 느끼게 되고 탈수가 나타난다.

해설 우리 몸은 체액의 농도를 0.9 %로 일정하게 유지한다. 농도가 높아지면 콩팥에서 수분의 재흡수량을 늘리고 무기 염류의 재흡수를 억제하여 농도를 맞추고, 농도가 낮아지면 수분의 재흡수량을 늘리고 무기 염류의 재흡수를 증가시켜 농도를 맞춘다. 그런데 바닷물의 농도는 3 %로, 체액보다 매우 진하므로 바닷물을 마시면 삼투압이 높아져 확산에 의해 혈액과 체액의 수분이 빠져나간다. 또한, 초과된 무기 염류를 내보내야 하는데, 콩팥이 만드는 오줌의 농도는 2 %인데 바닷물은 3 %로 무기 염류의 양이 너무 많기 때문에 콩팥은 더 많은 양의 물을 오줌으로 배출하게 된다. 그 결과 세포에서 많은 물이 빠져나와 갈증을 더 느끼게 되고 탈수가 나타난다.

04 모범답안 무중력 상태에서는 뼈의 역할이 줄어들기 때문에 뼈를 구성하는 칼슘이 더 빠져나가기 때문이다.

해설 콩팥은 배설뿐만 아니라 물질의 농도를 조절하여 체액이나 혈액의 농도, 삼투압, pH를 일정하게 유지시킨다.

융합사고력 키우기 91쪽

01 모범답안 스프의 양을 줄이고, 나트륨의 배출을 돕는 칼륨이 풍부한 당근, 양파, 파 등의 채소를 넣어서 먹는다.

해설 가급적 싱겁게 간을 한 김치를 먹거나, 야채샐러드를 함께 먹는 것도 좋다.

02 모범답안 나트륨을 원활하게 배출하지 못하여 체내 나트륨 양이 많아지면 우리 몸은 나트륨 농도를 낮추기 위해 물의 재흡수량을 늘린다. 이로 인해 체내 수분이 빠져나가지 않기 때문에 몸이 붓는다.

해설 일반인은 나트륨을 배출하는 칼륨 성분이 많이 함유된 과일과 야채를 같이 먹으면 몸이 붓는 것을 막을 수 있다. 그러나 콩팥질환 환자는 칼륨 성분이 다량 함유된 과일 주스, 과일, 채소 등을 많이 먹으면 안된다. 콩팥에서 칼륨을 배출하는 기능이 떨어져 체내 칼륨 농도가 급격히 증가하면, 근육 마비나 호흡 곤란, 심한 경우에 심장마비가 일어날 수 있기 때문이다.

탐구력 키우기 92쪽

01 모범답안

구분	컵 A (녹말물)	컵 B (녹말물+침)	컵 C (녹말물+소화제)	컵 D (녹말물+무즙)
실험 전	청람색	청람색	청람색	청람색
실험 후	청람색	색이 사라짐	색이 사라짐	색이 사라짐

02 모범답안 침, 소화제, 무즙은 녹말을 엿당으로 소화시키므로, 청람색이 연해지거나 사라진다.

해설 약국에서 구할 수 있는 포비돈은 아이오딘 용액이다. 아이오딘 성분이 미생물을 산화시켜 없애기 때문에 소독약으로 사용한다.

03 모범답안 녹말의 소화 과정이 매우 느리게 진행되므로 청람색이 아주 서서히 사라진다.

해설 소화 효소가 활발하게 작용하는 온도 범위는 체온(37 ℃) 범위이므로 너무 낮은 온도에서는 소화 효소가 활발하게 작용하지 못한다.

04 모범답안 침에 의해 녹말이 소화되어 엿당이 생기고, 세균이 엿당을 먹고 번식하기 때문이다.

해설 먹다 남은 음식은 끓여서 효소의 활성을 없애거나, 효소의 작용과 세균의 번식을 억제할 수 있도록 저온에 보관해야 한다.

Ⅳ 자극과 반응

11 감각 기관

개념 기르기 98-99쪽

01 ⑤	02 ②	03 ③	04 ②	05 ③
06 ①	07 ②	08 ①	09 ③	10 ③
11 ②	12 ③			

01 A는 홍채, B는 수정체, C는 섬모체, D는 망막, E는 맥락막이다.

02 가까운 곳의 물체를 볼 때는 섬모체 수축하면서 수정체 두꺼워져 굴절각이 커진다. 먼 곳의 물체를 볼 때 섬모체가 이완하면서 수정체가 얇아져 굴절각이 작아진다.

03 망막은 상이 맺히는 곳으로 사진기의 필름과 같은 역할을 한다.

04 빛이 각막을 지나 수정체에서 굴절된 후 유리체를 지나 시각세포가 분포된 망막에 상이 맺히면 시각 신경을 통해 대뇌까지 자극이 전달되어 상을 인식한다.

05 A는 홍채, B는 동공이다. 밝을 때는 홍채가 확장되어 동공이 축소되므로 눈으로 들어오는 빛의 양이 감소한다.

06 근시는 상이 망막 앞에 맺혀 먼 곳의 물체를 잘 볼 수 없으므로 오목 렌즈로 빛을 퍼트려서 교정한다.

07 A는 고막, B는 귓속뼈, C는 반고리관, D는 전정 기관, E는 달팽이관, F는 귀인두관이다. 중이와 외이(외부)의 압력을 같게 조절하는 것은 귀인두관이다.

08 소리의 전달 경로는 소리 → 귓구멍 → 고막 → 귓속뼈 → 달팽이관(청각세포) → 청각 신경 → 대뇌 순이다. 반고리관(C), 전정 기관(D), 귀인두관(F)은 청각의 성립에 관여하지 않는다.

09 제시된 현상들은 몸의 균형을 유지하려는 평형 감각 기관인 반고리관(C)과 전정 기관(D)에 관련된 것이다.

10 후각 세포는 기체 상태의 화학 물질에 반응하며, 후각세포의 종류가 다양하여 다양한 냄새를 받아들일 수 있다.

11 유두 옆면에 존재하는 맛봉오리에는 맛을 감지하는 맛세포가 있다.

12 예민한 부위는 감각점이 많이 분포하기 때문이다. 등이나 허벅지 안쪽 같은 경우는 감각점이 적어 다른 부위보다 덜 민감하다.

서술형으로 다지기 100쪽

01 모범답안 시각세포가 없는 맹점에 십자가 모양의 상이 맺히기 때문이다.

해설 맹점은 시각 신경이 다발로 모여 있는 곳으로, 시각세포가 없어서 상이 맺혀도 볼 수 없다. 맹점의 위치는 망막의 중심부에서 코쪽으로 약 15° 아래에 있다. 맹점의 존재는 시야를 측정하는 시야계를 이용하면 정확히 알아낼 수 있으나, 간단하게는 이 실험을 통해 알 수 있다. 동그라미와 십자가 사이 거리의 3.5배 정도 떨어진 곳에서 십자가 모양이 보이지 않는다.

02 모범답안 내장 기관에는 통점이 거의 없거나 매우 적은 수가 있기 때문이다.

해설 내장 기관에는 통점이 피부의 2% 정도밖에 되지 않는다. 내장 기관이 통증을 느끼려면 병이 상당히 진행되어 많은 수의 통점이 동시에 자극을 받아야 한다.

03 모범답안 높은 곳은 기압이 낮기 때문에 외이와 중이의 압력 차이가 생겨 귀가 먹먹해진다. 입을 크게 벌리거나 하품, 또는 침을 삼키면 귀인두관이 열리면서 외이와 중이의 압력이 같아지므로 증상이 사라진다.

해설 높은 곳으로 올라가 외이와 중이의 압력 차이가 생기면 고막이 외의 쪽으로 팽창하기 때문에 귀가 먹먹해진다.

04 모범답안 몸이 성장하면서 눈의 크기도 커져 수정체와 망막 사이의 거리가 점점 멀어지기 때문이다.

해설 성장기에는 근시가 점점 심해지지만 성인이 되면 눈의 크기가 더 이상 커지지 않으므로 수정체와 망막 사이의 거리로 인해 시력이 나빠지지 않는다.

융합사고력 키우기 101쪽

01 모범답안 맛세포가 부족하고 둔하기 때문이다.

해설 돼지는 사람처럼 잡식 동물인데 유전자를 분석한 결과 사람에 비해 미각의 섬세함이 떨어지는 것으로 나타났다. 짠맛을 느끼는 유전자에 문제가 있고 쓴맛을 느끼는 유전자 개수도 17개로 25개인 사람에 비해 적다. 그래서 사람이 너무 짜거나 써서 먹지 않는 음식도 맛있다고 느낀다.

02 모범답안

- 사람이 직접 맡기 어려운 유독 가스나 공기 중 오염 물질의 검출에 이용한다.
- 환자의 날숨을 분석하여 질병을 진단한다.
- 음식물의 냄새로 그 음식의 신선도 및 부패 정도를 확인한다.
- 냄새를 코드화하여 기록으로 남기는 데 활용한다.

해설 돼지의 후각은 개보다도 뛰어나다. 유전자 분석 결과 확인된 돼지의 후각 수용체 유전자 개수는 무려 1,301개이고, 이 가운데 86 %가 제대로 발현돼 작동하는 것으로 추정된다. 이는 지금까지 후각 수용체 유전자를 분석한 동물 가운데 가장 높은 수치다. 사람은 1,000여 개 유전자 가운데 400여 개만이 정상적으로 작동한다고 알려져 있다.

12 신경계, 호르몬과 항상성 유지

개념 기르기 106-107쪽

01 ⑤	02 ④	03 ⑤	04 ④	05 ⑤
06 ①	07 ①	08 ⑤	09 ①	10 ①
11 ②	12 ⑤			

01 중추 신경계는 뇌와 척수로 이루어져 있고, 말초 신경계는 중추 신경계에서 뻗어 나와 온몸의 조직과 기관에 연결되어 있다.

02 D는 연수로 좌우 신경 교차가 일어나고 소화 운동, 심장 박동, 호흡 운동의 중추이다.

03 동공 반사는 중간뇌 반사이고 나머지는 연수 반사이다.

04 A는 신경세포체, B는 가지 돌기, C는 축삭 돌기이다. 자극은 가지 돌기에서 축삭 돌기 방향으로 전달된다.

05 조건 반사의 중추는 대뇌이고, 무조건 반사의 중추는 척수, 연수, 중간뇌이다.

06 바닥의 압정을 밟았을 때 자신도 모르게 발을 때는 것은 무조건 반사인 척수 반사로 자극 → 감각 기관 → 감각 신경 → 척수 → 운동 신경 → 운동 기관 → 반응의 경로를 거친다.

07 호르몬은 부족하면 결핍증이 나타나고, 지나치면 과다증이 나타나므로 분비량이 적절해야 한다.

08 A는 뇌하수체, B는 갑상샘, C는 부신, D는 이자, E는 난소, F는 정소이다. A에서는 생장 호르몬, 갑상샘 자극 호르몬, 생식샘 자극 호르몬, 항이뇨 호르몬, B에서는 티록신, C에서는 아드레날린, D에서는 인슐린, 글루카곤이 분비된다.

09 콩팥에서 수분 재흡수를 촉진하여 오줌양을 감소시키는 호르몬은 뇌하수체에서 분비되는 항이뇨 호르몬이다.

10 청소년기에 성호르몬 분비가 활발해지면서 남성과 여성의 외모가 뚜렷이 구분되는 2차 성징이 일어난다.

11 항상성은 외부 환경이 변하더라도 내부 환경을 일정하게 유지하려는 특성으로 신경과 호르몬의 작용으로 조절된다.

12 혈당량이 증가하면 인슐린이 분비되고, 혈당량이 감소하면 글루카곤이 분비되어 일정하게 조절한다.

서술형으로 다지기 108쪽

01 모범답안 무조건 반사는 조건 반사에 비해 반응 속도가 빨라 위기 상황에서 몸을 더 빨리 보호할 수 있다.

해설 무조건 반사는 척수나 연수, 중간뇌의 명령으로 대뇌가 관여하기 전에 나타나는 반응이다.

02 모범답안 정상적인 세포뿐만 아니라 암세포의 생장도 촉진시킬 수 있어 암이 빠르게 진행될 수 있다.

해설 최근 연구 결과에 따르면 생장 호르몬은 20대부터 10년마다 14 %씩 분비량이 감소하고, 65세가 되면 20대의 30 % 정도로 감소한다. 생장 호르몬의 감소는 노화와 매우 밀접해 피부 노화, 갱년기, 근육감소, 복부비만 등의 원인이 된다. 그러나

노화 방지를 위한 생장 호르몬 주사는 아직 논란의 여지가 많다. 쥐를 통한 연구에서 생장 호르몬이 오히려 평균 수명을 감소시키고 암이나 노화 관련 신체 변화를 촉진시키는 것으로 나타났다. 게다가 기존 연구들이 주로 6개월 이내의 단기 효과만 있어, 장기간 사용했을 때의 효과와 문제점은 입증되지 않았다.

03 모범답안 교통사고로 시각 중추인 대뇌가 손상되었기 때문이다.

해설 눈에서 받아들인 자극을 시각 신경을 통해 대뇌로 전달하면 대뇌에서 판단하여 본다는 것을 인식한다. 감각 기관인 눈과 대뇌로 전달하는 시각 신경이 문제가 없다면 이를 받아들여 판단하는 대뇌에 문제가 있음을 알 수 있다.

04 모범답안 식물인간은 대뇌의 기능이 손상된 것이고, 뇌사는 모든 뇌의 기능이 정지된 것이다.

해설 식물인간은 대뇌에 심각한 손상을 입어 모든 인지 기능이 사라진 상태로, 의식이 없고 외부 환경과 자극에 대해 반응하지 않는다. 그러나 중간뇌, 사이뇌, 연수가 손상되지 않아 호흡, 심장 박동, 위장 운동을 스스로 할 수 있고, 무조건 반사 반응이 나타난다. 따라서 외부에서 생명에 필요한 영양을 공급해 주면 다른 기계의 사용 없이 생명을 유지할 수 있다. 뇌사는 모든 뇌 기능이 정지된 상태로, 기계의 도움 없이는 호흡이나 심방 박동을 할 수 없다. 뇌사 상태는 사람은 살 수 없으나 기계에 의해 장기가 살아 움직이고 있기 때문에 장기 이식을 할 수 있다.

융합사고력 키우기 109쪽

01 모범답안 매운맛은 교감 신경을 자극해 신진대사를 활발하게 해준다.

해설 교감 신경이 자극되면 몸이 흥분되고 긴장하게 되고, 부교감 신경이 자극되면 몸의 기능을 억제시키고 면역을 증가시킨다. 교감 신경과 부교감 신경이 서로 적절하게 균형을 이루는 것이 중요하다. 매운맛(캡사이신)은 교감 신경을 활성화시켜 신진대사를 활발하게 해주므로 운동한 것처럼 기분이 개운해진다. 또한, 에너지 소비량을 많아지게 하여 지방 축적을 막고 체지방을 감소시키므로 다이어트에 도움이 된다.

02 모범답안 매운맛을 내는 성분인 캡사이신이 우리 몸에 들어오면 대뇌는 통증으로 해석하고, 통증을 없애기 위해 엔돌핀과 같이 기분을 좋게 만드는 호르몬을 내보내기 때문이다.

해설 캡사이신은 지용성이므로 물보다 우유나 치즈의 유지방에 잘 녹기 때문에 우유를 마시면 통증을 줄이는 데 도움이 된다. 또한, 매운맛은 신맛에 의해 억제되므로 신 음식을 먹는 것도 좋다.

탐구력 키우기 110쪽

01 모범답안

구분	1회	2회	3회	4회	5회	평균
실험 1	8	10	9	8	8	8.6
실험 2	25	28	30	28	26	27.4

02 모범답안

- [실험 1] 자극 → 망막의 시각세포 → 시각 신경 → 대뇌 → 척수 → 운동 신경 → 손의 근육 → 반응(자 잡기)
- [실험 2] 대뇌(머리 속으로 숫자 세기) → 자극 → 망막의 시각세포 → 시각 신경 → 대뇌 → 척수 → 운동 신경 → 손의 근육 → 반응(자 잡기)

03 모범답안 반응 경로가 길면 반응하는 시간도 길어진다.

자의 떨어진 거리가 길수록 반응 속도가 느리다. 자극은 감각

해설 신경, 연합 신경, 운동 신경을 거쳐 반응으로 나타나기 때문에 자극을 받아들인 후 반응이 일어나기까지는 어느 정도의 시간이 걸린다. 이때 걸리는 시간은 신경의 종류와 사람에 따라 차이가 날 수 있다.

04 모범답안 반응 경로가 길어져 반응 시간도 길어지므로 위급한 상황에서 큰 사고가 날 수 있다.

V 생식과 유전

13 생식 방법과 DNA

개념 기르기 116–117쪽

01 ②	02 ③	03 ③	04 ①	05 ③
06 ④	07 ③	08 ②	09 ⑤	10 ④
11 ⑤	12 ③			

01 생식은 생물이 살아 있는 동안 자신과 닮은 자손을 만들어 남기는 과정으로 유성 생식과 무성 생식이 있다.

02 유성 생식은 암수가 각각 생식 세포를 만든 후 이들의 결합으로 자손을 만든다. 번식 속도가 느리고, 유전적 구성이 다양하므로 환경 변화에 잘 적응할 수 있다.

03 효모는 몸의 일부가 자라서 떨어져 나가 새로운 개체가 되는 출아법으로 번식한다.

04 히드라의 생식 방법으로, 출아법이다. 효모, 산호, 말미잘 등이 출아법으로 번식한다.

05 유성 생식은 부모의 유전 물질을 절반씩 물려 받아 유전자 구성이 다양하여 환경 변화에 잘 적응할 수 있다.

06 영양 생식은 식물의 영양 기관(뿌리, 줄기, 잎)을 이용하여 번식하는 것으로 개와화 결실이 빠르고 어버이의 우수한 형질이 자손에게 그대로 전달되므로 농업이나 원예에서 많이 이용한다. 하지만 유전자 구성이 동일하므로 환경 변화에 적응하기 어렵다.

07 염색체는 생물의 종류에 따라 염색체의 수와 모양이 다르다. 같은 종의 생물은 같은 수와 모양의 염색체를 가진다.

08 유전 물질인 DNA는 세포가 분열할 때 부모로부터 자손에게 전해지는 물질로, 세포의 핵 속에 존재한다.

09 염색체 수는 총 8개, 상염색체 수는 6개, 성염색체 수는 2개이다. 오른쪽 아래의 크기와 모양이 다른 염색체 2개가 성염색체이다.

10 생물의 종류에 따라 염색체의 모양이 다르다. 상염색체는 암수 공통으로 가지는 염색체이고, 성염색체는 암수의 성을 결정하는 염색체이다.

11 A와 B는 상동 염색체이고, A와 B를 구성하는 두 가닥은 염색 분체이며, C는 동원체이다. 염색 분체는 세포가 분열할 때 DNA가 복제된 후 각각 독자적으로 응축되어 각 염색 분체 가닥을 형성하므로 유전 정보가 동일하고, 상동 염색체는 부모로부터 하나씩 물려 받으므로 유전 정보가 동일하지 않다.

12 (가)는 남자, (나)는 여자의 염색체이다. 사람의 염색체는 총 46개이며 남자의 염색체는 $2n=44+XY$, 여자의 염색체는 $2n=44+XX$이다.

서술형으로 다지기 118쪽

01 모범답안 무성 생식은 유전 형질이 모두 같아 무게 범위가 거의 차이 나지 않지만, 유성 생식은 다양한 유전 형질이 나타나므로 무게 범위의 폭이 넓다.

해설 (가)의 종자 번식은 유성 생식이므로 자손의 유전 형질이 다양하게 나타나고, (나)의 영양 생식은 무성 생식이므로 모든 자손의 유전 형질이 모두 동일하게 나타난다.

02 모범답안 어버이의 우수한 형질을 그대로 이어 받을 수 있고, 개화나 결실을 앞당길 수 있다.

해설 영양 생식은 잎, 뿌리, 줄기 등의 영양 기관으로 새로운 개체를 만드는 방법이다. 유성 생식은 생물의 다양성을 얻을 수 있으나 어버이의 좋은 형질을 유지할 수 없고, 무성 생식은 어버이의 좋은 형질을 그대로 이어 받을 수 있으나 환경 변화에 적응하기 힘들다.

03 모범답안 염색체에 들어 있는 유전 정보가 다르기 때문이다.

해설 염색체는 DNA와 단백질로 구성된 염색사가 응축된 것으로, 세포가 분열할 때 자손에게 부모의 유전자를 전달하는 운반체이다. 유전 정보는 DNA의 특정 부분에 있고, 각 개체마다 유전 정보가 다르므로 각각 모습이 다르다.

04 모범답안 무성 생식을 통해 번식하면 부모와 동일한 유전 정보를 가진 자손만 생기기 때문에 환경 변화에 잘 적응하지 못하기 때문이다.

해설 무성 생식에 의해 태어난 자손은 부모와 동일한 유전 정보를 가지기 때문에 유전적 구성이 다양하지 못하다. 한 가지 유전자만 가지고 있는 집단은 외부 환경이 변하면 쉽게 멸종되지만, 유전적 다양성이 큰 집단은 환경 변화에 살아남을 가

능성이 크다. 평소에 무성 생식을 하던 생물도 환경이 좋지 않을 때는 유성 생식으로 바꾸어 유전자를 교환하여 새로운 유전자를 가진 자손을 만든다.

융합사고력 키우기 119쪽

01 모범답안
- 90일은 너무 짧으므로 평균 수명 동안 지속적으로 검사를 해야 한다.
- 유전자 변형 작물이 일반 농산물도 오염시킬 수 있는가에 대한 검사도 해야 한다.
- 유전자 변형 작물이 생태계 교란을 일으키는지 검사해야 한다.

해설 유전자 변형 작물이 재배된 지 20여 년 밖에 안 됐기 때문에 장기간 영향에 대한 정보가 부족하다. 우리나라처럼 유전자 변형 작물을 수입만 하는 나라에서도 유전자 변형 작물로 인한 오염이 일어날 수 있다. 해충 저항성 작물을 심은 곳에서 새로운 해충이 급증한 사례도 있다.

02 모범답안 유전자 변형 작물은 해충이나 기상 이변에 강해서 생산량이 많고, 어떤 환경에서도 자랄 수 있으며, 식품 신선도가 높아 식중독의 위험이 적기 때문이다.

해설
- 유전자 변형 작물의 장점 : 작물의 당도나 영양을 높여 소비자에게 만족을 줄 수 있고, 작물의 생산 속도나 생산량을 늘려서 가격을 낮출 수 있다. 특정한 병에 걸리지 않는 품종을 만들어 농약 사용을 줄일 수 있다. 등
- 유전자 변형 작물의 단점 : 인공적으로 만들어진 것으로 어떤 독성을 나타낼지 아직 밝혀지지 않았으며, 오랜 기간 먹었을 때 안전하다는 과학적 증거가 없다. 알러지 발생 가능성이 높다. 등

14 세포 분열

개념 기르기 124~125쪽

01 ④	02 ②	03 ①	04 ⑤	05 ⑤
06 ④	07 ②	08 ①	09 ④	10 ④
11 ②				

01 세포 분열할 때 나타나는 염색체의 모습과 위치에 따라 체세포 분열 과정을 구분한다.

02 (가)는 중기, (나)는 전기, (다)는 말기, (라)는 간기, (마)는 후기이다.

03 (가)는 중기로 염색체에 방추사가 부착되고 세포의 중앙에 염색체가 배열된다. 중기는 염색체를 관찰하기 가장 좋은 시기이다.

04 (가)는 압착, (나)는 해리, (다)는 분리, (라)는 염색, (마)는 고정이다. 체세포 분열 관찰 과정은 고정, 해리, 염색, 분리, 압착 순이다.

05 고정 단계를 거치는 것은 세포 분열을 멈추고 살아 있는 상태와 같이 유지하기 위해서이다.

06 체세포 분열은 식물은 생장점과 형성층과 같이 특정한 부위에서 일어나고, 동물은 몸 전체에서 일어난다. 체세포 분열 후 염색체 수는 변화 없고, 딸세포 수는 2개가 된다.

07 염색체의 수는 감수 1분열에서 2가 염색체가 분리될 때 절반으로 줄어든다. (가), (나)는 감수 1분열, (다), (라)는 감수 2분열이므로 염색체가 절반으로 줄어든 것은 (나)에서 (다)가 될 때이다.

08 생식 세포 분열은 분열 후 염색체의 수가 절반으로 줄어들고, 감수 1분열이 끝나면 간기 없이 감수 2분열이 연속해서 일어난다.

09 그림은 감수 1분열 전기로 상동 염색체가 짝을 지어 2가 염색체가 형성된다. 2가 염색체는 생식 세포 분열에서만 관찰할 수 있고, 염색체의 수는 4개이며, 유전 물질이 2배로 복제되는 시기는 간기이다.

10 생식 세포 분열은 식물의 꽃밥과 밑씨, 동물의 정소와 난소에서 일어난다. 생식 세포 분열 후 염색체 수는 반으로 줄어들고, 딸세포는 4개가 된다.

11 생식 세포 분열과 체세포 분열 결과 세포 수는 늘어난다. 그러나 체세포 분열에서는 염색체 수가 변하지 않고, 생식 세포 분열에서는 염색체 수가 반으로 줄어든다.

서술형으로 다지기 126쪽

01 모범답안 생식 세포가 형성될 때 생식 세포 분열 과정에서 염색체 수가 반으로 줄어들기 때문이다.

해설 생식 세포가 만들어질 때 염색체 수가 반으로 줄어들지 않는다면 세대가 거듭될수록 염색체 수는 계속해서 증가하게 될 것이다.

02 모범답안 생식 세포가 분열하여 2가 염색체를 형성할 때 염색체 일부가 교환되거나, 2가 염색체가 무작위로 분리되어 다른 유전자 구성을 가진 생식 세포가 만들어지기 때문이다.

해설 유성 생식을 하는 생물은 한 부모로부터 다양한 형질의 자손이 태어난다. 생식 세포 분열 과정에서 부모의 유전자가 그대로 후손에게 전달되는 것이 아니라 다양하게 조합되어 전달되고, 생식 과정에서 생식 세포가 무작위로 수정되기 때문이다.

03 모범답안 체세포 분열은 단세포 생물에서는 생식이고, 다세포 생물에서는 생장과 재생을 의미한다.

해설 다세포 생물은 생식 세포 분열을 통해 생식 세포를 만들고, 생식 세포의 결합으로 유성 생식한다. 단세포 생물에서는 생식 세포 분열이 일어나지 않는다.

04 모범답안
- 일정 수의 세포를 배양한 후 한 시점에 각 분열 주기에 해당하는 세포 수를 세어 세포 분열 주기를 구한다.
- 한 세포의 DNA의 양을 측정하여 세포 분열 주기를 구한다.

해설
- 일정 수의 세포를 배양하기 시작하여 세포 수가 2배 되는데 걸린 시간이 세포 주기이다. 배양 중 한 시점에서 현미경으로 세포들의 염색체 모양을 관찰하여 분열 과정 중인 세포의 수를 센다. 관찰된 총 세포 수 가운데 분열 중인 세포의 비율로 세포 분열의 각 시기의 상대적 길이를 구하고, 세포 주기의 총 길이와 곱하여 각 시기의 실제 기간을 구한다.
- DNA에 결합하는 형광 물질을 이용해 DNA를 염색한 후 배양 중인 세포로부터 주기적으로 형광의 양을 측정하여 DNA가 2배 되는데 걸린 시간이 세포 주기이다. 세포 분열 과정을 동영상으로 촬영하여 세포 분열의 각 시기의 상대적 길이를 측정하고, 상대적 길이 비율을 세포 주기의 총 길이와 곱하여 각 시기의 실제 기간을 구한다.

융합사고력 키우기 127쪽

01 모범답안 세포가 분열할수록 텔로미어가 짧아지므로 생성되는 세포보다 죽는 세포의 수가 많아져 전체 세포 수가 감소하기 때문이다.

해설 세포의 분열 능력은 매우 왕성하지만, 무한하지는 않다. 태어난 후 다시 분열하지 않는 근육, 심장 근육, 신경세포를 제외한 사람의 모든 세포는 약 50~70회 정도 분열한 뒤 죽는다. 태아의 세포는 100번 정도 분열하는데 비해 노인의 세포는 20~30번 정도 분열한 후 노화되어 죽는다. 나이가 들면 텔로머레이스가 조금씩 없어지고, 이에 따라 텔로미어도 닳아 없어진다. 그러므로 사람의 염색체에서 텔로미어의 길이를 측정하면 세포의 노화 정도를 알 수 있다. 텔로미어의 구조는 아직 완벽히 밝혀지지 않았지만, 텔로미어에 부착된 단백질과 함께 특별한 구조를 이루어 세포가 분열할 때 염색체 끝이 노출되지 않도록 하여 염색체가 손상되는 것을 막는다.

02 모범답안
- 장점 : 세포가 계속 분열하면서 영원히 살 수 있다.
- 단점 : 죽지 않고 계속 분열하는 세포인 암세포가 될 수도 있다.

해설 텔로머레이스가 많을수록 반드시 좋은 것은 아니다. 암세포는 정상 세포와는 달리 노화 과정 없이 끊임없이 분열한다. 암세포에 텔로머레이스를 없애면 비정상적인 분열을 멈춘다. 노화를 연구하는 사람은 텔로머레이스의 기능을 활성화시키기 위해서, 암을 연구하는 사람은 텔로머레이스 기능을 없애기 위해 노력한다.

15 사람의 생식과 발생

개념 기르기 133–134쪽

01 ④ 02 ④ 03 ④ 04 ⑤ 05 ④
06 ②, ③ 07 ③ 08 ② 09 ③ 10 ①, ③
11 ④

01 A는 수정관, B는 정낭, C는 전립샘, D는 부정소, E는 정소이다.

02 A는 수란관, B는 난소, C는 자궁, D는 질이다. 난자와 정자가 수정되는 곳은 A이고, 수정란의 착상이 일어나는 곳과 태아가

자라는 곳은 C이다.

03 정자는 양분이 없으며 아주 작고, 난자는 운동 기관이 없어 움직일 수 없으며 세포질에 양분을 저장하고 있어 정자보다 크기가 크다.

04 수정란은 정자의 핵과 난자의 핵이 합쳐진 것이므로 수정란의 염색체 수는 체세포의 염색체 수와 같다.

05 배란은 보통 다음 월경이 시작되기 약 14일 전에 일어난다.

06 난할은 체세포 분열의 일종으로 염색체 수가 변하지 않는다. 발생 초기에는 세포 분열을 거듭해도 전체 크기가 수정란과 거의 같으므로 세포 분열이 일어날수록 세포 수는 증가하지만, 분열된 하나하나의 세포(할구) 크기는 점점 작아진다.

07 A는 배란, B는 수정, C는 착상이다. 착상이 이루어졌을 때부터를 임신이라고 한다.

08 생식세포 형성 후 난소에서 난자가 배출되면 수란관 상부에서 정자와 난자의 수정이 일어난다. 수정란은 자궁에 착상하여 태반을 형성한 후 자라고, 수정된 지 약 266일(38주) 후에 모체 밖으로 나온다.

09 A는 양수, B는 양막, C는 태반, D는 자궁, E는 탯줄이다. 태반을 통해 모체와 태아 사이에 물질 교환이 일어난다.

10 모체에서 태아로 산소와 영양소가 이동하고, 태아에서 모체로 이산화 탄소와 노폐물이 이동한다.

11 수정 후 8주까지는 배아, 8주 이후부터는 태아라고 부른다.

서술형으로 다지기 135쪽

01 모범답안 체외 수정은 주로 물이 있는 곳에서 수정이 이루어지며, 수정 확률을 높이기 위해 난자의 수가 많다. 체내 수정은 몸안에서 수정이 이루어지며 수정 확률이 높아서 난자의 수가 적다.

해설 체외 수정은 물에 사는 양서류와 어류의 수정 방법이다.

02 모범답안 1란성 쌍둥이는 1개의 수정란이 분열하면서 2개로 나누어져 둘의 모습이 같은 쌍둥이이고, 2란성 쌍둥이는 2개의 난자에서 각각 다른 정자와 수정이 일어나 서로 모습이 다른 쌍둥이이다. 같은 성별일 확률은 1란성 쌍둥이는 100 %이고, 2란성 쌍둥이는 50 %이다.

해설 1란성 쌍둥이는 탯줄은 각각 가지고 있지만, 태반은 세포가 분리되는 시기에 따라 1개 또는 2개 일 수 있다. 세포가 수정 후 3일 안에 분리되면 서로 다른 태반을 갖고, 6~8일 사이에 분리되면 하나의 태반을 갖는다. 1란성 쌍둥이의 수정란이 완벽하게 분리되지 않으면 머리나 가슴 등 신체 일부분이 붙어서 태어나는 샴쌍둥이가 된다.

03 모범답안
- 외부 충격으로부터 태아를 보호한다.
- 태아의 피부가 마르지 않도록 수분을 공급한다.
- 태아가 따뜻하게 지낼 수 있도록 한다.

해설 임신 기간 동안 태아는 양수 속에 둥둥 떠서 지낸다. 양수에는 태아의 각질이 섞여 있기 때문에 양수를 이용해 태아의 유전자 검사를 한다.

04 모범답안 유전 질환을 예방할 수 있다. 유전 질환이 있는 여성도 건강한 아기를 출산할 수 있다.

해설 착상 전 유전자 검사는 8세포기나 16세포기에 세포 한 개를 채취하여 검사가 진행된다. 가장 등급이 좋은 배아를 선별하여 자궁에 이식하기 때문에 착상 및 임신 성공률이 증가한다. 또한, 염색체 이상이 있는 배아를 배제하여 유산률을 감소시키고, 다운증후군, 에드워드 증후군 등 유전 질환을 예방할 수 있어 유전 질환이 있는 여성도 건강한 아기를 출산할 수 있다. 그러나 원하지 않는 아기는 폐기된다는 논란이 있다. 우리나라의 경우 태아 성 감별목적으로는 이 검사를 허용하지 않고 부모가 유전병 인자가 있는 경우에만 허용한다.

융합사고력 키우기 136쪽

01 모범답안 1등으로 도착한 정자는 투명대를 뚫는 데 온 힘을 쏟아 지쳐 쓰러지고, 이때 도착한 2등 그룹 중 운동성이 좋은 정자가 난자와 만난다.

해설 정자와 난자가 만나려면 먼저 투명대에 붙어 있는 난구세포를 없애야 한다. 1등 그룹의 수백 마리의 정자들은 난구세포를 없애는 데 온 힘을 쏟은 후 지쳐서 쓰러지고, 이때 도착한 2등 그룹 중 운동성이 좋은 정자가 난자와 만난다. 정자를 받아들인 난자는 투명대를 두껍게 만들어서 다른 정자가 들어오지 못하게 막는다.

02 예시답안
- 시험관 아기 : 아이를 위해서 우수한 유전자를 가지고 태

어나게 할 것이다. 아이가 우대받지 못하거나 약하다고 왕따를 당할지도 모르므로 자연적으로 낳지 않을 것이다. 자연적으로 낳으면 쉽게 아프거나 단명할 수 있다. 부모라면 당연히 자식이 아프지 않고 잘 자라고 똑똑한 것을 바라고, 사람은 누구나 자신이 남보다 더 우월하길 원하기 때문이다.
자연적 수정 : 생명이 태어나는 것은 사랑으로 이루어지는 것이기 때문에 만약 아이가 힘들게 살게 될지라도 자연적으로 낳아 키울 것이다. 인공적으로 우월한 난자와 정자를 수정시켜 아기를 낳는 것은 생명체를 낳는 것이 아니라 상품을 만드는 것과 같고, 대리모를 통해 아기를 낳을 수도 있기 때문이다.

16 유전

개념 기르기 140-141쪽

01 ③	02 ②	03 ④	04 ④	05 ④
06 ⑤	07 ③	08 ⑤	09 ④	10 ③

01 획득 형질은 생물이 환경의 영향에 의해 후천적으로 얻게 되는 형질이며, 유전되지 않는다

02 유전 형질은 부모로부터 자손에게 유전되는 형질로, 왼손잡이와 오른손잡이는 유전 형질 중 하나이다.

03 완두는 뚜렷하게 구분되는 대립 형질을 가지고 있다.

04 잡종 2대에서는 황색 완두와 녹색 완두가 3 : 1로 나타나지만 순종(YY, yy)과 잡종(Yy)은 1 : 1로 나타난다. 잡종 2대에 나타나는 유전자형은 YY, Yy, yy이다.

05 잡종 2대의 둥글고 녹색인 완두의 유전자형은 RRyy, Rryy 2가지이다.

06 잡종 1대에서 RW와 RW가 자가 수분하므로 잡종 2대에서는 RR : RW : WW = 1 : 2 : 1이 된다.

07 젖은 귀지 유전자를 A, 마른 귀지 유전자를 a라고 할 때 (가)는 aa, (나)는 Aa이므로 (가)와 (나)에서 태어난 자손은 Aa : aa = 1 : 1이다.

08 사람의 대립 형질은 매우 다양하고 복잡하므로 유추해서 분석하는 것은 불가능하다.

09 (가)와 (나)의 어머니의 유전자형은 BO, 아버지의 유전자형은 AO이므로 자손의 유전자형은 AO, BO, OO, AB 모두 가능하다. (가)는 A형이므로 유전자형은 AO이다.

10 순종이므로 아버지는 AA, 어머니는 OO이므로 딸은 A형(AO)만 나타난다. 아버지가 색맹이고 어머니가 색맹 유전자가 없으므로 딸은 XX′를 가진 보인자로 정상이다.

서술형으로 다지기 142쪽

01 모범답안 붉은색 분꽃과 흰색 분꽃의 유전자가 서로 불완전 우성으로 작용하기 때문이다.
해설 우열 관계가 불완전한 경우 어버이의 중간 형질이 나타나는 현상을 중간 유전이라고 한다.

02 모범답안 어머니의 유전자형이 XX′로 보인자이기 때문이다.
해설 부모가 정상인데도 남자 아이가 색맹인 것으로 보아 어머니가 색맹 유전자를 가지고 있는 보인자이다. 남자의 경우 어머니로부터 X′유전자를 받고 아버지로부터 Y 유전자를 받으면 X′Y가 되어 색맹이고, 어머니로부터 X 유전자를 받고 아버지로부터 Y 유전자를 받으면 XY가 되어 정상이다. 따라서 남자 아이가 색맹일 확률은 50 %이다. 여자의 경우 어머니로부터 X 유전자를 받고 아버지로부터 X 유전자를 받으면 XX가 되어 정상이고, 어머니로부터 X′ 유전자를 받고 아버지로부터 X 유전자를 받으면 X′X가 되어 보인자이다. 따라서 여자 아이가 색맹일 확률은 0 %, 보인자일 확률은 50 %이다.

03 모범답안 (가)에서 태어날 수 있는 아이의 혈액형은 A형, O형이고, (나)에서는 A형, B형, O형, AB형, (다)에서는 A형, B형의 아이가 태어날 수 있다. AB형은 (나)에서만 나올 수 있으므로 (나)는 AB형 아이의 부모이다. (가)는 B형 아이의 부모가 될 수 없으므로, O형 아이의 부모이고, (다)는 B형 아이의 부모이다.

04 모범답안 회색이 우성이다. 회색 쥐와 회색 쥐 사이에서 흰색 쥐가 태어났기 때문이다.
해설 열성 순종의 부모 사이에서는 열성 형질을 가진 자손만 태어나고, 잡종인 부모 사이에서는 열성과 우성의 형질이 모두 나타날 수 있다. 회색 쥐끼리 교배했을 때 회색과 흰색이 모두 나타났으므로 회색이 우성이고 흰색이 열성이다.

융합사고력 키우기 144쪽

01 모범답안 유색이 우성이고 백색이 열성이기 때문이다.

해설 흑인 부모 사이에서 백인 자녀가 가끔 나오지만, 백인 부모 사이에서는 돌연변이를 제외하면 흑인 자녀가 나오지 않는다. 이를 통해 유색이 우성이고 백색이 열성임을 알 수 있다. 피부색은 우성과 열성 두 가지 대립 유전자만으로 결정되지 않고 여러 대립 유전자가 관여하는 다인자 유전이다. 피부색에 관여하는 대립 유전자는 100여 가지가 넘고, 아직 정확히 몇 개인지 알려지지 않았다. 피부색은 대립 유전자쌍에 의해 조절되고, 각 우성 대립 유전자의 수가 피부색의 진하기에 관여한다. 즉, 검은 피부를 나타내는 유전자가 많을수록 피부가 검고, 흰 피부를 나타내는 유전자가 많을수록 피부가 희며, 검은 피부 유전자와 흰 피부 유전자가 비슷하게 있으면 피부가 황색을 띤다. 실제 피부색은 여러 가지 유전자가 작용하므로 복잡하다.

02 모범답안 열성 형질이 생존에 유리하기 때문이다.

해설 열성 형질을 가진 개체의 생존율이 더 높으므로 이 유전자가 자손에게 유전되는 확률이 더 높다. 세대가 거듭되면 열성 유전자의 비율이 높아지므로 전체 개체에서 열성 형질이 나타나는 비율이 높아진다. 멜라닌 색소는 자외선에 대항하는 우리 몸의 방어 물질이다. 햇빛이 강한 저위도 지방은 자외선이 강하므로 멜라닌 색소를 많이 지닐수록 유리하고, 고위도 지방으로 갈수록 자외선이 약하므로 멜라닌 색소가 적은 밝은 피부색이 유리하다. 백내장은 수정체가 탁해져 시력이 나빠지는 질병이고, 야맹증은 밝은 곳에 있다가 어두운 곳에 갈 때 적응하지 못하거나 어두운 곳에서 사물을 분간하기 힘든 질병이다. 평발은 체중이 효과적으로 분산되지 않으므로 몸무게를 버티지 못해 오래 걷기 힘들다.

탐구력 키우기 144쪽

01 모범답안

구분	1 cm	2 cm	3 cm	4 cm
겉넓이(cm^2)	6	24	54	96
부피(cm^3)	1	8	27	64
겉넓이/부피	6	3	2	1.5

02 모범답안 1 cm 조각

03 모범답안 세포가 커지면 단위 부피당 겉넓이가 감소하여 필요한 물질을 충분히 흡수하지 못하고 흡수된 물질이 세포 전체로 전달되는 데 시간이 오래 걸리므로 분열하여 작은 크기를 유지한다.

해설 세포는 계속 커지지 않고 물질 출입이 잘 일어날 수 있을 정도까지만 커진 뒤 분열한다.

04 모범답안 세포가 물질을 충분히 흡수하지 못해 물질 대사가 활발히 일어나지 못하므로 쉽게 죽는다.

안쌤의
창의적 문제해결력 시리즈

초등 1~2 학년

초등 3~4 학년

초등 5~6 학년

중등 1~2 학년

안쌤 영재교육연구소 교재구성

	과학 개념 + 융합사고력	과학대회	교육청 · 대학부설 영재교육원

초 1, 2학년

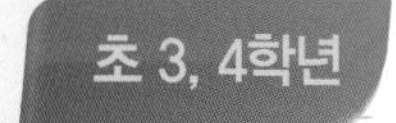

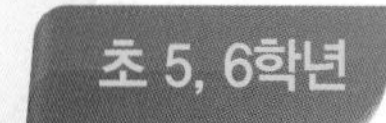

중등

안쌤 영재교육연구소 교재구성

과학 개념 + 융합사고력	과학대회	교육청 · 대학부설 영재교육원

초 1, 2학년

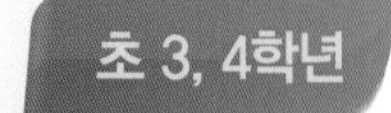

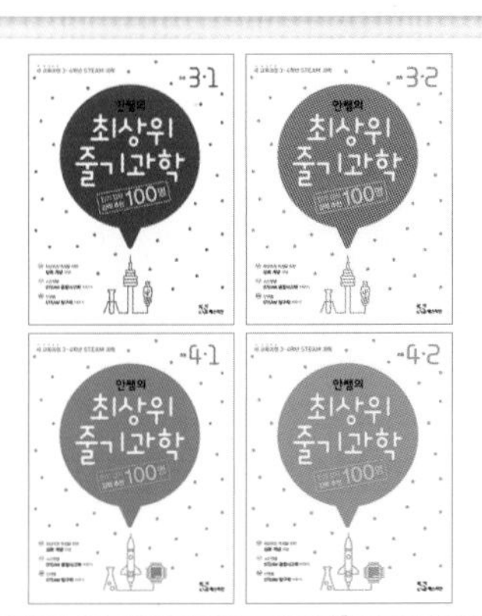

초 5, 6학년

중등

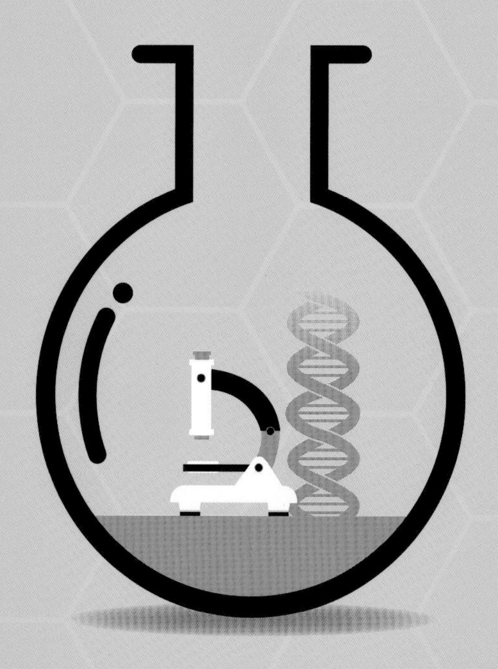

안쌤의

최상위 줄기과학

최 상 위 권 브 랜 드

마테시스

펴낸곳 타임교육C&P **펴낸이** 이길호

지은이 안쌤 영재교육연구소

주소 서울특별시 강남구 봉은사로 442 **연락처** 1588-6066

팩토카페 http://cafe.naver.com/factos

안쌤카페 http://cafe.naver.com/xmrahrrhrhghkr(안쌤 영재교육연구소)

자율안전확인신고필증번호: B361H200-4001

1. 주소: 06153 서울특별시 강남구 봉은사로 442
2. 문의전화: 1588-6066
3. 제조년월: 2023년 9월
4. 제조국: 대한민국
5. 사용연령: 8세 이상

※ KC마크는 이 제품이 공통안전기준에 적합하였음을 의미합니다.

종이, 모서리에 다칠 수 있으니 주의하세요!

안쌤의
창의적 문제해결력 시리즈

초등 1~2 학년

초등 3~4 학년

초등 5~6 학년

중등 1~2 학년